AF238043

ACCESO GRATIS *a la Lectura en la Nube*

Para visualizar el libro electrónico en la nube de lectura envíe junto a su nombre y apellidos una fotografía del código de barras situado en la contraportada del libro y otra del ticket de compra a la dirección:

ebooktirant@tirant.com

En un máximo de 72 horas laborales le enviaremos el código de acceso con sus instrucciones.

TEORÍA CONSTITUCIONAL Y BASES DE LA INSTITUCIONALIDAD

Procedimiento de selección de originales, ver página web:

www.tirant.net/index.php/editorial/procedimiento-de-seleccion-de-originales

TEORÍA CONSTITUCIONAL Y BASES DE LA INSTITUCIONALIDAD

FELIPE IGNACIO PAREDES PAREDES

Profesor de Derecho Constitucional de la Universidad Austral de Chile

tirant lo blanch

Valencia, 2020

© Felipe Ignacio Paredes Paredes

© TIRANT LO BLANCH
EDITA: TIRANT LO BLANCH
C/ Artes Gráficas, 14 - 46010 - Valencia
TELFS.: 96/361 00 48 - 50
FAX: 96/369 41 51
Email: tlb@tirant.com
www.tirant.com
Librería virtual: www.tirant.es
ISBN: 978-84-1336-642-5

Si tiene alguna queja o sugerencia, envíenos un mail a: *atencioncliente@tirant.com*. En caso de
no ser atendida su sugerencia, por favor, lea en *www.tirant.net/index.php/empresa/politicas-
de-empresa* nuestro procedimiento de quejas.

Responsabilidad Social Corporativa: http://www.tirant.net/Docs/RSCTirant.pdf

Índice

Tabla de abreviaturas   15

PRIMERA PARTE:
TEORÍA DE LA CONSTITUCIÓN

Capítulo Primero
PRESUPUESTOS TEÓRICOS

1. Política y Derecho   19
   1.1. Política y conocimiento   19
   1.2. Un concepto básico de política   21
   1.3. Teoría y teorías de la Constitución   23
2. La sociedad política. Teorías sobre la legitimidad de la organización política   25
   2.1. La teoría política premoderna   27
   2.2. La teoría política del absolutismo   29
        2.2.1. El contrato social y la formación de la sociedad política   30
        2.2.2. El Leviatán como la forma y sustancia del Estado   32
   2.3. La teoría política del liberalismo burgués   34
        2.3.1. La condición humana y el estado de naturaleza   35
        2.3.2. El contrato social liberal como herramienta de limitación del
               poder   36
   2.4. La teoría política democrática republicana   38
        2.4.1. El estado de naturaleza en Rousseau   39
        2.4.2. El contrato social como expresión de la voluntad general   40
        2.4.3. La influencia de Rousseau en el Derecho constitucional contem-
               poráneo   41
3. Estado: concepto y elementos. Orígenes y formación del Estado moderno   41
   3.1. Los presupuestos históricos del Estado: el advenimiento de la moderni-
        dad   42
        3.1.1. El auge de la burguesía y el repoblamiento de las ciudades   43
        3.1.2. La primera revolución científica y los descubrimientos geográfi-
               cos   45
        3.1.3. La reforma protestante y el humanismo   46
   3.2. El Estado moderno como Estado nación   48
   3.3. El Estado moderno como Estado soberano: el surgimiento de la idea de
        soberanía   50
   3.4. El Estado moderno como Estado Absoluto   52
        3.4.1. El Estado absoluto y la estructura del sistema jurídico   52
        3.4.2. El Estado absoluto y la ausencia de límites al poder   54
        3.4.3. El Estado absoluto y responsabilidad   54
   3.5. El Estado moderno y la institucionalización del poder   55

Capítulo Segundo
EL DERECHO CONSTITUCIONAL

1. El Derecho constitucional: concepto y contenidos 59
   1.1. El Derecho constitucional y sus particularidades 59
   1.2. El Derecho constitucional y su posición en el Ordenamiento jurídico.... 60
      1.2.1. El Derecho constitucional y el Derecho público 61
      1.2.2. El Derecho constitucional y el Derecho privado........................ 63
   1.3. Los antecedentes históricos del Derecho constitucional contemporáneo 64
      1.3.1. El constitucionalismo.. 64
      1.3.2. Formación histórica del constitucionalismo 65
         a. Europa continental.. 66
         b. EE. UU. 69
2. Las fuentes del Derecho constitucional 72
   2.1. El concepto de Constitución es polisémico 73
   2.2. El contenido de la Constitución puede ser determinado por otra norma 73
   2.3. El Derecho constitucional tiende a interactuar con otros sistemas jurídicos.. 74
   2.4. El Derecho constitucional es un sistema abierto 75

Capítulo Tercero
LA CONSTITUCIÓN

1. El concepto de Constitución 77
   1.1. Conceptos empíricos de Constitución.. 79
   1.2. Conceptos jurídico-positivos de Constitución.................................... 80
   1.3. Conceptos axiológicos de Constitución 83
      1.3.1. El Estado de Derecho desde una perspectiva sincrónica 84
      1.3.2. El Estado de Derecho desde una perspectiva diacrónica............. 86
         a. Del Estado legal de Derecho al Estado Constitucional de Derecho 87
         b. Del Estado liberal al Estado social y democrático de Derecho 88
   1.4. Valoración de los conceptos de Constitución...................................... 90
      1.4.1. Conceptos empíricos... 90
      1.4.2. Conceptos jurídico-positivos.. 92
      1.4.3. Conceptos axiológicos 93
2. Clasificación de las Constituciones... 94
   2.1. Según su forma, se distingue entre Constituciones escritas y consuetudinarias 94
   2.2. Según su procedimiento de reforma, se distingue entre Constituciones rígidas y flexibles.. 95
   2.3. Según su extensión se distingue entre Constituciones breves y desarrolladas 96
   2.4. Según su origen se distingue entre: Constituciones otorgadas, pactadas y democráticas 97

2.5. Según su modo de creación se distingue entre: Constituciones originarias y derivadas 98

2.6. Según su contenido se distingue entre: Constituciones ideológicas y pragmáticas 99

2.7. Según su conformidad con el modelo liberal, se distingue entre Constituciones normativas, nominales y semánticas 99

Capítulo Cuarto
EL PODER CONSTITUYENTE

1. La teoría del poder constituyente 101

2. La distinción entre poder constituyente y potestad de reforma de la Constitución 104

2.1. Poder constituyente originario 104

2.2. Poder constituyente derivado 105

2.2.1. Reglas procedimentales 105

2.2.2. Reglas de carácter sustantivo 105

3. Otras vías de cambio constitucional: las mutaciones constitucionales 106

Capítulo Quinto
LA SUPREMACÍA DE LA CONSTITUCIÓN

1. Noción y significación actual de la Supremacía Constitucional 109

1.1. ¿Quién debe ser el guardián de la Constitución? 110

1.2. ¿Qué procedimientos deben garantizar la Constitución? 112

1.3. ¿Es legítimo el control de constitucionalidad? 113

2. Supremacía en sentido formal y supremacía en sentido material 114

2.1. Supremacía Formal 114

2.2. Supremacía material 115

3. La defensa de la Constitución: su protección política y su control judicial. Sistemas de control de la constitucionalidad de las leyes 117

3.1. La protección política de la Constitución 117

3.2. La protección jurídica de la Constitución 119

3.3. Sistemas comparados de control de la constitucionalidad de las leyes.... 122

3.4. El modelo chileno de control de constitucionalidad......................... 123

3.4.1. El control preventivo 125

3.4.2. El control correctivo: las acciones de inaplicabilidad e inconstitucionalidad 125

SEGUNDA PARTE:
LA CONSTITUCIÓN DE 1980 Y LAS BASES
DE LA INSTITUCIONALIDAD

Capítulo Sexto
GÉNESIS Y EVOLUCIÓN DE LA CONSTITUCIÓN DE 1980

1. El quiebre de la institucionalidad de 1980 y el proceso constituyente impulsado por la dictadura 129
   1.1. El golpe de estado y los antecedentes de la Constitución de 1980......... 129
   1.2. Las bases ideológicas de la dictadura.. 130
   1.3. Las Actas Constitucionales y el proyecto constituyente de la Dictadura   132
2. Arreglos institucionales del texto original y la tesis de la democracia protegida 133
   2.1. La Comisión de Estudios de la Nueva Constitución y la aprobación de la Constitución... 133
   2.2. La rearticulación de la oposición y la represión en la década de 1980 ... 134
   2.3. El plebiscito de 1988 137
   2.4. Las reformas Constitucionales de 1989 139
3. La transición a la democracia: especial referencia a las reformas de 1989 y 2005 140
   3.1. La transición a la democracia 140
        3.1.1. Composición del Congreso 142
        3.1.2. Sistema electoral 143
        3.1.3. Leyes supermayoritarias 143
        3.1.4. Tutelaje de las FFAA 144
             a. Las FFAA como garantes de la institucionalidad 145
             b. COSENA 145
             c. Inamovilidad de los Comandantes en Jefe 145
   3.2. La detención de Pinochet y las reformas de 2005 146
   3.3. La reactivación del debate constitucional y el proceso constituyente impulsado de la presidenta Michelle... 149

Capítulo Séptimo
LAS DECLARACIONES AXIOLÓGICAS DE LA CONSTITUCIÓN DE 1980

1. El papel de las declaraciones axiológicas en el Derecho constitucional.......... 153
2. El artículo 1° de la Constitución y su compromiso axiológico 155
   2.1. Las personas nacen libres e iguales en dignidad y derechos.................... 156
   2.2. La familia como núcleo fundamental de la sociedad............................. 159
   2.3. La protección de los grupos intermedios y el principio de subsidiariedad.. 161
        2.3.1. Concepto de grupos intermedios... 161
        2.3.2. La idea de autonomía 162
        2.3.3. La subsidiariedad más allá del plano estrictamente económico ... 163

2.4. El fin y los deberes del Estado 164

Capítulo Octavo
LA REPÚBLICA DEMOCRÁTICA COMO FORMA POLÍTICA DEL ESTADO

1. Concepciones de la democracia en el pensamiento político contemporáneo.. 167
   1.1. ¿Es posible una definición de la democracia? 168
   1.2. La discusión normativa acerca de la democracia 169
      1.2.1. Teorías sustantivas de la democracia 170
      1.2.2. Teorías procedimentales de la democracia 171
      1.2.3. Teorías deliberativas de la democracia 172
2. La democracia como principio constitucional 174
   2.1. La democracia directa 174
   2.2. La democracia representativa 175
      2.2.1. La teoría del mandato representativo 176
      2.2.2. La teoría del mandato imperativo 177
   2.3. La democracia chilena 178
3. El debate sobre el carácter contramayoritario del constitucionalismo 179
   3.1. La fidelidad a la Constitución 180
   3.2. La estrategia Ulises 181
   3.3. El argumento intergeneracional 181
   3.4. Las constituciones como síntesis intergeneracional 182
   3.5. Derecho y desacuerdos 183

Capítulo Noveno
INSTITUCIONES BÁSICAS DEL SISTEMA DEMOCRÁTICO

1. Sufragio 185
   1.1. Clasificación del sufragio 186
   1.2. Regulación constitucional del sufragio 187
2. Los sistemas electorales 189
   2.1. Concepto y clasificación 189
   2.2. Elementos de los sistemas electorales 190
      2.2.1. Circunscripción 190
      2.2.2. Estructura del voto 191
      2.2.3. Fórmula electoral 192
   2.3. Clasificación de los sistemas electorales 193
      2.3.1. Mayoritarios 193
      2.3.2. Proporcionales 194
   2.4. El sistema electoral chileno: análisis y crítica 197
      2.4.1. Sistema electoral para las elecciones presidenciales 197
      2.4.2. Sistema electoral para las elecciones parlamentarias 197
         a. El sistema electoral binominal 197
         b. El sistema electoral vigente a partir de 2017 199
3. Los partidos políticos 201

3.1. Concepto, naturaleza y clasificación de los partidos políticos 201
    3.1.1. Concepto 201
3.2. Funciones de los partidos políticos 202
3.3. Bases constitucionales de los partidos políticos, regulación y financiamiento 203
    3.1.1. Regulación constitucional 203
        a. Funciones y organización de los partidos políticos 204
        b. Financiamiento de los partidos políticos............................ 206
        c. Partidos políticos y democracia interna 208
        d. Pluralismo político 210

Capítulo Décimo
SOBERANÍA Y DERECHOS FUNDAMENTALES

1. Concepto; teorías sobre la soberanía.. 213
1.1. La teoría de la soberanía popular 214
1.2. La teoría de la soberanía nacional 215
2. La soberanía en la Constitución de 1980: dimensiones, naturaleza, límites, titulares y ejercicio 216
2.1. ¿Existe en la CPR una cláusula de apertura al Derecho internacional? .. 220
2.2. ¿Cuál es el valor de los tratados internacionales el sistema de fuentes?.. 221
3. Los derechos fundamentales como límites a la soberanía 223
3.1. ¿Qué son los derechos fundamentales? 224
    3.1.1. Son derechos públicos subjetivos 225
    3.1.2. Reconocidos constitucionalmente 225
    3.1.3. Cuya titularidad se asigna universalmente 226
    3.1.4. Usualmente garantizados a través de mecanismos privilegiados.. 226
3.2. ¿Qué tipos de derechos fundamentales existen?...................... 227
    3.2.1. Derechos de primera generación 227
    3.2.2. Derechos de segunda generación..................................... 229
    3.2.3. Derechos de tercera generación....................................... 229

Capítulo Undécimo
EL ESTADO DE DERECHO EN LA CONSTITUCIÓN CHILENA

1. El Estado de Derecho en la Constitución chilena 233
2. La sujeción a Derecho de los órganos del Estado 234
2.1. El principio de juridicidad 234
    2.1.1. Que exista previa investidura regular................................ 235
    2.1.2. Qué el órgano actúe dentro del ámbito de su competencia 235
    2.1.3. Que la actuación sea el producto de la puesta en marcha del procedimiento establecido al efecto por el ordenamiento jurídico 236
2.2. El principio de control.. 240
    2.2.1. Controles preventivos y represivos................................... 240
    2.2.2. Controles intraorgánicos y extraorgánicos.......................... 241

2.2.3. Controles de mérito y juridicidad 242
2.3. El principio de responsabilidad 242
    2.3.1. Responsabilidad civil 243
    2.3.2. Responsabilidad penal 244
    2.3.3. Responsabilidad funcionarial 245
    2.3.4. Responsabilidad política 246
    2.3.5. Responsabilidad internacional 246

Capítulo Duodécimo
FORMA JURÍDICA DEL ESTADO

1. Formas jurídica del Estado: el Estado unitario, el Estado federal y las formas mixtas 249
    1.1. El Estado unitario 249
    1.2. El Estado federal 250
    1.3. Modelos mixtos 252
2. Forma jurídica del Estado chileno. Técnicas de reparto de potestades: la descentralización, desconcentración y autonomía constitucional 253
3. El proceso de descentralización en Chile 255

Capítulo Decimotercero
PUBLICIDAD Y PROBIDAD

1. Los principios constitucionales de probidad y publicidad 259
    1.1. El principio de probidad 260
    1.2. El principio de publicidad 262
2. Régimen legal del derecho a acceso a la información pública y el Consejo para La transparencia 262
3. La probidad en la función pública y la prevención de los conflictos de intereses 266
    3.1. Declaración de intereses y patrimonio 267
    3.2. Fideicomiso ciego 268
    3.3. Obligación de enajenar ciertos bienes 269

Epílogo
EL RESTABLECIMIENTO DEL DEBATE CONSTITUCIONAL Y LA CRISIS POLÍTICA INSTITUCIONAL DE 2019

1. La crisis político institucional de 2019 y sus consecuencias constitucionales. 271
2. El *Acuerdo por la Paz y la Nueva Constitución* y el itinerario constituyente . 275
    2.1. Plebiscito o referéndum para dar inicio al proceso 276
    2.2. Elección del órgano encargado de elaborar una propuesta de Constitución 277
    2.3. Funcionamiento de la Convención 278
    2.4. Ratificación ciudadana de la propuesta de nueva Constitución 279

3. Desarrollos recientes del proceso constituyente: normas relativas a indepen-
    dientes, paridad de género y postergación del proceso por el brote mundial
    de COVID-19   279
    3.1. Candidaturas independientes...   279
    3.2. Reglas sobre paridad de género   280
    3.3. La postergación del proceso constituyente por la pandemia de CO-
         VID-19..   281

Bibliografía   285

Tabla de abreviaturas

AC	Acta Constitucional
CC	Convención Constituyente
CCM	Convención Constituyente Mixta
CENC	Comisión de Estudios de la Nueva Constitución
CIDH	Comisión Interamericana de Derechos Humanos
Corte IDH	Corte Interamericana de Derechos Humanos
COSENA	Consejo de Seguridad Nacional
COT	Código Orgánico de Tribunales
CPC	Código de Procedimiento Penal
CPE	Constitución Política del Estado de 1925
CPLT	Consejo para la Transparencia
CPP	Código Procesal Penal
CPR	Constitución Política de la República de 1980
DC	Democracia Cristiana (partido político)
DL	Decreto Ley
DS	Decreto Supremo
DT	Disposición Transitoria
FFAA	Fuerzas Armadas
FPMR	Frente Patriótico Manuel Rodríguez (organización político militar)
FPP	*First Past the Post* (sistema electoral)
LFB	Ley Fundamental de Bonn (Constitución de Alemania)
LOCBGAE	Ley de Bases Generales de la Administración del Estado
LOCM	Ley Orgánica de Municipalidades
LOCN	Ley Orgánica del Congreso Nacional
LOCPP	Ley Orgánica Constitucional de Partidos Políticos
MAPU	Movimiento de Acción Política Unitaria (partido político)
MIR	Movimiento de Izquierda revolucionaria (Organización político militar)
OEA	Organización de Estados Americanos
OMS	Organización Mundial de la Salud
P. de la R.	Presidente de la República

RN	Renovación Nacional (partido político)
SBIF	Superintendencia de Bancos e Instituciones Financieras
SVS	Superintendencia de Valores y Seguros
UDI	Unión Demócrata Independiente (partido político)
UF	Unidad de Fomento

PRIMERA PARTE:
TEORÍA DE LA CONSTITUCIÓN

Capítulo Primero
Presupuestos teóricos

1. POLÍTICA Y DERECHO

1.1. Política y conocimiento

El objeto del Derecho constitucional es la política. Esta frase condensa los aspectos fundamentales de esta disciplina, al mismo tiempo que revela todas sus complejidades. No es errado señalar que uno de los sellos distintivos de la especie humana es la vida en comunidad. Si bien es cierto, otras especies del reino animal son capaces de organizarse colectivamente, ninguna otra ha logrado alcanzar un nivel de complejidad, ni por lejos, similar al nuestro. Desde tiempos inmemoriales las sociedades humanas han intentado convivir de forma organizada, a veces con mayor o menor éxito. Autores clásicos como Aristóteles ya hicieron de esta circunstancia el punto de inicio de su reflexión política, por ejemplo, defendiendo la tesis de que el ser humano es un animal político por naturaleza, no siendo posible su vida fuera de la comunidad.

Como se puede intuir, el Derecho constitucional es indispensable para entender el sistema jurídico en su conjunto, pues su objeto versa sobre un elemento que acompaña al ser humano independientemente del lugar o época en que este viva y de cualquier otra circunstancia accidental: la necesidad de organizarse y progresar en comunidad. Dado que el Derecho constitucional se preocupa acerca de cómo la organización de la actividad política se traduce en normas jurídicas, es importante comenzar su estudio revisando, en sus aspectos esenciales, esta relación entre Derecho y política.

Precisamente, porque la política posee un carácter esencial en cualquier agrupación humana, esta ha sido objeto de reflexión y conocimiento desde la antigüedad. Varias disciplinas han hecho de la política su objeto de estudio, siendo las dos principales la teoría política y la filosofía política, ambas importantes insumos para la teoría constitucional. Desde esta perspectiva, la teoría constitucional es una tecnología que se sirve de los conocimientos derivados de la teoría política y de la filosofía política. La RAE define tecnología, como el conjunto de teorías y de técnicas que permiten el aprovechamiento práctico del conocimiento científico. Las tecnologías permiten a los seres humanos transformar el mundo para satisfacer nuestras necesidades a través del uso del conocimiento científico, o en este caso, el conocimiento filosófico.

La teoría política es un área del conocimiento bajo cuyo alero se han aglutinado diversas preocupaciones intelectuales, que poseen como punto en común el análisis de las ideas sobre las que se asienta la organización de la convivencia en sociedad (Rivero, 2000). Desde esta perspectiva, preguntas tales como qué es el Estado, cómo funcionan las elecciones o qué es totalitarismo político, son interrogantes clásicamente planteadas desde la vereda de la teoría política. Por lo mismo, se puede señalar que la función de la teoría política es la comprensión de las condiciones bajo las cuales tiene lugar la acción y el comportamiento político. Por otra parte, la filosofía política se preocupa del mismo objeto de estudio, pero con un enfoque eminentemente práctico, es decir, esta se plantea como un saber para la acción. Según Valeria Nurock (2015) la filosofía política posee cuatro funciones: la práctica, de orientación, de reconciliación y la utópica. Todas ellas buscan la construcción de un conocimiento que busca influir en su objeto y transformarlo en su mejor versión posible.

Estas dos disciplinas se conciben como saberes diferentes, aunque poseen una larga historia común y mantienen vínculos de complementariedad que se extienden hasta la actualidad. Además de poseer idéntico objeto de estudio, las particularidades de este hacen que en ocasiones sea difícil evitar la tensión entre *gnosis* y *praxis*. A diferencia de las ciencias naturales, la teoría política tiene por objeto una construcción social, que no existe más que en las ideas que la informan. En efecto, desde la modernidad se ha entendido que la sociedad política es un artificio de la razón humana y no un hecho de la naturaleza. Incluso más, a partir de Marx el pensamiento postmoderno ha negado sistemáticamente que se pueda trazar una distinción tajante entre teoría y práctica, al reflexionar sobre cuestiones sociales. En el mismo sentido, autores como Foucault consideraban que una teoría es principalmente una caja de herramientas para la acción. Para esta perspectiva, una teoría "no expresará, no traducirá, no aplicará una práctica (sino que) es una práctica" (Foucault, 2015).

Pues bien, la teoría constitucional es una síntesis entre ambos saberes, el meramente teórico y el filosófico. La teoría constitucional tiene por objeto conocer, pero también corregir, es al mismo tiempo un *cognoscere* y un *agere*. Esto permite entender que la teoría constitucional, a veces intenta describir el mundo de las instituciones políticas, pero también a veces lo critica intentando influir sobre su configuración.

1.2. Un concepto básico de política

No es fácil definir qué es la política, ni menos cuál es la mejor forma de ponerla en práctica. La verdad es que cualquier intento en este sentido será parcial. De todas formas, podemos recurrir a uno de los esfuerzos más célebres por desentrañar este concepto, el que se puede encontrar en la obra de Hannah Arendt. Si se pudiera resumir en unas pocas líneas su propuesta, habría que decir que "la política trata del estar juntos, los unos con los otros, a pesar del inexorable hecho de la pluralidad entre los seres humanos" (Arendt, 2015). La cuestión no es trivial, menos en tiempos como los actuales, donde la violencia amenaza constantemente la existencia de nuestro mundo. Tal como sucedió en los momentos más álgidos del siglo XX, es importante la reflexión acerca de qué es lo que hace posible la existencia de lo público y por qué es necesario conservar el ágora como espacio de encuentro y desencuentro. "A la pregunta por el sentido de la política, hay una respuesta tan sencilla y concluyente en sí misma que se diría que otras respuestas están totalmente de más: el sentido de la política es la libertad", dirá Arendt.

La obra de Arendt es una defensa de la política basada en que esta forma parte de la condición humana. En definitiva, no existe más alternativa que compartir el mundo con otras personas, y en este contexto, constantemente las colectividades deben adoptar decisiones acerca de asuntos de interés general. Esta mirada sobre la política exige defenderla del prejuicio que señala a la política como la responsable de las catástrofes más terribles de la historia, pues a la luz de esta visión negativa, pudiese ser conveniente sustituirla por un sistema meramente burocrático, o en palabras de Marx, por la "mera administración de las cosas". La respuesta de Arendt será un rotundo no. En efecto, la trampa del totalitarismo, justamente, es tratar de explicar el mundo a partir de unos pocos prejuicios, a través de *pseudoteorías* que pretenden abarcar toda la realidad social y política.

De paso, Arendt también cuestiona fuertemente el programa político del capitalismo, donde la política siempre es un medio para alcanzar algún otro fin, aserción que implícitamente contiene un desprecio hacia ella. En un contexto donde prima lo material respecto de lo intangible, el individuo por sobre la comunidad, la eficiencia y la capacidad productiva como valores supremos, la política pierde sentido, pues esta no pasa de ser un medio para la satisfacción de intereses egoístas. En consecuencia, en el mejor de los casos esta resulta un sucedáneo de la guerra, que permite que resolvamos nuestras diferencias de manera relativamente pacífica.

Según la autora, este último enfoque es incorrecto, porque la verdadera esencia de la política consiste en que esta es un fin en sí misma: "ser libre y vivir en una *Polis* son la misma cosa". En otras palabras, la política se relaciona con uno de los aspectos esenciales de la condición humana: la posibilidad de construir y reconstruir el mundo, es decir, el conjunto de categorías a partir de las cuales entendemos y damos sentido a nuestra existencia. Es por esta razón que la política está íntimamente vinculada a la posibilidad de hablar y ser escuchado, lo que, en otros términos, se reconduce a la posibilidad de un diálogo entre iguales. Es decir, esta libertad de palabra (que modernamente hemos denominado libertad de expresión), tiene como base el hecho de que entender y dar forma al mundo solo es posible entre muchos, en la medida que todos aquellos que son considerados iguales intercambien sus perspectivas. Es por todo esto que la violencia solo es marginalmente política, quizás como un último recurso para mantener la *Polis* frente a una amenaza, cuando de hecho la política ya no es posible.

Esta concepción política del ser humano, que según Arendt se desarrolló durante la antigüedad, se vio derechamente afectada luego de la Revolución Industrial. En este sentido, la autora afirma, con desconsuelo: "Tras la Revolución Industrial para el ser humano la experiencia de la fabricación alcanzó una predominancia tan insuperable que las incertidumbres de la acción pudieron ser olvidadas por completo; entonces se pudo comenzar a hablar acerca de 'hacer el futuro' y de 'construir y mejorar la sociedad', como si se estuviese hablando de hacer sillas y de construir y mejorar las casas".

No hay que perder de vista que esta reflexión surge en un contexto de extrema crueldad como fue el régimen nazi, donde Arendt en su calidad de pensadora judía, vivió en carne propia los horrores del *III Reich*. La cita de esta autora no es casual, puesto que su trabajo se centró en el estudio del totalitarismo, el tipo de gobierno que, se sitúa en las antípodas del constitucionalismo. Precisamente, en *Los Orígenes del Totalitarismo*, una de sus obras más célebres, plantea que los totalitarismos del siglo XX, en modo alguno, guardaban relación con las grandes tradiciones de pensamiento político y filosófico de Occidente: habían surgido, precisamente, allí donde la tradición se había roto.

Del mismo modo, una de las estrategias de los gobiernos tiránicos fue la de reducir a los seres humanos a la condición propia del *animal laborans*, en la cual la igualdad no existe y la política no es posible. Ello se consigue a través de la disolución de los lazos entre las personas. Dirá Arendt, en este sentido, que: "los Gobiernos totalitarios, como todas las tiranías, no podrían ciertamente existir sin destruir el terreno público de la vida, es decir, aislando a los hombres, sus capacidades políticas. Pero la dominación totalitaria como forma de gobierno resulta nueva en cuanto que no se contenta con este aislamiento y destruye también la vida privada. Se basa ella misma en la soledad, en la experiencia de no pertenecer en absoluto al mundo, que figura entre las experiencias más radicales y desesperadas del hombre". He ahí la novedad de las fórmulas totalitarias que aparecieron en el siglo XX. En el Gobierno constitucional las leyes positivas están concebidas para erigir fronteras y establecer canales de comunicación entre las personas. Por el contrario, presionando a los hombres unos contra otros, el terror total destruye el espacio entre ellos (Arendt, 2006).

1.3. Teoría y teorías de la Constitución

Antes se ha dicho que la teoría de la Constitución pretende explicar la realidad constitucional, pero al mismo tiempo, busca influir sobre ella. Sin embargo, no existe una teoría constitucional ortodoxa que se funde en premisas que sean incontrovertidas. En cierto sentido, todos los conceptos de la teoría y la filosofía política son conceptos esencialmente controvertidos en el sentido que propuso Gallie (1956). De este modo, la teoría constitucional es altamente dependiente de una metateoría, que normalmente ensambla argumentos descriptivos y valorativos. En la medida de que estas premisas son frecuentemente debatidas entre los autores, el resultado es que en la práctica existen distintas teorías de la Constitución. Por esta razón, en las páginas sucesivas se utilizará la expresión *teorías de la Constitución* para resaltar esta circunstancia.

Por ejemplo, las tesis de Hannah Arendt recientemente explicadas, se enmarcan en la tradición de pensamiento denominada republicanismo la que, en términos generales, se caracteriza por una alta valoración de la vida en comunidad, cuyo paradigma central es la democracia. Para estos autores, el modelo de sociedad más justo es aquel en el que las personas son capaces de forjar lazos de cooperación y de resolver a través de la deliberación racional los problemas de la vida en común. Otro ilustre precedente del republicanismo lo encontramos en Jean Jacques Rousseau, quien defendió los postulados de la igualdad de participación política en la creación de las leyes, como forma de vencer la opresión del Estado absoluto. Todo esto lleva a la necesaria conclusión de que, si se suscriben estas tesis, ello dará lugar a una teoría constitucional mayormente centrada en las instituciones democráticas, a través de la creación de procedimientos e instituciones que permitan que los órganos del Estado reflejen en su composición la pluralidad de visiones existentes en una sociedad.

Otro ejemplo notable es el liberalismo, probablemente, la teoría de la Constitución que históricamente ha generado mayor adhesión. Esta centra todo su interés en el individuo y sus derechos fundamentales y concibe a la Constitución como un instrumento de limitación del poder político, partiendo de una premisa completamente distinta: la desconfianza frente a la política. Si se piensa bien, los autores liberales cuentan a su favor con mucha evidencia empírica, que demuestra que el Estado ha sido una maquinaria de guerra y exterminio. Esto ha llevado a que la teoría liberal se haya desarrollado como un intento de establecer mecanismos de limitación frente al poder del Estado. Por esta razón, el Derecho constitucional liberal refleja estructuralmente la tensión entre poder política y norma jurídica, diseñando un conjunto de instituciones que no se preocupa tanto por la participación igualitaria de los ciudadanos en el gobierno del Estado, sino más bien su objetivo central es construir y delimitar ámbitos de inviolabilidad frente a la actividad estatal.

Tanto los republicanos como los liberales, cada uno a su manera, reaccionan frente un hecho prácticamente innegable, que es que el ser humano puede cooperar entre sí, pero también puede ejercer la violencia de forma brutal contra sus semejantes. Ambas corrientes, cada una a su manera, intentan diseñar un sistema jurídico que excluya a la violencia de las decisiones e interacciones colectivas, o que al menos, la utilice como último recurso. No obstante, nuestra realidad nos muestra diariamente, a veces de forma muy elocuente, que la violencia y el uso de la fuerza también forman parte esencial de la condición humana. La prueba más evidente de ello es que el Derecho, en cualquiera de sus manifestaciones, es en definitiva coacción institucionalizada. Esto ha llevado a que determinadas escuelas de pensamiento político no rechacen de antemano el uso de la fuerza, sino que, por el contrario, lo conviertan en un instrumento completamente válido para alcanzar determinados objetivos. Llamaremos a estas tesis, a falta de un nombre mejor, constitucionalismo autoritario. Si bien en esta expresión podemos englobar visiones muy diferentes sobre el proceso político, todas ellas se caracterizan por resaltar la importancia el uso de la fuerza como método de acción política y de resolución de conflictos. El constitucionalismo autoritario es tan importante en la construcción del Derecho moderno, que la primera teoría acerca del Estado moderno, la de Thomas Hobbes, ha determinado la evolución del constitucionalismo hasta la actualidad. Sin perjuicio de que volveremos sobre este tema más adelante, para Hobbes el fin más importante del Estado es la paz social y el orden, los que deben ser alcanzados a cualquier precio, incluso ejerciendo violencia en contra de los súbditos. Para esta visión, el Derecho constitucional es un instrumento que permite alcanzar un determinado orden social y ejecutar la decisión del soberano. Y aunque a primera vista esta forma de entender la Constitución nos pueda parecer contraintuitiva, la verdad es que el Derecho constitucional contemporáneo no ha podido ni ha querido prescindir de ella.

Este somero ejercicio de reflexión inicial, sin ningún ánimo de exhaustividad, tiene solo por objeto relevar cómo el Derecho constitucional está íntimamente ligado a la política, a la manera cómo se la entienda y a la actitud que se tenga respecto de ella. Como la política es un concepto controvertido, al punto de que la teoría y la filosofía política no han logrado ponerse de acuerdo acerca de cuál de estas visiones debe prevalecer esa falta de consenso también se ha trasladado al plano jurídico. Esta situación ha producido un impacto directo en la teoría constitucional, puesto que en muchos de los debates que existen dentro de ella, queda reflejada toda en toda su magnitud la tensión conceptual y filosófica en torno al fenómeno político. Por ejemplo, ¿debemos mantener a los terroristas todas las garantías del debido proceso, aun cuando perdamos capacidad de prevenir atentados mortales, o debemos aplicar en esos casos normativa de excepción?, o ¿es legítimo que un tribunal constitucional revoque las decisiones de la mayoría parlamentaria democráticamente electa?, son todas estas cuestiones que no pueden resolverse sin una teoría filosófica de base.

En síntesis, lo que por ahora es necesario enfatizar, es que la teoría de la Constitución se encuentra vertebrada por diferentes tradiciones de pensamiento, que veces tienden a entremezclarse, pero que en otras ocasiones directamente se enfrentan dando lugar a respuestas contradictorias. Sin tener en cuenta esta circunstancia, es imposible entender la arquitectura constitucional contemporánea, su acervo teórico, sus métodos de razonamiento y sus relaciones con el resto del ordenamiento jurídico.

2. LA SOCIEDAD POLÍTICA. TEORÍAS SOBRE LA LEGITIMIDAD DE LA ORGANIZACIÓN POLÍTICA

Como vimos en la sección anterior, la teoría constitucional es altamente dependiente de la teoría y la filosofía política. Por este motivo, es necesario remontarnos a los orígenes de ambas disciplinas para entender los diferentes modelos de Estado constitucional. Una de las principales discusiones en esta materia tiene que ver con el surgimiento de la sociedad política, ello es determinante para poder saber cuáles son los cimientos sobre los que se construirá la arquitectura estatal. En síntesis, la pregunta que se intenta responder es: por qué los seres humanos se organizan políticamente para dar vida al Estado.

En términos más técnicos, se denominará a esta cuestión la *pregunta por la legitimidad de la organización política*. Es importante no confundir legalidad con legitimidad. Mientras el primero es un concepto de orden jurídico, que apunta al contenido del Derecho vigente, el segundo es un concepto de carácter ético filosófico, que alude a la capacidad del poder de generar una aceptación de las normas jurídicas por parte de los obligados. Si se quiere, mientras la legalidad tiene que ver con *qué es lo que hay que obedecer*, la legitimidad se refiere a la explicación de *por qué hay que obedecer*. Seguramente, fue Max Weber el primer autor que teorizó sobre esta cuestión con gran éxito, al punto de que las categorías que usamos en la actualidad siguen siendo fundamentalmente weberianas. Para él, "se entiende por dominación la posibilidad de lograr obediencia para un mandato determinado", desde luego, ello puede ocurrir por el mero empleo de la fuerza, pero agrega el mismo Weber, "una dominación que descansa únicamente en tales fundamentos es relativamente inestable", por lo que se hace necesaria fundar la construcción del orden político en criterios que vayan más allá de su mera afirmación por las armas (Weber, 1958).

En la obra citada se plantean tres modelos de legitimidad de la autoridad política: el tradicional, el carismático y el racional legal. El modelo de dominación tradicional se basa en la fe, en la santidad de ordenaciones y poderes de mando existentes desde siempre, siendo su tipo más puro el de la dominación patriarcal. En el modelo de dominación carismática la legitimidad se obtiene de características personales del gobernante, por ejemplo: facultades mágicas, hazañas heroicas, poder del espíritu y de la palabra. El tipo más puro es la dominación de los profetas, los héroes guerreros y los grandes demagogos (Weber, 1958). Estos dos paradigmas de legitimidad son propios de sociedades con instituciones políticas menos evolucionadas. La Modernidad, con la consecuente sofisticación de sus estructuras de poder, requiere de una teoría más robusta de la legitimidad.

Esto explica por qué la teoría política de nuestros días se origina con el advenimiento de los Tiempos Modernos. Dicho periodo histórico representa un cambio de paradigma respecto de la tradición de pensamiento que se había desarrollado durante la Edad Antigua y la Edad Media, en relación con la manera de justificar el poder. En síntesis, la Modernidad es la época de la legitimidad legal racional, es decir, aquella en que la autoridad se despersonaliza y se obedece a la norma y lo que esta estatuye. Pero la norma y su correspondiente sistema de producción no son más que un continente, lo que obliga a una reflexión que haga posible determinar cuál es el criterio de corrección que permita evaluar el grado de legitimidad del contenido de dichas normas.

Para entender el cambio de paradigma y cómo ello afecta las bases teóricas del Estado constitucional, es necesario retrotraernos a la teoría política premoderna, para luego analizar como la idea de legitimidad ha ido evolucionando, hasta alcanzar su forma actual en el Derecho constitucional contemporáneo.

2.1. La teoría política premoderna

La teoría política premoderna era profundamente aristotélica. Si bien durante la antigüedad el pensamiento político fue bastante diverso y altamente desarrollado, las invasiones germánicas que pusieron fin al Imperio Romano de Occidente ocasionaron un retroceso importante en términos culturales. La destrucción de las ciudades tuvo como consecuencia la pérdida de bibliotecas enteras, donde se conservaba lo más granado de la tradición intelectual del mundo clásico. Afortunadamente, toda la riqueza cultural grecorromana fue mantenida bajo los dominios del Imperio Bizantino, lo que hizo posible su reintroducción posterior en Europa a través de la invasión árabe a la península ibérica. Fue de esta forma, a través de sus traductores musulmanes, como los autores clásicos Platón y Aristóteles fueron conocidos en la Europa medieval. Desde luego, en dicha época el gran polo de producción cultural en Europa fue la iglesia católica, por lo que el éxito de cualquier teoría filosófica pasaba por el reconocimiento que esta tuviera en el marco del pensamiento católico. Si bien en un primer momento, la filosofía católica se mostró cercana al pensamiento platónico a través de la doctrina de los *Padres de la Iglesia*, ya bien entrada la Edad Media, fue ganando prestigio una corriente denominada *escolástica* basada en las ideas de Aristóteles. Durante la Baja Edad Media la escolástica dominaba todos los ámbitos de la cultura, incluida la filosofía política. Esto explica la importancia del pensamiento aristotélico, adaptado por los escolásticos a los dogmas de la iglesia, en el momento en que se inicia la transición desde el Medioevo hacia los Tiempos Modernos.

El pensamiento político de Aristóteles se recoge en su libro *La Política* (Aristóteles, 2004) y, aunque en él se aprecia cierta influencia de las ideas de Platón —por ejemplo, en afirmar que el Estado posee un fin ético relacionado con la felicidad del individuo, o en la descripción utópica de un Estado ideal—, destaca por su divergencia metodológica y por la posición crítica de su análisis con respecto a la teoría de su maestro. Según Aristóteles, la comunidad política es un hecho de la naturaleza, ya que el hombre es incapaz de subsistir aisladamente. El ser humano no puede vivir al margen de la *Polis*, pues al margen de esta solo pueden vivir los dioses o las bestias. La naturaleza hace que, necesitándose unos a otros, los seres humanos se agrupen en familias, que, a su vez, forman aldeas y estas, finalmente, una *Polis*.

La *Polis* será así la comunidad política por antonomasia, caracterizándose por su autarquía, es decir, por poseer en sí la capacidad de satisfacer todas las necesidades humanas. En consecuencia, la *Polis* no sólo será capaz de satisfacer las necesidades materiales y culturales de sus ciudadanos, sino también, el logro de su fin supremo: la felicidad. El propósito de la teoría política aristotélica consiste en afirmar el fundamento natural del Estado y en demostrar que es únicamente en la *Polis*, en el Estado, donde el ciudadano puede llegar a ser feliz. Estas premisas básicas permitirán a Aristóteles derivar un completo orden natural, en base al que la sociedad debe ser organizada, que incluso le llevará a justificar la esclavitud, ya que "en la naturaleza es normal que unos manden y otros obedezcan" (Aristóteles, 2004).

De este modo, para los antiguos la comunidad política estaba constituida por leyes similares a las que gobiernan el movimiento de los planetas o el ciclo de las estaciones del año. En otras palabras, la política era parte del *cosmos*. Desde luego, ello no significaba que no existiese la acción política, pero esta tenía siempre un carácter restaurativo, es decir, apartarse de lo que es natural acarreaba siempre como resultado la infelicidad, por lo que si esto sucedía, era necesario restablecer el *statu quo*.

Uno de los principales pensadores escolásticos fue Tomás de Aquino. La mayor innovación de esta escuela fue la identificación de la idea de naturaleza aristotélica con el dios cristiano, justificando la autoridad política en las prescripciones de naturaleza religiosa que emanan de la biblia. Según Forment (2010), los cuatro principios de la filosofía tomista en esta materia son los siguientes:

a. La comunidad política es una entidad natural, del mismo modo que lo es la familia. Pertenecer a una familia y a una sociedad política es propio de la naturaleza humana. El fundamento de la autoridad política es en último término dios, de quien se deriva toda autoridad.

b. La finalidad principal de la comunidad política es la defensa y el desarrollo de la perfección de cada persona que la integra. El ser humano es un *imago dei*, por lo que la ley humana no es sino una proyección de la ley divina.

c. La comunidad debe tender a la búsqueda del bien común. En su singularidad, la persona es un fin en sí misma. Para que la persona consiga su bien o felicidad, necesita que la acción política busque la realización de este bien, que es además común a las otras personas que conviven civilmente con ella. Este bien común prevalece sobre el bien particular.

d. El cuarto fundamento complementa al anterior, porque establece que la realización más auténtica del bien común está en la amistad civil, la que se consigue por el cumplimiento de los preceptos de las escrituras.

La teoría política premoderna, en definitiva, se tradujo en la justificación de un orden social y político absolutamente estático, en el que cada grupo social poseía un lugar en el mundo, del mismo modo que los planetas y cuerpos celestes en el cosmos y las relaciones sociales estaban determinadas por leyes similares a las que condicionan el movimiento de los cuerpos físicos. En dicho orden natural, por cierto, unos mandaban y otros obedecían, unos eran señores y otros servían. Se pensaba que cualquier interferencia en ese orden producía la infelicidad y la corrupción de las sociedades.

2.2. La teoría política del absolutismo

El advenimiento de la Modernidad representa, primeramente, una declaración de independencia de la política frente a la religión, sin embargo, este deseo de libertad llegará aún más lejos, dando origen a que la política sea concebida como una actividad completamente autónoma respecto de todo otro ámbito del comportamiento humano. Desde luego, para ello se requiere de una teoría que permita explicar la autonomía conceptual de la política. El pensador más representativo de esta época es Thomas Hobbes, quien sintetizó las aportaciones de predecesores como Maquiavelo, Bartolo de Sassoferrato y Jean Bodin, consiguiendo marcar una profunda influencia que se extiende hasta nuestros días, cuya obra más famosa titulada *Leviatán, o La materia, forma y poder de una república eclesiástica y civil*, es considerada el nacimiento de la teoría política moderna.

En el *Leviatán* Hobbes centra su preocupación en el problema fundamental del orden social y político, esto es, cómo los seres humanos pueden vivir juntos en paz y evitar el peligro y temor de un conflicto civil. No obstante, esta pregunta había estado presente desde siempre en la teoría política premoderna, la manera como él la aborda significó un cambio radical respecto de todo lo antes conocido. El giro copernicano que marca la Modernidad consiste en la afirmación de que la sociedad política es un artificio de la razón humana, y como tal, debe ser justificada sobre la base de consideraciones racionales. Para Hobbes, frente a la pregunta de por qué debemos obedecer al Estado, la respuesta esencial será porque esa es la mejor manera de garantizar nuestra seguridad frente a la anarquía y la guerra civil.

Para entender su pensamiento es necesario comprender el contexto que motivó su reflexión. Hobbes nace a fines del siglo XVI y vive y reflexiona en Inglaterra durante las Guerras de la Religión, una época de caos y anarquía en su país. Este hecho le lleva a ser partidario de un gobierno monárquico, fuerte y centralizado, como la única manera de solucionar la inestabilidad que había provocado la guerra civil. Su pensamiento, sin duda, aún presenta resabios de la cultura medieval, pues sus tesis son mecanicistas y organicistas, o sea, entiende que la sociedad se organiza y funciona como un organismo biológico de naturaleza superior, con entidad y existencia propias. De manera similar, sostiene además que esta se encuentra gobernada por leyes físicas que determinan los comportamientos sociales. A pesar de lo anterior, Hobbes piensa que la condición natural del hombre no es la sociedad política, sino la guerra civil, pero también defiende la idea de que el hombre puede modificar las condiciones en la que vive, a pesar de no poder modificar su naturaleza.

Para plantear sus ideas, utiliza dos importantes metáforas: el contrato social y el leviatán. A continuación, se examinarán ambas con mayor detalle.

2.2.1. El contrato social y la formación de la sociedad política

Hobbes es el primer contractualista en la historia del pensamiento político occidental. Una tesis de este tipo plantea que el origen de la sociedad política es artificial y su fundamento se encuentra en el consentimiento de los obligados, explícita o implícitamente otorgado, a través de una convención en la que participan todos los miembros de la comunidad. Por supuesto la idea es una metáfora, pero posee un significado tan poderoso que muchos la identifican con el proceso de ejercicio del poder constituyente. Desde luego, existen diferentes versiones de contractualismo, pero todas ellas tienen en común que caracterizan a la sociedad preestatal bajo la figura del estado de naturaleza, es decir, una situación hipotética en que los seres humanos viven en la anomia. Obviamente, la manera como cada autor se imagina que podría haber sido el estado de naturaleza, determinará el desarrollo del *iter* contractual y el producto que resultará de dicho proceso.

Hobbes, notoriamente influido por sus circunstancias, presenta una visión catastrófica del estado de naturaleza. Según este, en el estado de naturaleza prima el egoísmo más brutal, al punto de que acuña su célebre frase *homo homini lupus est* (el hombre es el lobo del hombre) para describir el comportamiento humano ante la ausencia de reglas. En este escenario, será la guerra civil la manera más usual de articular las relaciones sociales, no existiendo nadie lo suficientemente poderoso para garantizar por sí solo su seguridad. De esta manera, si existe una razón para abandonar el estado de naturaleza, esta es el miedo y el instinto de supervivencia. Sin embargo, con independencia de su egoísmo depredador, el hombre también posee un carácter racional, que se traduce en su capacidad de buscar fórmulas para salir del estado de guerra permanente. Como en el estado de naturaleza los hombres son iguales en teoría, son capaces de poder negociar las condiciones que les permitirán abandonar dicha situación de inseguridad.

Lo anterior permite comprender qué tipo de pacto es el que las personas estarían dispuestas a celebrar con tal de conservar su vida, sus relaciones familiares y su propiedad. Desde este punto de vista, la racionalidad del contratante hobbesiano es totalmente instrumental: no ve un mayor problema en hipotecar sus bienes, o incluso su propia persona, con el objeto de poder vivir en paz. Esto da pie, entonces, a un pacto entre personas, en el cual todos quienes concurren a su celebración renuncian al ejercicio de la violencia y confían todo el uso de la fuerza a una entidad con poderes ilimitados, que tiene el propósito de mantener el orden y la seguridad.

Así las cosas, el Estado evoca la idea de un gran pacto social, por el cual las personas renuncian al ejercicio privado de la violencia, facultad que depositan en un ente abstracto nacido de la unión de la violencia de todos y cada uno de los participantes, el que a partir de ahora será el único autorizado para ejercerla. Este es un pacto que se podría denominar también pacto de sujeción. Según el autor inglés, en esta instancia hipotética no cabría esperar ningún otro resultado posible, puesto que en el estado de naturaleza nadie es lo suficientemente poderoso para imponerse de manera definitiva frente a todos. En concreto, se trata de reemplazar una igualdad que resulta autodestructiva por una que permite la conservación de la comunidad y que incluso permite hacerlo de mejor forma frente a amenazas externas.

Como explica Torres del Moral (1992), la racionalidad humana es el motor que permite encontrar soluciones para abandonar el indeseable estado de naturaleza. Según él, frente al escenario que nos plantea Hobbes, cualquier persona razonaría con base a una serie de criterios necesarios para obtener su propia ventaja, o mejor dicho, necesarios para la conservación y defensa de sí mismos. Pero como dirá el mismo Hobbes para ello se requiere: *"que todo hombre esté dispuesto, cuando los demás lo estén también, a renunciar a toda cosa y a la defensa propia, y se contente con tanta libertad contra los demás hombres como consentiría a éstos contra él mismo".*

2.2.2. El Leviatán como la forma y sustancia del Estado

A partir de la institucionalización de la sociedad política, los preceptos de la razón se convierten en leyes civiles, porque es el poder soberano quien obliga a su cumplimiento *"in foro externo"* (Branda, 2008). Por esta razón el pacto social no puede, sino que tener por origen, la formación de una entidad soberana, cuyo poder sea superior a todo lo conocido. "En el Leviatán, el derecho a todo, como un derecho a gobernarse a sí mismo, es transferido al soberano a través del contrato. El suceso del nacimiento del Estado es resultado de la promesa recíproca hecha por cada uno de los individuos de renunciar a su derecho a todo" (Cortés, 2010). Además, dicha entidad posee una segunda característica, es autónoma y completamente distinta de las voluntades que concurren a su formación. "Las voluntades particulares son sustituidas por una voluntad única, dando lugar así a la persona artificial del Estado o *civitas*, cuya voluntad será encarnada por el soberano, actor que representa la voluntad del Estado y actúa en su nombre" (Branda, 2008). Por esta razón la metáfora que Hobbes elige para representar al Estado es el Leviatán, un monstruo bíblico que infunde terror y por cuya razón es generalmente obedecido.

El modelo de organización política que resulta del pacto social que propone Hobbes es el Estado absoluto. Este se define como aquel modelo de Estado donde el poder se encuentra concentrado en una sola estructura orgánica, dependiente del soberano y respecto del cual su ejercicio es ilimitado. Es por esta razón que, en el *Antiguo Régimen,* no existieron como tal, las funciones en las que actualmente se divide el ejercicio del poder estatal (legislativa, ejecutiva, judicial), ni tampoco existieron ciudadanos con derechos políticos, sino solo súbditos sujetos a la autoridad irrestricta del Estado. A pesar de ello, Hobbes no vería aquello como problemático, sino que, por el contrario, serían las virtudes del absolutismo identificadas con el orden y la estabilidad el único camino para alcanzar el progreso social y garantizar la seguridad. Al ser esta la justificación del Estado, los súbditos únicamente estarían habilitados para rebelarse en su contra cuando este sea incapaz de cumplir con su función de asegurar la paz y la observancia del Derecho que de él emana.

El impacto de la teoría política de Hobbes es incalculable y se extiende hasta nuestros días, a pesar de el Estado absoluto hoy representa un modelo de organización política ya superado. No obstante, varias de sus aportaciones no han perdido actualidad. Entre estas podemos señalar:

a) El autor inglés es el padre intelectual del Estado, la forma de organización política vigente hasta nuestros días. En efecto, se trata del primer teórico que concibe al Estado como una abstracción que va más allá de las personas que ejercen los cargos que representan al poder. A partir de Hobbes, el Estado se concibe como el paradigma del poder institucionalizado. Esto significa que el Estado no se identifica más, ni con la persona del gobernante de turno, ni con una familia dinástica o una historia mitológica acerca de la fundación. De aquí en adelante, el Estado es un conjunto de instituciones, es decir, de normas jurídicas, que establecen quién y cómo se ejerce el poder y que le dotan de estabilidad y permanencia.

b) Al defender la idea del Estado como el monopolio del uso de la fuerza en una comunidad determinada, contribuirá a la unidad del orden jurídico. Lo que será un poderoso aliciente para que los Estados nacionales terminen por imponerse a las construcciones políticas con vocación universal, como el imperio o el papado. Ello fue determinante para el surgimiento de los Estados nacionales europeos tal como hoy los conocemos, lo que con posterioridad dio pie para el surgimiento del Derecho ilustrado, que es el que rige las sociedades de nuestros días.

c) Al ser un pionero del pensamiento moderno, y dado que este terminó por imponerse, en la actualidad aún permanecen vigentes dos de sus ideas esenciales: el poder debe ser justificado y esa justificación debe tener una base de carácter racional. Esto tuvo implicancias sumamente importantes en la evolución histórica de Europa. Por ejemplo:

   a. Contribuyó definitivamente a la secularización del pensamiento político, pues la justificación religiosa no puede contrastarse racionalmente. De este modo, cualquier teoría que intente competir con estas ideas debe también discurrir por cauces de argumentación racional.

   b. Proporcionó una explicación acerca del origen del poder político que ha vertebrado la discusión teórica y práctica hasta la actualidad. Esto significa que han existido pensadores contemporáneos que plantean tesis que se encuentran en sintonía con sus teorías, encontrándose entre estos escritores de distintas tendencias como Carl Schmitt, Leo Strauss o Norberto Bobbio. Por otra parte, también existen autores sumamente críticos de sus posturas, los que se sitúan mayoritariamente dentro del pensamiento liberal. En otras palabras, amado u odiado, nadie puede permanecer indiferente frente al diagnóstico y las propuestas de Hobbes, por lo que no es exagerado afirmar que existe, un antes y un después de su pensamiento en términos de definir los cánones de la discusión teórica sobre la política.

2.3. La teoría política del liberalismo burgués

La teoría política liberal surge como una reacción frente al absolutismo. A pesar de que en la actualidad el liberalismo es un conjunto variopinto de doctrinas, "en su uso original dentro de la tradición anglosajona, el término transmitía algo claro y sencillo: los liberales clásicos estaban principalmente preocupados por establecer límites a la acción de los Estados absolutos. Eran gentes más obsesionadas con cómo se gobernaba que con quién lo hacía. En otras palabras, los liberales eran los partidarios del gobierno limitado" (Gallo, 1986).

Uno de los críticos más clásicos de la obra de Hobbes fue Benjamin Constant, quien en su célebre libro *Principios de Política Aplicables a Todos los Gobiernos*, publicado originalmente en 1815, acusa a Hobbes de ser el hombre quien redujo más brillantemente el despotismo a un completo sistema teórico, destinado a abogar por la legitimidad y conveniencia de concentrar el poder absoluto en manos de una sola persona (Constant B., 2003). Por el contrario, él defendió enérgicamente en esa obra la tesis de que hay una parte de la existencia humana que necesariamente permanece individual e independiente, y por derecho, se sitúa más allá de toda autoridad política. Desde esta óptica, la soberanía del Estado solo puede existir en una forma relativa y limitada. Su jurisdicción se detiene donde comienzan la existencia individual e independiente. Si la sociedad cruza este límite, se vuelve tan culpable de tiranía como el déspota, cuyo único motivo para ejercer el cargo es la espada asesina. Por lo mismo, la legitimidad del gobierno depende tanto de su propósito como de su fuente y cuando ese gobierno se extiende a fines que están fuera de su competencia, se vuelve ilegítimo. La sociedad política no puede exceder su jurisdicción sin ser usurpadora, ni la mayoría sin convertirse en facciosos (Constant B., 2003).

Constant denuncia brillantemente que en el absolutismo no existe separación entre sociedad y Estado, ya que este último puede invadir todos los ámbitos de la vida en sociedad con el objeto de mantener las condiciones para asegurar su propia existencia. Esta circunstancia es duramente criticada por el liberalismo, que reaccionará arguyendo que existen ámbitos de la vida de las personas donde el Estado no puede intervenir, careciendo de soberanía para ello. Esos ámbitos de inviolabilidad se identifican con ciertos derechos básicos, como la vida, la propiedad y la libertad, bienes jurídicos que representan el germen de la idea actual de derechos fundamentales, reconocidos en casi todas las Constituciones.

Probablemente, el primer gran pensador liberal fue John Locke, por lo que es necesario desarrollar sus ideas para comprender los orígenes del pensamiento liberal. A Locke se le aprecia como el padre del liberalismo por sostener originalmente que, "todo gobierno surge de un pacto o contrato revocable entre individuos, con el propósito de proteger la vida, la libertad y la propiedad de las personas, teniendo los signatarios el derecho a retirar su confianza al gobernante y rebelarse cuando éste no cumple con su función" (Várgany, 2000). De toda su producción como filósofo político, su obra más célebre fue el Segundo Tratado Sobre el Gobierno Civil, donde intenta directamente refutar las tesis de Hobbes, con quien comparte muchos de los presupuestos metodológicos: la sociedad política es un artificio, su existencia debe ser justificada racionalmente, recurre igualmente a la metáfora del contrato social para explicar su origen, etc. No obstante, las diferencias son mayores y están relacionadas con sus perspectivas acerca de la condición humana (pesimista el primero y optimista el segundo), el estado de naturaleza y las condiciones bajo las que se celebra el contrato social. Obviamente, el propósito de Locke era defender los principios del gobierno limitado y abogar por la superación del Estado absoluto.

2.3.1. La condición humana y el estado de naturaleza

Locke evoca una imagen mucho más optimista de las relaciones interpersonales entre los seres humanos, que la que imaginó Hobbes. El estado de naturaleza se caracteriza por ser una situación en que, a pesar de no existir algún tipo de organización política, el ser humano puede prosperar y alcanzar la felicidad. Ello se debe a que los seres humanos, por regla general, establecen relaciones de cooperación entre ellos y solo excepcionalmente recurren a la violencia para alcanzar sus fines. Por esta razón, la guerra no puede ser la noción definitoria del estado de naturaleza. En efecto, la característica principal de este es la libertad, la que Locke define simplemente como aquella situación donde el ser humano no está sujeto a ningún tipo de limitación externa.

En este contexto, las personas gozan de una serie de derechos naturales, o sea que pertenecen intrínsecamente a la naturaleza humana, como son la vida, la libertad y la propiedad. Estos tres derechos definen la esencia del ser humano y su cercenamiento, precisamente, significaría la negación de la condición humana. No obstante, en el estado de naturaleza los titulares de dichos derechos carecen las herramientas para resolver eventuales conflictos de delimitación de dichos derechos, cuando estos entran en colisión con los de terceros. Por este motivo, se hace necesaria alguna forma de organización política que tenga por finalidad proporcionar una garantía frente a abusos o vulneraciones. Esa es la justificación de la creación y existencia del Estado: únicamente la protección de los derechos naturales de que las personas son titulares.

2.3.2. El contrato social liberal como herramienta de limitación del poder

En virtud de las razones ya indicadas, no cualquier cláusula es válida en el marco de la celebración del contrato social. En efecto, los derechos naturales no pueden ser objeto de disposición, en palabras más sencillas, no puede haber ningún tipo de negociación respecto de estos. Si razonamos de acuerdo con los presupuestos establecidos por Locke, nadie estaría dispuesto a empeorar su posición, renunciando a derechos que ya poseía antes de formar parte de la sociedad estatal. La consecuencia lógica de esto último es que, cualquiera sea la configuración que adopte el Estado, sobre dicha entidad recae la prohibición de interferir en los derechos básicos de los ciudadanos. En otras palabras, su propósito es precisamente garantizar dichos derechos.

Esta es la primera teorización de lo que hoy conocemos como derechos fundamentales, profundamente iusnaturalista y centrada en la idea de libertades negativas. En la obra de los primeros autores liberales estos derechos aparecen bajo la forma de derechos naturales, es decir, como derechos que las personas poseen de forma congénita, por el solo hecho de pertenecer a la especie humana (nótese la similitud de esta idea, con la actual noción de derechos humanos). Más concretamente, el iusnaturalismo de los primeros liberales es un iusnaturalismo de corte racionalista, centrado en la idea de racionalidad humana, a partir de la cual se deduce un completo catálogo de garantías individuales (Fernández E., 1998). Por otro lado, la idea de libertad que defiende el liberalismo clásico se centra en una versión de esta entendida como libertad negativa. Ello significa que el concepto de libertad que prima en esos autores es el de libertad entendida como ausencia de obstáculos para la acción. Así, por ejemplo, los derechos reivindicados por la Revolución Francesa serán primordialmente derechos de defensa en contra del Estado. Por contraposición a esa idea, la tradición democrática que posteriormente se formará al alero de Rousseau y el republicanismo, será partidaria de un concepto de libertad entendida como libertad positiva, que se relaciona más con la agencia moral de casa sujeto y no tanto en la ausencia de impedimentos externos, como es el caso de la libertad liberal.

El producto de las tesis de Locke será una concepción del Estado como Estado mínimo. Desde esta óptica el Estado existe solo para garantizar la propiedad y la seguridad de las personas, retirándose de los otros aspectos de la vida social, donde debe imperar la libertad y la iniciativa individual de las personas para satisfacer sus propias necesidades. El paroxismo de la noción de Estado mínimo tendrá lugar en materia económica, pues no hay que olvidar que la burguesía fue la principal partidaria del liberalismo. Por ejemplo, Adam Smith, el economista liberal más importante de este período, basa todas sus propuestas en una concepción del hombre fundada en la teoría lockeana de los derechos naturales del hombre libre y racional (Pfefferkorn, 2008). Si el hombre es libre y racional, no queda duda de que el Estado no debe intervenir en sus decisiones, siendo el mercado el medio más justo para intercambiar bienes y servicios. De allí la célebre frase que sintetiza estupendamente la teoría económica liberal: "*Laissez faire et laissez passer, le monde va de lui même* (dejen hacer, dejen pasar, el mundo va solo).

Como se puede ver, la teoría liberal es marcadamente individualista y se preocupa poco por las relaciones sociales y por los resultados segregadores de la acción del mercado. Esto explica por qué, con posterioridad, fue duramente criticada por autores de inspiración socialista. No obstante, no hay que olvidar que al momento de su génesis el principal rival del liberalismo era el absolutismo, por lo que en ese momento representó un progreso innegable en la manera de concebir la forma de la organización política en Europa y en el Nuevo Mundo. No en vano fueron las ideas liberales un impulso definitivo de las revoluciones burguesas en Europa, y luego, de los movimientos emancipadores en los dominios que las potencias europeas poseían en América. Desde la vereda más bien jurídica, se puede afirmar que la teoría política liberal ha sido, quizás, la corriente que más ha plasmado su sello en la construcción del Derecho constitucional contemporáneo. La obra de Locke fue la semilla que luego otros célebres pensadores, como Montesquieu, Constant, Madison, o el mismo Kant, se encargaron de hacer crecer. No es necesario estudiar en profundidad el Derecho constitucional de cualquier país para constatar que ideas típicamente liberales, tales como: la protección de los derechos fundamentales, la separación de poderes, la Constitución como límite al poder, o la posición del individuo como el centro de gravedad del sistema constitucional, están presentes en sus disposiciones.

2.4. La teoría política democrática republicana

Existe una tercera corriente de pensamiento sin la cual es imposible entender el tejido institucional de nuestros días: la teoría democrática, identificada más contemporáneamente con el nombre de republicanismo. De forma preliminar se puede señalar que en esta categoría se encuentran una serie de autores con características muy heterogéneas, los que originalmente también se sitúan como críticos del absolutismo. Esto los emparenta directamente con el liberalismo, al punto de que la noción de libertad también es fundamental para el republicanismo. Sin embargo, con el transcurso del tiempo esta corriente se fue separando del liberalismo y comenzó a desarrollar una postura crítica con respecto a este, y ello por dos razones: comenzaron a entender la libertad de una forma distinta de como lo hacían los pensadores liberales clásicos y, en segundo lugar, también abrazaron otros valores como la igualdad y la solidaridad.

En cualquier caso, se trata de una corriente de pensamiento menos cohesionada que el liberalismo, pero pareciere existir consenso que modernamente su punto de partida se encuentra en la obra de uno de los filósofos más importantes del siglo XVIII: Jean Jaques Rousseau. El autor ginebrino fue un hijo de su tiempo, el Siglo de las Luces, que resultó granado en intelectuales, donde Rousseau fue uno de los más grandes junto a Isaac Newton e Immanuel Kant. Rousseau vivió en los años que precedieron a la Revolución Francesa, y si bien su fallecimiento se produjo en 1878, once años antes de La Toma de la Bastilla, sus ideas fueron determinantes en la revolución que terminó con la monarquía absoluta en Francia. Con todo, no es fácil interpretar la obra de Rousseau, por este motivo, lo que se expondrá a continuación es solo una lectura parcial de su filosofía, a partir de elementos que suscitan cierto consenso.

En primer lugar, Rousseau fue también un contractualista, aunque recurre a un modelo completamente diferente de contrato social. Él comparte con los liberales el hecho de fundar el orden social en el consentimiento de los ciudadanos y en defender el carácter intrínsecamente libre del ser humano. No obstante, difiere de los liberales en entender que son los derechos subjetivos frente al Estado la mejor forma de articular la vida política de una comunidad. Según Habermas, en el liberalismo, la política cumple una función únicamente mediadora entre los intereses desagregados de los particulares guiados por el egoísmo. Por el contrario, en el republicanismo la política juega un papel central, que va más allá de la mera agregación de intereses individuales.

Según Rousseau, la política hace posible el ejercicio de la capacidad de autodeterminación colectiva de una comunidad, entre miembros que se conciben a sí mismos como libres e iguales entre sí. En definitiva, la política representa una reformulación de la ética, es decir, esta representa el medio a través del cual los miembros de una comunidad asumen su interdependencia, al tiempo que, actuando con plena conciencia de ciudadanos, rediseñan y desarrollan las existentes relaciones de reconocimiento recíproco en una asociación de miembros libres e iguales (Habermas J., 1994).

Por esta razón el concepto clave para entender el modelo de legitimidad que defiende Rousseau es el de participación política, y por su intermedio, el de democracia. En palabras muy sencillas, el modelo resalta la importancia de la comunidad en la construcción de los proyectos de vida de cada una de las personas; frente al egoísmo del liberalismo, donde cada persona progresa individualmente, se propone como alternativa una fórmula donde toda la comunidad progresa de forma colectiva. Esto explica que, si en el liberalismo lo que importan son las libertades individuales, en el republicanismo lo relevante es la voluntad general, que es la única que puede propender la consecución del bien común. Esta voluntad general no puede sino formarse a través de la participación interesada, de acuerdo con las reglas de la razón, de cada uno de los miembros de la comunidad.

2.4.1. El estado de naturaleza en Rousseau

La metáfora de la sociedad previa al Estado en este caso se difiere sustancialmente de las versiones anteriores. Para Rousseau no solo la libertad es importante desde un punto de vista axiológico, sino también la igualdad, pues sin igualdad la libertad puede ser limitada o eliminada por aquellos que poseen mayor poder económico. Por ello, se imagina un estado de naturaleza donde los hombres son libres e iguales y los conflictos económicos son inexistentes. Los autores liberales se preocuparon poco por la desigualdad y la justificaron como algo intrínseco a la especie humana. Rousseau, en cambio, pone radicalmente en cuestión la tesis de que la desigualdad social del presente haya existido siempre. Él identifica como punto de inflexión el surgimiento de la propiedad privada, situándolo como el hecho que condujo a una extrema desigualdad en riquezas y poder, que un "anticontrato social" engañoso e injusto convirtió en "ley natural" (Rubio, 2007).

Esta es la principal innovación en el contractualismo de Rousseau: el contrato social no es una herramienta para salir de la barbarie y pasar a formar parte de la sociedad políticamente organizada. Todo lo contrario, es la única posibilidad para la refundación de una sociedad construida durante siglos en función de la desigualdad y la opresión. En otras palabras, el contrato social es la única forma de retornar a tiempos pretéritos donde los derechos y las obligaciones en la sociedad eran repartidos equitativamente y nadie era capaz de imponerse a los otros debido a su capacidad económica.

2.4.2. El contrato social como expresión de la voluntad general

El contrato social en su versión republicana se plantea como una solución al problema de la desigualdad y la manera de lograrlo será rompiendo con el individualismo, a través de la participación de todos los ciudadanos en las decisiones políticas. La idea dirá Rousseau, será *"encontrar una forma de asociación que defienda y proteja con toda la fuerza común la persona y los bienes de cada asociado, y por la cual, uniéndose cada uno a todos, no obedezca, sin embargo, más que a sí mismo y quede tan libre como antes"*. Para entender cómo se podría alcanzar este resultado, es necesario desvelar algunas de las premisas filosóficas de las que Rousseau parte, las que no siempre aparecen del todo explícitas en los textos. En primer lugar, es necesario que en el contrato social participen personas plenamente racionales, tanto en la consecución de su propio interés, pero también susceptibles de aceptar razones en contrario, que dominen sus pasiones y posean un importante sentido de honestidad. Por otra parte, se requiere que la comunidad política sea relativamente homogénea, es decir, que comparta los mismos criterios de racionalidad, y exista un acuerdo mínimo sobre los principios básicos de justicia.

En definitiva, será a través del diálogo y la argumentación racional que las libertades individuales convergerán en la voluntad general. La voluntad general, si bien se forma a partir de cada una de las voluntades individuales que concurren al contrato social, no se identifica con ninguna de ellas, ni siquiera con la suma de todas ellas. Esta idea de voluntad general encarna el producto de la deliberación racional en una comunidad política, al mismo tiempo que opera como justificación para la existencia de la asamblea legislativa y de su producto jurídico por antonomasia: la ley. El contrato social que propone Rousseau necesariamente tendrá como resultado la igual repartición de derechos políticos, con el objeto de participar en término equitativos en la formación de la voluntad general. De esta forma, la teoría en comento es un intento por forjar una comunidad política fundada en el acuerdo de sujetos autónomos y racionales, en condiciones de libertad, igualdad y reciprocidad, respecto a su interés común. De tal acuerdo resultaría una sociedad caracterizada por fuertes vínculos de participación y solidaridad, al tiempo que asentada sobre una individualidad desarrollada (lejos de la mera fusión en el todo colectivo) (Peña J., 1995).

2.4.3. La influencia de Rousseau en el Derecho constitucional contemporáneo

Es inmensa la influencia de Rousseau en el Derecho constitucional actual. Por un parte, es innegable su aporte en la formulación de la idea de democracia como criterio de legitimidad del orden constitucional. Si bien hoy en día, la democracia como forma de gobierno suscita un amplio consenso, en la época de la Revolución Francesa era más bien resistida. Además, hay que destacar que Rousseau se compromete con un modelo específico de democracia: directa, participativa y deliberativa, que funciona casi como sucedáneo del discurso moral. Esto exige ciudadanos virtuosos, pero también una sociedad que garantice la educación para todos sus ciudadanos, pues la única manera de ser ciudadanos virtuosos es a través del conocimiento.

Otra de las aportaciones de Rousseau tiene que ver con la importancia que adquirirá la ley en el sistema de fuentes del Derecho. En efecto, durante el siglo y medio que sigue a la Revolución Francesa, la ley será el eje central del sistema jurídico. El legicentrismo de este período fue tan acentuado, que los historiadores lo han denominado Estado legal de Derecho. En este esquema se considera a la ley como la auténtica garantía de la libertad e igualdad de los ciudadanos, tanto en virtud del procedimiento de aprobación, como de consideraciones intrínsecas como su carácter general y abstracto. Desde luego, debido a su importancia, estas ideas volverán a ser materia de análisis en los capítulos sucesivos de este libro.

3. ESTADO: CONCEPTO Y ELEMENTOS. ORÍGENES Y FORMACIÓN DEL ESTADO MODERNO

El Derecho constitucional tal como lo conocemos en la actualidad, solo puede surgir con el Estado y para el Estado. Por ello resulta clave detenernos a examinar esta figura que representa el modo de organización política de nuestros días. Obviamente tanto la misma figura del Estado, así como la manera de entender el Derecho constitucional ha evolucionado con el transcurso del tiempo. Sin embargo, es indispensable remontarnos a los albores de dicho proceso, para comprender cuál ha sido el rumbo que ha tomado la reflexión sobre la política en épocas más recientes y cómo esta evolución ha sido importante para entender nuestras propias instituciones actuales.

En las próximas páginas se explicará por qué el fenómeno jurídico que denominamos Derecho constitucional solo adquiere sentido en un momento histórico determinado, con el surgimiento del Estado moderno. Más allá de las cuestiones que son objeto de debate, existe un hecho que es indiscutible, el poder del Estado representa una realidad nunca antes vista en la historia de la humanidad, que cambió de manera radical y para siempre las categorías intelectuales con las que se interpreta y organiza el poder político.

3.1. Los presupuestos históricos del Estado: el advenimiento de la modernidad

El Estado moderno supone un quiebre con el modo de organización política propio de la Edad Media, caracterizado por un alto nivel de fragmentación del poder y una superposición de ordenamientos, construcción que Hegel denominó la *Poliarquía Medieval*. En dicho contexto, la vida política estaba organizada en varios niveles, algunos de ellos con pretensiones de vigencia universal, como el papado y el imperio; ordenamientos con un alcance más restringido, como las incipientes monarquías, y por último entidades locales, representadas por los señores feudales. Sin embargo, dentro de toda esta pluralidad de autoridades políticas, existía una suerte de unidad representada en la noción de *Christianitas* (cristiandad), que englobaba a todas las entidades sociales y territoriales medievales que se identificaban y entroncaban dentro del marco del sistema religioso de la iglesia católica romana.

A pesar de que en nuestra época puede resultar extraño, el uso de la expresión *cristiandad* excedía, por aquel entonces, lo exclusivamente religioso. No se debe olvidar que durante la Edad Media el poder está revestido de un carácter esencialmente proteico, lo que hace difícil la pretensión de aplicar rigurosamente categorías contemporáneas como sagrado/profano, eclesiástico/laico, público/privado, etc. (De Cortázar, 2001). Es por eso por lo que, además de los aspectos clásicamente confesionales, la estructura de poder así ensamblada adquiere un sentido holístico, comprendiendo también lo social, lo espacial y lo político *strictu sensu*. Dicho de otra forma, el hombre medieval carecía de las categorías intelectuales para formular distinciones dicotómicas que separasen lo religioso de los otros aspectos de la vida en sociedad.

Durante el Imperio Carolingio la *Christianitas*, adquiere una entidad bien definida y anclada en la realidad contemporánea, utilizándose la expresión casi como en el sentido actual se usa la palabra país, ya que, dados los términos de su magnitud, este concepto integraba en su seno las diferencias y particularidades territoriales que existían durante el Medioevo, en el espacio geográfico de referencia era todo el continente europeo. La alianza entre política y religión (como diríamos con palabras modernas) se produjo con propiedad desde Pipino el Breve, quien teniendo el poder de facto en el Reino Franco, necesitaba de un poder dinástico que legitimase su accionar. Así fue como recurrió a la autoridad apostólica para solucionar el problema que aquello suponía, haciéndose coronar por el Papa Zacarías. Obviamente, para el papado también aquella cooperación era de suma importancia estratégica, dado que esta le permitía consolidar su esfera de influencia en el plano político en la Cristiandad occidental, como única opción de rivalizar con el Imperio Bizantino en la lucha por la hegemonía religiosa. Esta fórmula se consagraría definitivamente en la coronación de Carlomagno en Roma por el Papa León III, el día 25 de diciembre del año 800, acto por el que se perfeccionó definitivamente la alianza entre imperio y papado, dando origen al Sacro Imperio Romano Germánico (Carrera, 2011).

El Estado moderno rompe definitivamente con este modelo, pues posee ciertas características, que se construyen por oposición con el paradigma medieval que pretende superar. En efecto, la modernidad se caracteriza en lo político por los siguientes aspectos: la primacía de lo nacional por sobre lo universal, de lo artificial por sobre lo natural y de lo unitario por sobre lo fragmentario. Ahora bien, todas estas transformaciones suponen un cambio profundo que se explica por una serie de factores de naturaleza económica, social y cultural, como, por ejemplo, el surgimiento de la burguesía, el repoblamiento de las ciudades, los descubrimientos geográficos y científicos, el humanismo, etc. Desde luego, no es posible determinar si los cambios ideológicos son causa o consecuencia de los cambios socioeconómicos. Probablemente, ambos procesos se produjeron simultáneamente y presentan una configuración compleja desde el punto de vista etiológico.

3.1.1. El auge de la burguesía y el repoblamiento de las ciudades

Las constantes amenazas militares fueron gradualmente modificando el paisaje urbano a medida que avanzaba la Edad Media. La caída del Imperio en Occidente produjo como resultado el término de la *Pax Romana*. Primero, las guerras entre los pueblos germánicos del norte de Europa, después las invasiones de los pueblos provenientes de las estepas de Asia, y posteriormente, la conquista musulmana de la península ibérica, provocaron la huida de los habitantes de las ciudades hacia lugares más seguros, usualmente zonas protegidas y fortificadas. Esas migraciones masivas alteraron de forma importante el paisaje urbano de Europa, y como consecuencia de ellas, los núcleos urbanos sufrieron un notable descenso de población, una degradación de su infraestructura y en ocasiones el abandono total (Arízaga, 1993).

En esas condiciones era muy difícil que floreciera el comercio o la industria, lo que explica por qué la economía feudal tuvo un carácter esencialmente agrícola y autárquico. El intercambio comercial solo se pudo reanudar cuando las ciudades volvieron a ser seguras. En la Alta Edad Media se le dio el nombre de "burgo" a un castillo o torre fortificada de avanzada o de vigilancia fronteriza. Más adelante, cuando ya entrada la Baja Edad Media comienza a disminuir la sensación de inseguridad y la población abandona las murallas, por extensión, se le da este nombre a las poblaciones que proliferaron en torno a estas construcciones. En este contexto, los burgueses pasan a ser los habitantes de las nuevas ciudades. Dichas ciudades, en la medida que fueron capaces de generar riquezas, pudieron negociar cierta autonomía respecto del señor feudal y por esta razón ofrecían un atractivo a aquellos que, sin pertenecer a la nobleza o al clero, las clases privilegiadas en aquel entonces, no deseaban convertirse en siervos. Con el paso del tiempo, y el auge de la economía, el grado de autonomía de los burgos se irá incrementando notablemente.

El desarrollo y aumento del poder político de la burguesía será, dos siglos después, determinante en las revoluciones liberales del siglo XVIII, pero no hay que olvidar que este grupo social ya comienza a jugar un papel importante en el tránsito del Medioevo a la Modernidad. Las ciudades, desde luego, generan riqueza y la riqueza permite recaudar mayores impuestos. Los ejércitos necesitan financiarse y la manera más eficiente de hacerlo es a través de los impuestos. A fines de la Edad Media, ciertas familias son capaces de aumentar su poder al alero de esa actividad comercial, ya que paulatinamente se van convirtiendo en los principales financistas de las guerras, lo que les permite poco a poco ir obteniendo prerrogativas otorgadas por el poder regio. Para los reyes proteger la economía local era casi un asunto de vida o muerte, pues en la medida que bajo su poder existían poblaciones que eran capaces de aumentar su capacidad contributiva, eso les permitía garantizar su autonomía frente a Roma y al imperio, por una parte, y por otra dar el golpe de gracia a los señores feudales que desafiaban su poder en lo interno.

Por otro lado, los burgueses son fundamentales desde el punto de vista social, y comienzan a incrementar su influencia social a través de la práctica de las ciencias y las artes. Durante la Edad Media la cultura estaba recluida en los monasterios y eran principalmente los clérigos quienes la conservaban y difundían. La Modernidad también es un reclamo por masificar el acceso al conocimiento. No se trata de que la Edad Media haya sido una época oscura en términos culturales, lo que sucedió realmente fue que aquella estaba circunscrita a unas pocas personas. La Modernidad, desde esta perspectiva, es un reclamo por volver a la antigüedad clásica, cuando se pensaba que el conocimiento resulta clave para que las personas sean artífices de su propio plan de vida, y se consideraba a la ignorancia como el más terrible de los males y el origen de toda dominación.

3.1.2. La primera revolución científica y los descubrimientos geográficos

Parte importante del proceso de emancipación cultural de las ciudades es impulsado y financiado por la burguesía. El ansia de viajar, descubrir territorios lejanos y explotar rutas comerciales se convertirá en el intento por mejorar los medios de comunicación existentes. Para ello se requiere tecnología y para que exista tecnología se necesita de conocimiento científico. Esto explica el surgimiento de nuevas universidades, y la aparición de un personaje propio de la época: el mecenas. El mecenas es un patrocinador económico de artistas, literatos o científicos, para que estos puedan desarrollar su actividad, que en principio actúa de forma desinteresada, pero en la práctica lo hace movido por el prestigio, el reconocimiento social y el aumento de su influencia. Todo este ambiente hace que en Europa vuelva florecer el conocimiento y se empiecen a cuestionar los viejos prejuicios. Todo ello se hizo más expedito cuando en el año 1440 Johannes Gutenberg inventó la imprenta.

En 1543 Nicolás Copérnico publica *De Revolutionibus Orbium Coelestium*, refutando la vieja teoría ptolemaica que databa del siglo II, que planteaba que la tierra es el centro del universo. En 1596 Kepler describe el movimiento de los planetas, en 1609 Galileo inventa el telescopio. En 1620 Francis Bacon publica su *Novo Organum* obra que contiene las bases del método científico. El desarrollo de la brújula, el sextante, el astrolabio y la agrimensura hicieron posible la navegación de larga distancia. En esos momentos las cartas estaban echadas, comenzando una vertiginosa competencia por explorar el mundo en la que, en principio, tomaron ventaja los españoles y los portugueses, pero que al poco tiempo después, franceses, ingleses y holandeses tendrían algo importante que decir.

3.1.3. La reforma protestante y el humanismo

El progreso de las naciones europeas durante los siglos XV y XVI parecía no parar y la confianza en el ser humano se hizo absoluta por aquel entonces. Era necesario comenzar a emanciparse incluso de la propia idea de Dios, sin la cual no es posible comprender la Edad Media y convertir al hombre en el verdadero artífice de su destino. Es así como nace el movimiento cultural, al que varios siglos después se le daría el nombre de *Humanismo,* como una semilla que se plantaría en las prósperas ciudades del norte de Italia, pero que pronto se diseminaría por toda Europa.

El humanismo surge como un movimiento filosófico, intelectual y cultural estrechamente ligado al renacimiento, que tuvo por objeto el regreso a las raíces del mundo clásico greco romano. Específicamente, su objeto es situar al ser humano en el centro de todas las preocupaciones intelectuales como parte del programa de renovación artística, cultural e intelectual (González, 1989). Aunque la denominación es muy posterior, Hankins señala que en un sentido específico el humanismo busca homologar lo humano a lo divino, oponiéndose a cualquier tipo de dogma o revelación religiosa, utilizando como principal herramienta la reflexión filosófica, sobre la base de una concepción del ser humano puramente biológica en oposición a lo trascendente (Hankins, 2007).

La imagen renacentista del mundo no podría entenderse sin una referencia a la cosmovisión que la precedió. Antes del Renacimiento el cosmos y la sociedad humana se presentaban bajo la figura de un orden finito, en donde cada elemento tenía un sitio específico, según relaciones determinadas en referencia a un centro. La sociedad humana, de modo semejante, es una sociedad jerarquizada en donde cada estamento ocupa un lugar. Hay una relación clara entre los siervos y los señores, los señores y sus superiores feudales, estos y el rey, el rey y el emperador (Villoro, 2013). El pensamiento humanista, explícitamente, confrontó esta idea. A partir de entonces, la racionalidad humana se convirtió en la medida de todas las cosas y el ser humano se sintió con la capacidad, incluso, de cambiar el curso de la historia y reinventar el mundo completamente desde cero.

Uno de los ejemplos más claros de esta nueva manera de entender la realidad y el papel del ser humano en esta empresa, es la *Oratio de Hominis Dignitate* (oración sobre la dignidad humana) de Giovanni Pico della Mirandola, un verdadero manifiesto del renacimiento, que en uno de sus pasajes más célebres expresa:

> *"Cuando Dios terminó la creación del mundo, empieza a contemplar la posibilidad de crear al hombre, cuya función será meditar, admirar y amar la grandeza*

de la creación de Dios. Pero Dios no encontraba un modelo para hacerlo. Por lo tanto se dirige al primer ejemplar de su criatura, y le dice: "No te he dado una forma, ni una función específica, a ti, Adán. Por tal motivo, tendrás la forma y función que desees. La naturaleza de las demás criaturas la he dado de acuerdo a mi deseo. Pero tú no tendrás límites. Tú definirás tus propias limitaciones de acuerdo con tu libre albedrío. Te colocaré en el centro del universo, de manera que te sea más fácil dominar tus alrededores. No te he hecho mortal, ni inmortal; ni de la tierra, ni del cielo. De tal manera, que podrás transformarte a ti mismo en lo que desees. Podrás descender a la forma más baja de existencia como si fueras una bestia o podrás, en cambio, renacer más allá del juicio de tu propia alma, entre los más altos espíritus, aquellos que son divinos".

Otro factor clave en el surgimiento del Estado, que tiene que ver con una actitud nueva frente a lo religioso, es la reforma protestante; esta fue la verdadera mecha que encendió la explosión que sacudiría y cambiaría Europa. En cierto sentido, el humanismo había generado un ambiente propicio para la crítica racional de las estructuras sociales, lo que permitió que dentro de las mismas comunidades religiosas también se generara esa reflexión, pero la reforma fue un proceso que avanzó mucho más allá, convirtiéndose en verdadero detonante de los cambios que vendrían en los próximos 100 años.

El principal cuestionamiento que la reforma planteó a las estructuras romanas fue una situación que hoy llamaríamos derechamente corrupción. Uno de los principales problemas era la venta de las indulgencias, documentos que contenían, según las creencias de la época, una suerte de remisión de los pecados. Bajo este concepto, los ricos o aquellos que realizaban donaciones cuantiosas a la Iglesia aseguraban su salvación, quedando los pobres excluidos de tal privilegio. En 1506, el Papa acuerda otorgar indulgencia a todos aquellos que ayuden económicamente a la construcción de la basílica de San Pedro, pero el asunto deriva en un escándalo de tráfico de indulgencias, ya que muchos obispos las vendían y utilizaban el producto de esas ventas para pagar deudas personales.

En 1517 Martín Lutero, un monje católico, protestó en contra de esta situación clavando en la puerta de la iglesia de Wittenberg sus famosas 95 tesis, en las que cuestionaba duramente esta práctica. El resultado de dicho acto fue su excomunión por el Papa León X y el comienzo de la reforma protestante. La protesta de Lutero se haría célebre gracias a la imprenta y provocaría reacciones similares en el resto de Europa. A él le seguiría Calvino en Francia y Suiza, Enrique VIII en Inglaterra y varios otros, que empujarían un proceso que finalmente haría perder al papado influencia en el norte y centro de Europa. Solo el sur se mantendría fiel a Roma, no obstante, la gran mayoría de los territorios entraría en una sucesión de guerras, a veces intestinas, otras veces a mayor escala, que cambiaría para siempre el panorama político. Se trató del fenómeno bautizado como Las Guerras de la Religión, que duraría prácticamente un siglo.

Cuando en 1648 se pone término a Las Guerras de la Religión en Europa continental, a través de la firma del Tratado de Westfalia, la cristiandad como sinónimo de unidad política ya no existía más. Por el contrario, era evidente que cualquier pretensión de universalidad había fracasado, al mismo tiempo que se afirmaban entidades políticas circunscritas a un territorio mucho más delimitado, las que reivindicaban un poder soberano y exclusivo dentro de unas fronteras y fundaban su unidad en la idea de comunidad nacional: había nacido, en definitiva, el Estado moderno.

3.2. El Estado moderno como Estado nación

El Estado moderno es un modelo de organización política originalmente basado en la idea de nación. Este término es una de las grandes metáforas de la teoría constitucional, y a partir de este período, es empleado como criterio de construcción de una unidad política, fundada en la homogeneidad e identidad. Puesto que la Modernidad rechaza cualquier intento de construcción de una comunidad política universal, se renuncia al proyecto de concitar la adhesión de todos los seres humanos bajo una fórmula universal como, por ejemplo, la del hombre como *imago dei*. Por el contrario, será necesario pensar en términos menos ambiciosos, construir una unidad dentro de un contexto geográfico y demográfico más acotado, que permita un ejercicio efectivo del poder estatal. Esa función la desarrollará el concepto de nación.

Como todo concepto clave de la teoría política, la nación es un concepto complejo de desentrañar. La historia de la palabra nación es larga y se remonta a la época romana, utilizándose por entonces para designar a las comunidades de extranjeros que vivían dentro de los límites del Imperio. Etimológicamente deriva de la palabra latina *nascere* (nacer) y durante la Edad Media se reintroduce para designar el lugar de dónde provenían los estudiantes en las universidades medievales como Boloña o París, ello con un propósito meramente geográfico. En la extraña tierra de las ciudades universitarias, los estudiantes extranjeros sentían la necesidad de unirse para combatir la nostalgia, de expresarse en su lengua nativa, de degustar su comida y de mantener las costumbres que le recordaban a su hogar. Para satisfacer estas necesidades tan comprensibles, formaron agrupaciones de personas provenientes del mismo país, y las designaron con el mismo título que se utilizaba en la antigüedad para comunidades similares, denominándolas *nationes* (Zernatto, 1944). En este contexto, donde todos podían hablar latín como *lingua franca* y políticamente se pertenecía a una sola gran comunidad, se era nacional de algún lugar solo en sentido social, casi como en la actualidad en la Universidad Austral de Chile existen las agrupaciones de estudiantes de Magallanes o Chiloé.

El concepto comenzó a utilizarse políticamente ante la necesidad de estimular la cohesión en los nacientes Estados, que se desmembraron desde la antigua unidad medieval. A pesar de la claridad funcional del término, su contenido siempre ha sido polémico. Uno de los problemas de este concepto es que mezcla elementos descriptivos y valorativos (Barrington, 1997). Por ejemplo, Smith define a la nación como "una comunidad humana singular que comparte un territorio, mitos comunes y recuerdos históricos, una cultura colectiva, una economía común y derechos y deberes legales comunes para todos los miembros" (Smith, 1991). Este dilema será constante en la gran mayoría de los intentos por definir dicho término y el esquema normalmente utilizado para delimitar los contornos de una nación, a menudo, es un ejercicio a dos bandas: por una parte, se intenta trazar su contenido sobre la base de una serie de elementos de naturaleza objetiva como, por ejemplo, la lengua, la religión, la historia compartida sobre un territorio; por otra, un elemento subjetivo, es decir un *animus,* esto es, un sentido de pertenencia a una comunidad definida cuyos límites están definidos por esos elementos objetivos.

Así las cosas, en la Modernidad asistimos al surgimiento del nacionalismo como doctrina política. En términos esenciales, este postula que las naciones deberían tener sus propios Estados (o lo que es lo mismo, disfrutar de autogobierno); y comparte la creencia de que el mundo está dividido en naciones y esta división es a la vez apropiada y natural (Motyl, 1992). En estos términos, el Estado moderno es un Estado nacional, convirtiendo ambos términos en sinónimos. Sin embargo, nada de lo anterior ha solucionado el problema de los límites de la comunidad política, pues el concepto de nación así planteado deja al descubierto rápidamente sus complejidades, no ocultando que el nacionalismo puede ser tanto centrípeto como centrífugo. Las complejidades del nacionalismo quedarían en evidencia durante la época del Romanticismo, cuando se produce el apogeo de los nacionalismo, cuestión que se proyecta incluso hasta la actualidad, existiendo algunas comunidades que se atribuyen el título de nación, al mismo tiempo que se consideran prisioneras dentro de un Estado que afirman que no les pertenece y claman por la secesión. Al respecto, basta con recordar los casos de Cataluña, Quebec, Escocia o Groenlandia, para mostrar que el concepto de nación no solo puede servir como punto de unión, sino que también como argumento para la división.

Por otro lado, hoy es innegable que los conceptos de Estado y nación discurren por cuerdas separadas, no siendo extraño encontrar Estados plurinacionales o naciones sin Estados. Aunque, nuevamente la denominación es polémica, existen Estados en los que la propia Constitución reconoce el carácter de plurinacional como Bolivia y Ecuador. Por ejemplo, en este primer país se reconoce la existencia de 36 naciones, por lo que claramente el concepto de Estado nacional no puede ser entendido de la misma manera que en la Modernidad temprana. Otro caso similar que podemos citar es Rusia, donde la Constitución del Estado se refiere tanto en su preámbulo como en su artículo 3 a "pueblo multinacional", un término análogo al recogido tanto en Bolivia como en Ecuador. Otro caso se suele citar en la literatura es Bélgica, donde no se reconoce la plurinacionalidad como tal, pero sí se habla de comunidades dentro de la propia Bélgica (comunidad francesa, comunidad flamenca y comunidad de habla alemana), teniendo cuatro regiones lingüísticas diferentes. Igualmente, existen naciones que actual o históricamente carecen o han carecido de Estado. Al respecto, se puede recordar el movimiento sionista, que abogó durante mucho tiempo por la creación del Estado de Israel para la nación judía. Situación idéntica a la que se encuentra en la actualidad el pueblo palestino, reivindicando soberanía sobre parte del territorio del Estado de Israel. Otro caso célebre es el de los pueblos nómades como, por ejemplo, el pueblo Gitano, el que se encuentra distribuido en muchos Estados del orbe.

3.3. El Estado moderno como Estado soberano: el surgimiento de la idea de soberanía

La soberanía es otro de los conceptos cardinales de la teoría política y constitucional moderna. Etimológicamente la expresión deriva del latín *superānus*, que designa a quien ejerce o posee la autoridad suprema. La expresión también es una metáfora, que representa el poder del Estado. En síntesis, al alero de su surgimiento, los autores se ven enfrentados al desafío de caracterizar y definir las bases conceptuales de un fenómeno de organización política, que rompe con el pasado y que se presenta como algo enteramente nuevo en la historia.

Las primera referencia al Estado se puede encontrar en Maquiavelo en su obra *El Príncipe*, pero un desarrollo más acabado sólo es posible encontrarlo en los trabajos de Hobbes y Bodin, quienes probablemente resultaron interpelados por los importantes cambios de los que fueron testigos y reaccionaron frente a una urgente necesidad de organización de sus sociedades en lo interno (Reisman, 1990). La cuestión que les apremiaba era crear las bases teóricas de un poder que sea capaz de derrotar a todos sus adversarios y que no conciba rival en el orden temporal. Por lo mismo, se puede afirmar, que el concepto de soberanía, en realidad, no es más que una metonimia de la idea de Estado absoluto. En el fondo, el concepto nace para explicar y justificar esta nueva manera de organización política. En efecto, en Bodin, es fácil percibir la necesidad de un sistema que encarne una fuente de autoridad clara e incuestionable. Desde esta perspectiva, la soberanía se describe como un hecho natural, consistente en la posesión y ejercicio de un poder superior a todas las alternativas análogas; que no dice nada acerca de la manera en cómo se lleva a efecto, lo que queda determinado solo en la forma en que este es ejercido (Dunning, 1896).

De esta forma, Jean Bodin define a la soberanía como: *"El poder perpetuo y absoluto de una república"* e identifica como soberano a *"quien tiene el poder de dar las leyes sin recibirlas de otro"* (Bodin, 1997). En consecuencia, la soberanía no es sino una metáfora para describir el poder del Estado, que como ya hemos visto, no es cualquier poder, sino más específicamente uno que se identifica con las siguientes características.

- Exclusivo: la soberanía es un poder que resulta incompatible con lo múltiple, pues la secesión da lugar a un nuevo ente soberano. En otras palabras, el poder soberano posee el monopolio del ejercicio legítimo de la fuerza.

- Supremo: todo otro poder en el orden temporal está subordinado al poder del Estado. Si existe otro de entidad superior, esta será el soberano.

- Absoluto: la soberanía es concebida en este momento histórico como carente de límites. Los únicos límites reconocibles por el ente soberano son los autoimpuestos, pero incluso, la misma idea de soberanía implica la potestad para deshacerse de dichas autolimitaciones.

- Perpetuo: la soberanía no se extingue, ni por el uso, ni por el no uso. La soberanía nace con el Estado y permanece con él como su verdadera alma, hasta que este deje de existir.

Si bien la idea de soberanía es pensada primero para el orden interno, con el nacimiento de las relaciones internacionales a partir del Tratado de Westfalia en 1648, se comenzaría a hablar también de soberanía externa. Es así como en su dimensión interna, la soberanía se traduce en la potestad de producción normativa, cuya máxima manifestación será el poder constituyente, es decir, el poder de elaborar la Constitución. Se trata por primera vez de un poder que, en sí mismo, tienen la capacidad de configurar el orden político en lo interno, circunscrito a los habitantes que viven dentro de las fronteras del territorio del Estado, tanto como sujetos y como objeto de dicha potestad (Habermas J., 1999). Ahora bien, en el Estado absoluto la distinción entre poder constituyente y poderes constituidos será solo nominal, dado el carácter ilimitado de ese tipo de Estado. En la actualidad dada la existencia de límites al poder político y a la separación de poderes, además del poder constituyente, se considera también ejercicio de la soberanía a cada una de las funciones del Estado. En su dimensión externa, la soberanía del Estado informa al Derecho internacional clásico, a través de dos principios: igualdad entre Estados y no intervención en los asuntos internos de otro Estado. Estos principios, reconocidos originalmente en el Tratado de Westfalia, incluso hasta la actualidad constituyen el núcleo irreductible del Derecho internacional: (1) cada Estado es enteramente libre para autodeterminarse dentro de su territorio, y (2) ningún Estado puede intervenir en los asuntos internos de otro Estado (Osiander, 2001).

3.4. El Estado moderno como Estado Absoluto

El Estado moderno se organiza sobre la base de un modelo extremadamente simple, el que se expresa en tres principios esenciales: la concentración de todos los poderes y funciones en el soberano, la ausencia de límites al ejercicio del poder y la irresponsabilidad frente a la vulneración de los derechos de los súbditos. A partir de estos tres principios generales, se derivaban, a su vez otros postulados más concretos, respecto de los cuales aquí no ahondaremos. En cualquier caso, aunque hoy pueda sorprender este modelo por su simplicidad, hay que tener presente que el Estado absolutista no es un tipo de organización política trazada con escuadra y cartabón, sino que se fue conformando en virtud de un proceso de acumulación del poder puramente inductivo, de una evolución sin grandes rupturas desde la Baja Edad Media en adelante, de manera que la entidad política y organizativa del Estado absolutista fue, desde todos los puntos de vista, previa a la toda la teorización conceptual que se refiere a ella (González Alonso, 1987).

3.4.1. El Estado absoluto y la estructura del sistema jurídico

Para un estudioso de las instituciones contemporáneas, la estructura del Estado absoluto deviene en un esquema extraordinariamente simple: el único centro de impulsión política radica en el monarca, a partir del cual se derivan todo el resto de las instituciones en virtud del principio de jerarquía. Según García Pelayo, precisamente, el Estado absoluto representó una reacción al pluralismo que vertebró las estructuras de los órdenes políticos anteriores a su nacimiento, el que en sí mismo implicaba una cierta división de poderes entre los componentes sociales o territoriales del cuerpo político.

Desde esta perspectiva, el feudalismo se caracterizó, de un lado, por una división vertical de poderes que, comenzando con el rey y siguiendo la cadena feudal, se extendía a través de sus vasallos y subvasallos, cada uno ejerciendo su señorío sobre determinadas tierras y personas, sin que el superior pueda intervenir en la esfera del inferior más que dentro de los límites prefijados en el pacto feudal y, de otro lado, por una división horizontal, puesto que el poder del reino, en su nivel superior, estaba distribuido entre el rey y los grandes vasallos o *capite tenentes* (García Pelayo, 1983).

El absolutismo operó a sabiendas en el sentido contrario concentrando el poder en el monarca, pues recordando las ideas de Weber, se podría señalar que se consideró que dicho orden representaba una división cuantitativa e irracional del poder, bien distinta del carácter cualitativo, racional y funcional de la moderna división de poderes del Estado constitucional. Si se quiere, la formación del Estado se puede explicar como el resultado de un proceso de concentración del poder político disperso en el cuerpo social hasta configurar un sujeto soberano, esto es, capaz de definir e imponer el Derecho sobre un determinado territorio (Garriga, 2004).

Todo lo anterior significa que el Estado absoluto es un Estado en el que no existe una especialización de las funciones estatales, por ejemplo, la función administrativa se confunde con la política o la judicial con la legislativa, pues en realidad es el rey quien asume y concentra todas esas funciones, siendo el resto de las instituciones meros agentes de la decisión regia. El mejor testimonio de esta época son los célebres aforismos *L'État c'est moi* (el Estado soy yo), atribuido a Luis XIV de Francia en su discurso frente al *Parlement de Paris* en 1650, y *"cet qui veut le roi le veut le loi"* (lo que quiere el rey es lo que quiere la ley), que sintetizan de manera magistral las circunstancias políticas de la Modernidad temprana. Por ejemplo, tomando esta última sentencia, ella deja ver que al rey se le consideraba fuente de toda justicia, por lo que todo acto jurisdiccional se impartía en su nombre por funcionarios delegados. Ello explica el hecho de que durante la Revolución Francesa los jueces fueron duramente cuestionados y por qué las instituciones revolucionarias mostraron una profunda desconfianza hacia ellos.

3.4.2. El Estado absoluto y la ausencia de límites al poder

El Estado moderno se caracteriza además por la ausencia de límites en el ejercicio del poder. La expresión original de aquella época *Prínceps legibus solutus est,* revela que el monarca absoluto se encuentra por sobre la ley, en un doble sentido. En un primer sentido ello significa que, si bien el Derecho emanaba por completo del rey este no le era aplicable. En un segundo sentido, tampoco existía limitación en los bienes jurídicos de los súbditos, como, por ejemplo, la vida o su propiedad. Se consideraba que estos le pertenecían al monarca y este podía disponer de ellos discrecionalmente.

En el absolutismo el actual concepto de libertades públicas o derechos fundamentales era desconocido. La noción central que definía el estatus jurídico de una persona era su posición social, por lo que las relaciones de subordinación y dominación no solo se producían entre el rey y los súbditos, sino también entre estos. Una sociedad de esta naturaleza, se comprendía y se explicaba a sí misma como sociedad estamental, compuesta por un conjunto de corporaciones y estamentos a cada uno de los cuales se le atribuía una función social determinada y característica. Precisamente, para facilitar el cumplimiento de esa función social específica, a cada estamento se les otorgaba un régimen jurídico también diferenciado. Es decir, la sociedad estamental estaba basada en el privilegio, que en el Antiguo Régimen se convirtió en el criterio por excelencia de estratificación, diferenciación y jerarquización social.

3.4.3. El Estado absoluto y responsabilidad

En términos generales se entiende por responsabilidad la consecuencia jurídica que conlleva la comisión de un hecho antijurídico, lo que siempre se traduce en una obligación o una sanción para el responsable. Como en el absolutismo la figura del monarca se sitúa por sobre el Derecho, es lógicamente imposible que este pueda incurrir en un hecho ilícito. Ello permitió afirmar en el Derecho inglés el principio *"the King do not wrong",* que se configuró como una verdadera inmunidad en favor del soberano y se replicó en toda Europa. Esta irresponsabilidad debemos entenderla en el sentido más amplio del término, incluyendo la responsabilidad política, civil y penal.

En el Estado absoluto la responsabilidad tal como se entiende contemporáneamente es inexistente para el monarca, pero ello no significa que no hubiera ninguna manera de exigirle un determinado comportamiento. Siguiendo a Garzón, responsabilidad deriva de *responsum,* o sea respuesta, por lo que la expresión originariamente quiere decir defender o justificar una acción frente a una acusación (Garzón, 1996). Si se tiene en cuenta este sentido amplio de la palabra, vale la pena recordar que sí había un ámbito en el que el monarca podía ser cuestionado, el que estaba caracterizado por la noción de Razón de Estado. Parece increíble que un concepto que hoy se usa para eximir de control y responsabilidad, sirviera en esa época para lo contrario. Sin perjuicio de que su origen es materia de discusión, la razón de Estado se vincula entonces con una concepción que plantea que la política es el criterio último, es el fin supremo de la acción política del Estado. Por motivos personales o impulsos facciosos, el gobernante puede soslayar el objetivo superior (el fin) y entregarse a la corrupción y la tiranía (Curzio, 2004). La razón de Estado obliga a saltar por encima de particularidades concretas y actuar conforme a finalidades de tipo general (Navarro, 1990).

3.5. El Estado moderno y la institucionalización del poder

En un sentido sociológico, el poder se relaciona con la posibilidad de imponer la propia voluntad dentro de una relación social, aun contra toda resistencia y cualquiera que sea el fundamento" (Weber, 1993); en sentido político supone utilizar dicha capacidad para el gobierno de la *Polis*, imponiendo una decisión contra todos sus miembros. En comunidades con pocos miembros el ejercicio del poder requiere de mecanismos poco sofisticados, por ejemplo, el carisma del líder o un mínimo de organización entre sus miembros. Sin embargo, en las sociedades modernas la organización política requiere de mecanismos mucho más complejos. Es en virtud de esta necesidad que adquiere sentido el concepto de instituciones.

Se ha señalado habitualmente que la Modernidad se caracteriza por ser la época en la que el poder se institucionaliza. En términos generales esta afirmación es correcta, aunque es necesario matizarla. Es innegable que con el advenimiento de la Modernidad el poder político adquiere una complejidad mucho mayor, pero eso no significa que con anterioridad no hayan existido instituciones políticas. Lo que sí es evidente, es que las formas a través de las cuales se ejerce el poder adquieren características bien diferenciadas en este período. Por esta razón, se puede afirmar que el Estado moderno es el modo de organización del poder político en el que el poder se concibe de forma monopólica, racionalmente legitimado y autónomo respecto de otros ámbitos de la vida en comunidad. Cualquier cosa que ello signifique, lo político no puede ser ya identificado con lo místico, lo religioso o lo social.

En síntesis, lo crucial de la modernidad es que a partir de entonces la política está sometida a sus propias instituciones, probablemente, como lo estuvo en la antigüedad. En otras palabras, el Derecho constitucional solo existe allí donde la política se independiza de los otros ordenes de la cultura y adquiere su carta de autonomía. Esta circunstancia es de vital importancia, pues permite entender cuál es la manera en que nace el Derecho constitucional y cómo evoluciona históricamente. En definitiva, esto nos pone en la necesidad de examinar someramente la idea de institución, como concepto de la teoría del Derecho y sus relaciones con nuestra disciplina.

En términos conceptuales, la institución constituye lo informal, lo formaliza. El concepto de institución es polémico en filosofía, pero existe una manera bastante obvia de conectarlo con nuestra experiencia. Pensemos, por ejemplo, en un billete de $ 20.000 y el significado que ese trozo de papel posee en nuestras relaciones comerciales. Desde luego, ese hecho es muy diferente de la lluvia que cae en Valdivia en un día cualquiera de invierno. Uno de los filósofos que ha estudiado con mayor profundidad el tema de las instituciones es John Searle, recurriremos a él para explicar cómo esta idea será entendida. El mismo Searle nos propone una pregunta para evaluar este tipo de hechos: "¿podría haber existido tal fenómeno si nunca hubiesen existido seres humanos conscientes con algunos estados intencionales?". A esta pregunta la llamaremos el Test de Searle. Cada vez que respondamos el test de forma negativa, llamaremos a esos hechos "hechos institucionales".

Afirma el mismo filósofo, que estos hechos institucionales presuponen una estructura lógica del tipo X cuenta como Y en C, es decir, se trata de enunciados condicionales. El caso paradigmático son las reglas de los juegos: por ejemplo, en el fútbol (C), golpear el balón (X), es considerado una falta (Y). Para que esos hechos produzcan efectos en el mundo, es necesario que la regla sea aceptada colectivamente (el hecho de jugar fútbol presupone la aceptación de sus reglas), Searle denomina *status* a esta aceptación colectiva, en la medida que dicho *status* hace posible que la regla sea funcional a un propósito determinado (por ejemplo, el dinero sirve como medida de intercambio). Llamaremos a este tipo de reglas, "reglas constitutivas". Antes hemos hablado de los hechos institucionales, que son justamente el producto de las instituciones. Esta manera de abordar la cuestión nos permite, por inducción, conceptualizar a las instituciones como cualquier sistema de reglas constitutivas de la forma X cuenta como Y en C. Una vez que una institución queda establecida, esta proporciona entonces una estructura dentro de la cual se pueden crear hechos institucionales o, en otras palabras, una estructura donde hecho brutos adquieren el carácter de hechos institucionales (Searle, 2006).

¿Pero para qué sirve entender todo esto? Es cierto que la explicación que Searle desde la filosofía del lenguaje no nos permite visualizar los motivos por la que los seres humanos han inventado una herramienta de estas características. La verdad de las cosas, es que las instituciones cumplen un papel práctico muy importante en las sociedades contemporáneas. A través de nociones como derechos, deberes, obligaciones, autorizaciones, permisos, otorgamientos, necesidades y certificaciones las relaciones sociales se consolidan, amplifican y perfeccionan. Al crear la propiedad privada, los gobiernos, el matrimonio, los mercados bursátiles y las universidades, hemos incrementado considerablemente la capacidad humana para la acción.

Aplicado todo lo dicho al poder político, es un hecho que su institucionalización tiene como resultado su reproducción automática, al mismo tiempo que ello hace posible que el sistema político adquiera estabilidad. En términos más sencillos, las instituciones mantienen vivo el poder, e incluso, contribuyen a generar mayor poder. Eso es justamente el Estado, un mecanismo en el que el poder adquiere en la práctica un carácter autopoiético. Según Maturana y Varela, una máquina autopoiética es una máquina organizada (definida como una unidad) como una red de procesos de producción (transformación y destrucción) de componentes (Maturana & Varela, 2013). En una comunidad política la sala de máquinas de ese sistema está compuesto por la Constitución, y el manual de instrucciones de esa sala de máquinas está compuesto por la teoría constitucional. Precisamente, sobre este tema tratará el próximo capítulo.

Capítulo Segundo

El Derecho constitucional

1. EL DERECHO CONSTITUCIONAL: CONCEPTO Y CONTENIDOS

1.1. *El Derecho constitucional y sus particularidades*

Uno de los dioses importantes del panteón romano era Jano, el dios de las dos caras. El simbolismo en Jano tenía que ver con los opuestos. Representaba el caos y el orden al mismo tiempo. Esta es una manera fabulosa de evocar la configuración dual que posee el Derecho constitucional. Por una parte, es una herramienta al servicio del orden establecido, a través de la generación de certeza y sistematicidad en el proceso de producción normativa y ejercicio de los poderes públicos. Por otra, es un vector de cambio al servicio de la transformación del orden jurídico, a través de la depuración del Derecho y la búsqueda constante de su legitimidad.

Estos dos mundos están representados por el Derecho constitucional orgánico y el Derecho constitucional dogmático. Al comenzar este libro se señaló que el Derecho constitucional es un Derecho que posee una relación particularmente íntima con el poder. En el fondo, toda rama del Ordenamiento jurídico la posee, pues el fenómeno jurídico no es más que poder formalizado. Sin embargo, esa relación se produce en el Derecho constitucional de manera mucho más directa, o por decirlo en palabras simples, en esta disciplina se produce el primer punto de contacto del Derecho con el poder. Esta circunstancia determina muy importantemente la posición *sui generis* de esta rama del Derecho, situada en una zona fronteriza entre el Derecho y la política, relacionando ambos planos a través de una relación dialéctica, de cuya síntesis se origina el ordenamiento constitucional.

Si se pudiese utilizar una metáfora para expresar que el Derecho constitucional es el resultado de una relación de contrarios, se diría que este es algo similar al producto de un choque de trenes. Esto significa que existe una relación dialéctica entre norma y poder, la que se puede relevar aludiendo al carácter antinómico de ambos conceptos, pero a la vez complementario. Es decir, el poder posee una vocación intrínseca para escapar a cualquier intento de regulación, pero al mismo tiempo, un poder verdaderamente absoluto y anómico es insostenible en el tiempo. Similar es la situación desde el punto de vista de la norma constitucional, la que busca regular el poder, pero igualmente, necesita de la coacción del Estado para poder dotar de eficacia a su cometido. Esta circunstancia es lo que algunos denominan la "contradicción entre libertad política y forma política" (Vatter, 2002) y que incluso da pie para que autores como Antonio Negri nieguen rotundamente la posibilidad de que el poder pueda ser limitado a través de normas jurídicas (Negri, 2015).

Adicionalmente, las normas constitucionales representan una síntesis en un segundo sentido. En las sociedades contemporáneas, caracterizadas por su heterogeneidad, no resulta tan claro identificar a los titulares del poder. En esto parecen tener razón autores como Chantal Mouffe, quienes defienden la tesis de que la política siempre posee una dimensión partisana, y que "la especificidad de la democracia moderna radica en el reconocimiento y la legitimación del conflicto, así como en la negativa a suprimirlo mediante la imposición de un orden autoritario. Una sociedad democrática-pluralista no niega la existencia de conflictos, sino que proporciona las instituciones que le permiten ser expresado de modo agonístico" (Mouffe, 2007). Con este panorama trazado, habría que concluir también, que el Derecho constitucional es el producto de los diversos procesos de negociación y transacción entre los distintos agentes que interactúan en la faz agonal del proceso político en una sociedad.

1.2. El Derecho constitucional y su posición en el Ordenamiento jurídico

El Derecho constitucional, al ser el primer punto de contacto con el poder, posee una posición de privilegio en el Ordenamiento jurídico. Si concordamos, aunque sea momentáneamente, que la Constitución escrita representa la espina dorsal del sistema constitucional, no debería sorprender que nuestra tradición jurídica la caracterice como la norma más importante del sistema, la norma suprema o la de mayor valor jerárquico. Esta idea es bien antigua y ya se puede encontrar en la famosa sentencia de la Corte Suprema de los EE. UU. *Marbury v. Madison* de 1803[1], en la que se declara inconstitucional, y por ende se anula parcialmente la Ley de Poder Judicial de 1789 (*Judiciary Act*) por contravenir el texto de la Constitución de dicho país. El voto redactado por el juez John Marshall pasó a la historia como el

---

[1]   (5 U.S. 137 1870).

primer testimonio del principio de Supremacía Constitucional en la cultura jurídica occidental.

Con toda seguridad, el desarrollo teórico más completo y difundido sobre estas cuestiones es el de Hans Kelsen. El jurista austriaco alcanzó celebridad mundial por su modelo para describir el Derecho, denominado Teoría Pura del Derecho. Kelsen planteó que el Ordenamiento jurídico puede ser representado como un conjunto de normas que se vinculan unas a otras por medio de relaciones de validez. En este universo normativo, existen unas normas que poseen un mayor rango jerárquico que otras, de forma tal que las normas superiores determinan los requisitos de validez de las inferiores (Kelsen, 2009). Si seguimos la teoría de Kelsen, desde el punto de vista del Derecho interno, la Constitución es la norma de mayor jerarquía del sistema. En un diagrama que esquematiza de forma muy básica los ordenamientos jurídicos estatales contemporáneos, se suele representar simbólicamente a estos como una especie de pirámide invertida, donde la Constitución representa la base que da origen a todo el resto de las normas del Sistema jurídico. En el siguiente eslabón se aprecian las normas de rango legal y en el subsiguiente las de rango reglamentario, por ejemplo, los Decretos Supremos del Presidente de la República.

Figura 1

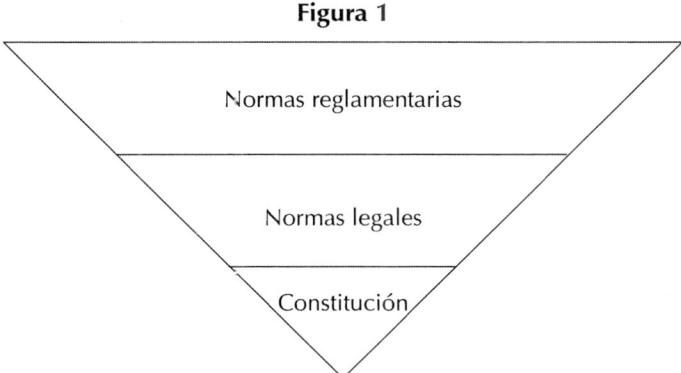

1.2.1. El Derecho constitucional y el Derecho público

Una de las dicotomías más difundidas de nuestra cultura divide el universo de las normas jurídicas en dos grandes secciones: el Derecho público y el Derecho privado. Según esta clasificación forman parte del Derecho público aquellas disciplinas que regulan la actividad jurídica del Estado, mientras que el Derecho privado concierne a las relaciones jurídicas entre particulares. Buenos ejemplos de la primera categoría son el Derecho procesal o el Derecho administrativo y de la segunda el Derecho civil y el Derecho comercial. Si bien esta distinción ha suscitado un gran debate, pues existen muchas zonas grises donde interactúan conjuntamente el Estado y los particulares, se trata de una construcción que se encuentra más o menos afianzada y que permite trazar algunas líneas generales específicas acerca de la posición del Derecho constitucional en el sistema jurídico. Primero se analizará dicha posición dentro del Derecho público, sirviéndonos para ello de las ideas de Herbert Hart, planteadas en su clásica obra El Concepto de Derecho (Hart, 1962).

Para hacerlo hay que partir de la base de que el Derecho constitucional es la espina dorsal del Derecho público, es el punto de partida y llegada de ese subsistema normativo. Si se quiere utilizar otra metáfora, es el tronco del árbol, del que se originan todas las ramas restantes. Ahora, en términos más técnicos, esto significa que el Derecho constitucional establece tanto los requisitos de validez de sus normas, así como también condiciona en parte muy importante sus contenidos. Ahora, volviendo a Hart, este autor concibió al sistema jurídico como una combinación de reglas primarias y secundarias; las normas primarias crean derechos e imponen obligaciones, mientras que las normas secundarias atribuyen poderes. En palabras simples, las normas primarias son aquellas que expresan los contenidos del Derecho, mientras que las secundarias representan la estructura que soporta dichos contenidos. Esta teoría distingue, a su vez, entre distintos tipos de normas secundarias, que son las que le dan unidad y sentido al sistema: reglas de reconocimiento, reglas de cambio y reglas de adjudicación. Las primeras permiten identificar a las normas válidas en un sistema normativo, las segundas establecen criterios para la modificación de esas normas válidas y las terceras establecen poderes que facultan a ciertos funcionarios estatales determinar autoritativamente, si en una ocasión particular se ha transgredido una regla primaria. Las normas constitucionales cumplen este papel dentro del Derecho público, establecen los órganos del Estado, sus atribuciones, delimitan sus competencias y regulan el proceso de producción normativa. Es precisamente a este conjunto de normas constitucionales que se denomina "Derecho constitucional orgánico".

Este panorama muestra cómo el Derecho público es una compleja estructura que funciona como una especie de sistema nervioso, en el que la información se transmite desde el cerebro, a través de las neuronas, hacia las conexiones nerviosas periféricas. El punto central es el siguiente: todo este esquema está diseñado sobre la base del principio de juridicidad, que desde esta perspectiva significa que el poder público se encuentra completamente juridificado, es decir, los órganos del Estado solo pueden actuar previa habilitación normativa expresa, en una cadena normativa cuyo punto de partida son siempre las normas constitucionales. Este principio se ha expresado, casi coloquialmente, en el aforismo conocido como la regla de oro del Derecho público, que señala, que "en el Derecho público se puede hacer solo lo que está expresamente permitido".

1.2.2. El Derecho constitucional y el Derecho privado

La descripción no estaría completa sin referirnos al papel que juega el Derecho constitucional en el Derecho privado. Desde luego que una manera obvia en que se vincula Derecho constitucional y Derecho privado es a través del proceso de producción normativa, es decir, el Derecho privado también se expresa en normas legales y reglamentarias, cuyo procedimiento para nacer válidamente a la vida del Derecho igualmente depende del Derecho público. Pero también resulta que, en términos estadísticos, el Derecho privado se configura mayormente a través de otro tipo de normas, que nacen de la actividad jurídica de los particulares como, por ejemplo, contratos o testamentos.

Antes omitimos intencionalmente referirnos al papel que juega el Derecho constitucional dogmático. Este está formado por las declaraciones axiológicas y por las declaraciones de derechos fundamentales que normalmente contienen los textos constitucionales. Históricamente, se ha discutido intensamente acerca del valor jurídico de dichas disposiciones, aunque se analizará más adelante con detalle, cómo en la actualidad es aceptado que ellas están revestidas de pleno valor jurídico. Ello tiene consecuencias muy importantes para el sistema jurídico en su conjunto, pues los contenidos de la Constitución producen una suerte de efecto de irradiación, que hace que estos se proyecten a todos los ámbitos del ordenamiento jurídico. Algunos autores han denominado a este fenómeno la "constitucionalización del Derecho" (Favoreau, 2001). Si esta tesis es correcta, entonces es forzoso concluir que, tanto el Derecho público como el Derecho privado, también estarán afectos al principio de Supremacía Constitucional, pero ahora entendido en términos substantivos, es decir, los contenidos de la Constitución pasan a ser también considerados criterios de validez de las normas infraconstitucionales.

Un ejemplo puede ser útil para entender la idea. Desde un punto de vista clásico, el Derecho privado entiende el principio de libertad contractual de manera absoluta. En estos mismos términos, supongamos a un dueño de una empresa de informática que piense que las mujeres son intelectualmente inferiores a los hombres y que por esa razón se negara a venderles el software que produce su empresa. Según el Derecho privado clásico (utilizaremos este término a falta de uno mejor), este vendedor estaría amparado por su libertad contractual, por lo que dicha conducta podría ser considerada un legítimo ejercicio de la libertad de contratación. Por el contrario, en un Derecho privado constitucionalizado, incluso la libertad contractual se ve limitada por las disposiciones constitucionales. Volviendo al ejemplo propuesto, en una realidad como la que existe en Chile en la segunda década del siglo XXI, lo más probable es que un tribunal de justicia considere esa conducta antijurídica, entre otras razones, por vulnerar derechos fundamentales reconocidos constitucionalmente.

1.3. Los antecedentes históricos del Derecho constitucional contemporáneo

El Derecho constitucional moderno nace consustancialmente con el Estado, bajo la forma política del absolutismo, cuyas bases teóricas habían sido cimentadas por el pensamiento de Hobbes y Bodin, entre otros autores. No obstante, el Derecho constitucional contemporáneo se remonta a la época de las revoluciones liberales en el siglo XVIII, acaecidas bajo el influjo de la Ilustración. En el capítulo anterior se revisaron los fundamentos ideológicos que fundarán la legitimidad revolucionaria, principalmente, a través de las doctrinas contractualistas de fines del siglo XVII, cuyos exponentes más destacados fueron Locke y Rousseau, insumos intelectuales que terminarían por sentar las bases del constitucionalismo en la cultura jurídica occidental.

1.3.1. El constitucionalismo

La génesis del Derecho constitucional contemporáneo tiene su causa en un movimiento político e ideológico jurídico denominado constitucionalismo, el que se caracteriza por su oposición acérrima al absolutismo. Para conseguir este objetivo el constitucionalismo defiende unos principios y unas técnicas destinadas a imponer límites y controles al poder político arbitrario: la separación de poderes, las declaraciones de derechos, el gobierno representativo, etc. Pero no cabe duda de que la técnica predilecta, de allí el nombre, es la que propone la limitación del poder político a través del Derecho, en concreto a través de la ordenación sistemática de su ejercicio en un documento escrito, que expresara explícitamente las condiciones del pacto social en virtud del cual se refundaría la sociedad (Fossas & Pérez, 1994).

Este texto recibe el nombre de Constitución, al contener las normas fundamentales que constituyen y organizan el poder del Estado, con el objeto de garantizar la libertad de los individuos, bajo el paradigma de un nuevo modelo de legitimidad denominado Estado de Derecho, que en este momento histórico responde principalmente a las ideas liberales. De esta forma, el paso del Estado absoluto al Estado liberal se va produciendo en virtud de la progresiva consolidación de ideas y doctrinas, que sacuden los cimientos mismos que sustentan al absolutismo y que quiebran las raíces de su legitimidad. "Así, el poder personal será erosionado por el valor enorme de la ley, la nomofilia y el gobierno de las leyes, la unidad del poder por la separación de poderes" (Peces-Barba, 2002).

1.3.2. Formación histórica del constitucionalismo

Aunque con rasgos comunes, el constitucionalismo se desarrolló de manera diversa según cada contexto geográfico, siendo Reino Unido, Francia y los EE. UU. sus principales expresiones. En cualquier caso, en cada una de estas tres tradiciones se trató de un movimiento que no vaciló en reivindicar el uso de las armas y el Derecho de rebelión en contra del absolutismo. Fueron las revoluciones liberales de fines del siglo XVII y XVIII las que hicieron posible que este movimiento político cobre actualidad jurídica. Al respecto los hitos históricos de referencia son: la *Glorious Revolution* en 1688, la Revolución Francesa en 1789 y la Independencia de los Estados Unidos en 1787.

Hannah Arendt, en una de las teorizaciones más lúcidas acerca de la revolución, argumenta que el concepto moderno de revolución, unido inextricablemente a la idea de que el curso de la historia comienza súbitamente de nuevo, que una historia totalmente nueva, ignota y no contada hasta entonces, está a punto de desplegarse, fue desconocido antes de los Tiempos Modernos. Ello significa, por supuesto, que las revoluciones son algo más que insurrecciones victoriosas y que no se puede llamar revolución a cualquier golpe de Estado, ni identificar a esta con toda guerra civil. Por ello, ni la violencia ni el cambio pueden servir por sí solos para describir el fenómeno de la revolución; solo cuando el cambio se produce en el sentido de un nuevo origen, cuando la violencia es utilizada para constituir una forma completamente diferente de gobierno, para dar lugar a la formación de un cuerpo político nuevo, cuando la liberación de la opresión conduce a la libertad, solo entonces podemos hablar de revolución (Arendt, 2014).

Este nuevo comienzo, esta capacidad de refundar el espacio político, es considerado de vital importancia para el constitucionalismo en su batalla en contra del Antiguo Régimen. De los tres modelos señalados, el primero, pero al mismo tiempo el más singular y el menos revolucionario, fue el británico. Resulta paradójico que el lugar donde inicialmente se forjaron estas ideas, estas se aplicaron sin la vehemencia de sus homólogas continentales. En primer lugar, la Revolución Gloriosa es la menos radical de las revoluciones burguesas, pues en realidad no supuso un nuevo comienzo, sino más bien una restauración. De hecho, esta no fue sino el último enfrentamiento de una larga serie de guerras intestinas acaecidas durante el siglo XVII, causadas en último término por motivos religiosos. Adicionalmente estos acontecimientos nunca dieron origen a una Constitución escrita, aunque es indesmentible que con el derrocamiento de Jacobo II comenzó la democracia parlamentaria moderna inglesa, pues la Corona nunca volvería a tener el poder absoluto, y la Declaración de Derechos se convertiría a la postre en el alma de la Constitución consuetudinaria británica, cambios muy importantes para el afianzamiento de un régimen de libertades.

Esta circunstancia se tradujo en una Constitución consuetudinaria, la verdadera especialidad del constitucionalismo británico y que a los días de hoy sigue manteniéndose como una rareza en el panorama comparado. A diferencia de los modelos continentales, el sistema constitucional británico encuentra su fundamento en la historia, en un esquema que algunos denominan "constitucionalismo acumulativo". Esto significa que allí juega un papel destacado la tradición del *Common Law*, configurada a través del precedente judicial, institución que ha ido dando forma lentamente al alcance de los poderes y los derechos de los ciudadanos británicos (Jiménez R., 2005). Se trata nuevamente de la distinción entre forma y substancia, donde lo diferente respecto de otras culturas jurídicas es solo lo primero, pues nadie dudaría que los resultados obtenidos difieren de Europa continental o de los EE. UU.

Sin perjuicio de lo interesante que resulta estudiar el constitucionalismo británico, en esta oportunidad, no nos detendremos a revisarlo pormenorizadamente. En los sucesivo recurriendo a este solo puntualmente, con el propósito de resaltar sus particularidades en ciertas materias específicas. Quizás, en una estrategia algo mezquina, nos concentraremos en el constitucionalismo europeo continental y estadounidense, pues es allí de donde nuestro Derecho ha obtenido mayores insumos para configurar sus instituciones.

a. *Europa continental*

Si se pudiera categorizar la influencia de ciertas doctrinas en la construcción de la arquitectura institucional que emana de la Revolución Francesa, el principal motor intelectual, sin duda, es la obra de Rousseau. La mejor prueba de esto es que, en el orden jurídico que emana de los sucesos que comienzan en 1789, la Constitución no era más que un documento político, con un importante valor simbólico, pero que carecía de fuerza vinculante (Carrillo, 2004). En efecto, en el tiempo inmediatamente posterior a la *Révolution*, la Constitución como norma directiva fundamental desaparecerá del horizonte político europeo (Fioravanti, 1996). Como contrapartida, en Francia en el siglo XIX, serán dos los productos genuinamente revolucionarios: el Código Civil de 1804 y el Derecho administrativo proveniente de la jurisprudencia del Consejo de Estado, los que serán considerados como las genuinas garantías ciudadanas de los derechos proclamados por la Declaración de Derechos del Hombre y del Ciudadano. La consecuencia lógica de esto será la irrelevancia de la distinción entre ley y derechos, o lo que es lo mismo, la más absoluta primacía de la primera por sobre los segundos (Zagrebelsky, 2008a).

Así las cosas, en la arquitectura jurídica de la Francia decimonónica, el recurso a las normas constitucionales, sobre todo en su parte dogmática, solo será útil para fundamentar una nueva concepción de poder estatal, determinando sus condiciones de legitimidad sobre la base de una orientación liberal. Por ejemplo, la *Déclaration* de 1789 no era propiamente Derecho positivo, sino un "reconocimiento" de las "verdades" de una filosofía política presentada como el espíritu de toda una época, que pedía ser llevada del campo de la teoría a la práctica. En consecuencia, este documento considerado en aquel entonces como meramente ideológico, va a cumplir un papel modesto en un sistema fundado en la idea Rousseana de la omnipotencia del legislador, partiendo de la base de que la ley es la genuina voluntad del pueblo y que este no puede cometer injusticias consigo mismo (Prieto Sanchís, 2003). Entonces, más que norma vinculante para los poderes públicos, la función que cumplió la *Déclaration* era la de ser una fuente de legitimidad de una potestad legislativa que, en el ámbito de la dirección renovadora que tenía confiada, era soberana (Zagrebelsky, 2008a).

Se produjo así lo que hoy en día puede parecer una paradoja y que muchas veces se ha olvidado: en el país donde se inventó la idea de derechos humanos, lo que se afianzó no fue la posición central de estos, sino que precisamente el poder del legislador y el imperio de la ley como verdadera garantía para con los ciudadanos. Quizás nadie más adecuado que el mismo Portalis para expresar esta confianza ciega en el legislador:

> *"Unas buenas leyes civiles son el mayor bien que los hombres pueden dar y recibir; son la fuente de las costumbres, el palladium de la propiedad y la garantía de toda paz pública y particular: si bien no fundan el gobierno, lo mantienen; mo-*

deran el poder, y contribuyen a hacerlo respetar, como si fuera la justicia misma"
(Portalis, 1997).

En definitiva, el verdadero heredero de los principios individualistas de la *Déclaration*, en oposición con el Antiguo Régimen, será el *Code Civil*. En efecto, esta asociación se produce precisamente porque reivindica la misión primera de la Revolución: construir un modelo de relaciones políticas y sociales fundado sobre la unidad del sujeto, y no en base a determinadas condiciones o privilegios (Fioravanti, 1996). Con todo lo dicho, podría pensarse que la parte orgánica de la Constitución sí poseía mayor relevancia y hasta cierto punto esa es una idea que no es equivocada. Sin embargo, esa importancia va a estar limitada por una razón de carácter práctico y la certeza jurídica de la ley se terminará imponiendo frente a las Constituciones y declaraciones de derechos, demasiado fluctuantes, demasiado inseguras, demasiado dependientes de la contingencia política. Simplemente como dato adicional, nada más indiciario de este estado de precariedad constitucional es el hecho de que en este periodo las Constituciones en Francia se suceden una tras otra, feneciendo algunas incluso antes de ser promulgadas. Por ejemplo, a la Constitución de 1791 le sucede la de 1793 que nunca fue promulgada, a esta la de 1795, que sólo tendría vigencia hasta 1799. Así entre los años 1791 y 1848, año en que se establece la Segunda República, se pueden contabilizar la no despreciable suma de diez Constituciones efectivamente promulgadas.

Como conclusión podemos señalar que, en el momento revolucionario, la Constitución tiene el alcance político máximo de servir como ariete contra la estructura de poder del antiguo régimen. Las declaraciones de derechos prefiguraban el orden constitucional en su conjunto, y los valores encarnados en las mismas determinaban un programa político, según el cual el legislador era el único órgano con competencia soberana para configurar el contenido del Derecho (Zagrebelsky, 2008a). En definitiva, nunca se pensó en la posibilidad de un legislador que llegase a actuar contra los intereses de sus representados o que pudiera oprimir a la minoría. Por ello, como afirma Guastini, la interpretación de los textos normativos de aquella época va a ser concebido como un acto de conocimiento, que consistirá en descubrir el verdadero sentido de los textos normativos. En otras palabras, según la famosa frase de Montesquieu, el juez no será más que la boca que pronuncia las palabras de la ley (Guastini, 2008).

En Alemania, otro de los países fuertemente identificados hoy con el constitucionalismo, las cosas eran bastante similares que en la vecina Francia. En contraposición a *Les droits de l'homme et du citoyen*, los derechos fundamentales de las Constituciones alemanas del siglo XIX, otorgadas por el monarca, ni siquiera representaban un programa para la transformación del sistema feudal de la sociedad. Esta tarea se realizó también de forma progresiva por la legislatura. En efecto, el legislador fue imponiendo la reducción de los privilegios feudales de manera escalonada y paulatina, sobre todo por medio de los códigos de Derecho privado (Polakiewicz, 1993). Por otra parte, la función más importante del Derecho público en el siglo XIX fue el sometimiento de la Administración a través de la ley. Se deseaba entonces, que la determinación de condiciones previas y de límites a las facultades ejecutivas de intervención quedara reservada a la legislación. Es en virtud de este esfuerzo, que se desarrolla una profusa actividad doctrinal, sentándose las bases de lo que será el gran edificio del Derecho público alemán durante el siglo XX.

b. EE. UU.

La Constitución de Filadelfia data de 1787, siendo la más antigua del mundo, y a pesar de que ha sido objeto de importantes modificaciones, en esencia mantiene su estructura en la actualidad. Una buena muestra del espíritu que la inspira puede encontrarse en una colección de ensayos denominada *The Federalist Papers* (El Federalista), publicados originalmente en diferentes periódicos de la época, escritos por Alexander Hamilton, James Madison y John Jay, pero firmados todos estos bajo el seudónimo de *Publius*. En ellos se intentaba promover la ratificación de la Constitución, explicando sus principales características institucionales y argumentando en su favor, con miras a la discusión que tendría lugar en la Convención de Filadelfia. De la lectura de estos ensayos se puede concluir que el principio político que informa al constitucionalismo de los EE. UU. es profundamente liberal.

Existen varias instituciones que expresan el espíritu del constitucionalismo estadounidense y que permiten desmarcar esta concepción de la europea, que como vimos, se decantaba por la legitimidad del parlamento como centro de gravedad del sistema y la limitación de los poderes públicos a través de la ley. En términos generales, todas ellas se reconducen a la idea típicamente liberal de "Constitución como límite al poder", a través de una serie de mecanismos tales como: la supremacía constitucional, el federalismo, la teoría de los *checks and balances,* y posteriormente, la garantía jurisdiccional de los derechos constitucionales.

Como afirma Mateucci, lo original del constitucionalismo moderno consiste en su aspiración a una Constitución escrita, que contenga una serie de normas jurídicas orgánicamente relacionadas entre ellas, en oposición a la tradición medieval, que se expresaba en leyes fundamentales consuetudinarias (Mateucci, 1998). Esa fórmula se llevó a la práctica con prolijidad en los EE. UU., lo que necesariamente condujo a los estadounidenses a reflexionar con seriedad acerca del valor jurídico de esa norma absolutamente nueva, que irrumpía en el sistema de fuentes del Derecho. El asunto fue planteado por primera vez en El Federalista N° 78, donde se señala que "una Constitución limitada" puede mantenerse en la práctica solo mediante los tribunales de justicia, cuya obligación debe ser declarar nulos todos los actos contrarios a esta. Dicha tesis permitió sentar las bases para uno de los grandes inventos del constitucionalismo estadounidense, consistente en un modelo de obligatoriedad de la declaración judicial de inaplicabilidad de las leyes federales que fueran contrarias a las previsiones de la Constitución. Tal esquema iba a sostenerse, esencialmente, en la idea de que la Carta Fundamental no era una simple ley, sino una norma cualitativamente diferente y de mayor jerarquía que las leyes (García, 2007).

De todas formas, el asunto no quedó del todo zanjado en el texto de la Constitución, por lo que finalmente sería el propio Poder Judicial, quien terminaría llevando a la práctica la idea de que el legislador también está sometido a una norma de entidad superior, por tanto, sujeto a control jurisdiccional, configurando finalmente la doctrina del control de constitucionalidad de las leyes (*judicial review*). Sin perjuicio de que es posible rastrear antecedentes más remotos, el acta de nacimiento de la institución que hoy conocemos como justicia constitucional, lo podemos encontrar en la ya citada sentencia *Marbury* v. *Madison*[2]. Actualmente el control de constitucionalidad es una figura de amplia difusión en el constitucionalismo comparado y aunque existe una amplia diversidad de arreglos institucionales, la idea básica siempre es la misma: las normas que contravienen el texto de la Constitución adolecen de un vicio de nulidad, en consecuencia, deben ser invalidadas.

Otra técnica patentada por el constitucionalismo estadounidense fue la división de poderes, aunque interpretada de una manera bastante especial: a través de la doctrina de los *checks and balances* (pesos y contrapesos). Esta teoría alcanzó un protagonismo central en el diseño institucional de la Constitución de 1787, convirtiéndose en uno de los paradigmas del Estado constitucional (Jiménez R., 2005). La teoría de la separación de poderes, cuya paternidad se ha atribuido desde siempre a Montesquieu, es simple

---

[2]   (5 U.S. 137 1870).

en sus aspectos esenciales y se resume bien del Espíritu de la Leyes: *"La libertad sólo se encuentra en los Estados moderados (...). Es una experiencia eterna, que todo hombre que tiene poder siente la inclinación a abusar de él, yendo hasta adonde encuentra límites (...). Para que no se pueda abusar del poder es preciso que, por la disposición de las cosas, el poder frene al poder. Una constitución puede ser tal que nadie esté obligado a hacer las cosas no preceptuadas por la ley, y a no hacer las permitidas"* (Montesquieu, 1993).

En el modelo de Montesquieu aparecen claramente definidas las diversas funciones del Estado. El poder legislativo promulga leyes o enmiendas y deroga las existentes. El poder ejecutivo se encarga de conducir las relaciones exteriores y se le encomienda la vigilancia de la seguridad interior ("poder coactivo que asegura la paz interior y la independencia exterior"). El poder de juzgar castiga los delitos o resuelve jurídicamente las diferencias entre particulares (Solozábal, 1981). La influencia de Montesquieu en los procesos constituyentes que siguieron a las revoluciones burguesas del siglo XVII fue enorme. Tanto así que en Francia la Declaración de Derechos del Hombre y del Ciudadano afirma categóricamente en su artículo 16: *"toda sociedad en la que la garantía de los derechos no está asegurada, ni la separación de poderes determinada, carece de Constitución"*. Sin embargo, donde su influencia resultaría capital, sería en los EE. UU.

La obra de Montesquieu, si bien establecía el principio de división de poderes como una solución al problema de cómo garantizar la libertad del individuo frente al Estado, no fue nada precisa en la manera en que debía ser implementada. Esto ocasionó diversas interpretaciones de este principio. Así, por ejemplo, en Francia luego de la Revolución, se impuso en la idea de la separación en términos absolutos. Esta interpretación estricta se traducía en tres pilares: supremacía del parlamento respecto de los otros poderes, los jueces tienen prohibición de interpretar las leyes no pudiendo apartarse de su tenor literal y el ejecutivo tiene una prohibición para dictar reglamentos. En los EE. UU., por el contrario, se planteó la cuestión acerca de si era mejor una separación de poderes en términos estrictos, o más bien una con carácter relativo. La interpretación que finalmente triunfó y se plasmó en la Constitución de 1787 fue la segunda. De esta manera, la denominada doctrina de los *checks and balances* cuya paternidad se atribuye a James Madison, es la adaptación estadounidense de las ideas de Montesquieu. Según esta, además de separar las funciones y atribuirlas a diferentes órganos, es necesario establecer mecanismos formales que permitan a cada una de las ramas fiscalizar a las otras, para de que este modo el ciudadano se encuentre mejor protegido. La tesis de los *checks and balances* fue determinante en la redacción de la Constitución de los EE. UU. y se refleja en muchas de sus instituciones. Por ejemplo, en ella se establece que el ejecutivo tiene el derecho a veto sobre la legislación aprobada por el congreso, o también que el congreso tiene al poder de alterar la composición y jurisdicción de los tribunales federales (Casper, 1989).

Por último, existe una fórmula de garantía que si bien, no estaba incorporada en la Constitución original, se añadió prontamente en virtud de las diez primeras enmiendas conocidas como *Bill of Rights,* que fueron aprobadas en 1791. El recurso a unos derechos que garanticen ámbitos de inmunidad frente al Estado se puede encontrar ya en la filosofía de John Locke. La gran difusión del pensamiento liberal fue determinante para que dos años antes la Revolución Francesa alumbrara la célebre Declaración de Derechos del Hombre y del Ciudadano en Francia, que sirvió de modelo a la declaración americana. Sin embargo, ni a uno ni a otro lado del Océano Atlántico, fue fácil dotar de eficacia a esos derechos. En Francia dicho proceso tendría lugar bien avanzado el siglo XX. En los EE. UU. la vigencia efectiva de dichos derechos será un camino más corto que en Europa, dando pasos importantes durante el siglo XIX. En cualquier caso, ello no acontecerá de modo alguno hasta después de finalizada la Guerra de Secesión, aunque sí es preciso reconocer que la Corte Suprema de los EE. UU. sería a la postre el tribunal pionero en la garantía de aquello que hoy denominados derechos fundamentales.

2. LAS FUENTES DEL DERECHO CONSTITUCIONAL

En las distintas disciplinas jurídicas, se utiliza la expresión fuentes del Derecho para hacer referencia a los modos en que el Derecho se manifiesta, es decir, para aludir a los distintos tipos de normas jurídicas que existen en un sistema determinado. Nadie podría soslayar que en el Derecho constitucional de nuestros días, la fuente jurídica por antonomasia es la Constitución. No obstante, el Derecho constitucional no se agota en el texto de la Constitución. Al respecto, es preciso aclarar que existen otras fuentes complementarias que formarían parte del subsistema jurídico denominado Derecho constitucional. Obviamente, en este apartado no es posible desarrollar en profundidad y con detalles el sistema de fuentes del Derecho constitucional. Sin perjuicio de ello, es necesario formular algunos comentarios introductorios, con el propósito de explicar por qué es necesaria la existencia de normas complementarias al texto de la Constitución.

2.1. *El concepto de Constitución es polisémico*

No existe consenso respecto de qué es una Constitución. Este hecho que parece tan elemental, refleja una situación que naturalmente produce perplejidad: la teoría y el Derecho constitucional no han sido capaces de delimitar con precisión su objeto de estudio. Desde el punto de vista del Derecho positivo, no cabe duda que los enunciados lingüísticos que componen el texto escrito del documento normativo denominado Constitución, forman parte de su contenido. Sin embargo, en muchas ocasiones se usa la expresión Constitución en un sentido diferente, principalmente con el objeto de complementar el contenido de los enunciados lingüísticos de dicho documento, o incluso con el propósito de negar que una disposición del texto leída, en un sentido concreto, forme parte de la Constitución de un Estado.

Todo esto remite a la clásica discusión acerca de cómo interpretar la Constitución. Bien sabido es el hecho de que una Carta Fundamental es un documento normativo que contiene muchas disposiciones que no son de fácil lectura, con numerosas ocasiones en las que el texto es críptico, o incluso, guarda silencio. La respuesta a la pregunta sobre qué hacer en estos casos condiciona muchas veces el mismo concepto de Constitución. Ello pone de manifiesto la insuficiencia de la Constitución escrita y genera la división de la doctrina en torno a cuál es el mejor método para identificar el contenido de sus normas. Por ejemplo, algunos autores dirán que la Constitución es el texto más el conjunto de decisiones jurisprudenciales que se pronuncien en torno ella, otros dirán que es el texto más las circunstancias históricas presentes al momento de su entrada en vigor, otros dirán que la Constitución es el texto interpretado a la luz del devenir social de la comunidad a la que va dirigida, etc.

2.2. *El contenido de la Constitución puede ser determinado por otra norma*

Una cuestión relacionada con la anterior, pero conceptualmente distinta, consiste en que muchas veces es la propia Constitución la que explícitamente abre la puerta para que sea otra norma jurídica la que determine su contenido. Este fenómeno se produce principalmente a través de la remisión a una norma de rango legal a través de la figura de la reserva de ley, pero también existen algunos casos en los que la delegación se lleva a cabo en favor de una norma de rango reglamentario. Lo mismo puede decirse respecto del valor de la jurisprudencia constitucional que, aunque en Chile no existía una norma que se refiera explícitamente a sus efectos jurídicos, la práctica forense tiende a reconocerle un papel importante en el proceso de dotar de contenido a las disposiciones de la Carta Fundamental.

Existen numerosos ejemplos de esta relación de colaboración entre la ley y la Constitución, en los que la primera resulta un complemento indispensable de la segunda, en cuyo caso, la doctrina y la praxis constitucional sostienen que dichas normas legales regulan contenidos propios del Derecho constitucional. El caso paradigmático es el de las leyes orgánicas constitucionales, las que usualmente configuran aspectos esenciales de los órganos constitucionales y sus atribuciones. Entre estas podemos citar la Ley 18.700 Orgánica Constitucional de Votaciones Populares y Escrutinios, que regula las elecciones parlamentarias y presidenciales y sin la cual es imposible entender el sistema democrático chileno.

Sin embargo, se debe tener presente que el de las leyes orgánicas constitucionales no es el único caso. Aunque han sido de muy poca aplicación, por razones obvias, las leyes interpretativas de la Constitución también serían fuente directa de Derecho constitucional. Lo mismo puede decirse de las leyes de quórum calificado, pues estas a pesar de que se refieren a temáticas de muy diversa índole, por expresa disposición de la Constitución, estas regulan temas como derechos fundamentales o instituciones del Estado. Tampoco puede dejarse de lado completamente la situación de las leyes ordinarias. Si bien estas últimas podrían referirse a un sin número de ámbitos, cuando ellas desarrollan o delimitan derechos fundamentales o hacen lo propio con determinadas instituciones del Estado.

2.3. El Derecho constitucional tiende a interactuar con otros sistemas jurídicos

Además, hay que tener en cuenta que, en la actualidad, existe una compleja red de ordenamientos supraestatales e internacionales que de distintas maneras se integran con el Derecho constitucional interno. Probablemente, en el continente americano este estado de cosas no está tan desarrollado como en Europa, donde el Derecho de la Unión Europea interactúa directamente con los sistemas jurídicos nacionales, a través de mecanismos como la cuestión prejudicial, que permite a un juez de un Estado miembro, en cualquier momento del juicio poner en cuestión una norma interna por contravenir el Derecho europeo, a través del recurso al Tribunal de Justicia de la Unión Europea.

Si bien, en nuestro continente no existe una relación tan articulada con ordenamientos de carácter supranacional, no se pueden desatender dos factores. En primer lugar, la inmensa mayoría de las Constituciones posee una cláusula de apertura al Derecho internacional, que regula algún tipo de fórmula que permite incorporar sus normas al Derecho interno. Usualmente estas normas, no obstante su origen externo, regulan materias que desde el punto de vista interno forman parte del Derecho constitucional, por lo que independientemente del valor normativo en concreto que reciben los tratados internacionales, una vez incorporadas al sistema se encuentran en relación directa con las normas constitucionales. En segundo lugar, en nuestro continente no se puede desconocer la importancia del Sistema Interamericano de Derechos Humanos que, a través de sus dos órganos principales, "dialoga" constantemente con los Estados signatarios en la determinación del contenido de los derechos que, por lo general, están consagrados en términos muy similares en la Convención Americana y en las Constituciones de los Estados. Muchas veces, también esa jurisprudencia es utilizada por los tribunales internos para fundar interpretaciones de las normas constitucionales.

2.4. El Derecho constitucional es un sistema abierto

Por último, el Derecho constitucional en tanto sistema, está integrado a menudo por ciertas normas que contienen supuestos regulativos que no suministran suficiente información para determinar sus condiciones de aplicación. Curiosamente, muchas de estas normas tienen una importancia crucial, pues se originan en disposiciones que reconocen derechos fundamentales. Existe una amplia literatura que se ha referido a este aspecto. Por ejemplo, Dworkin explica cómo estas normas, que él denomina principios, no pueden aplicarse de manera dicotómica al caso concreto, pues poseen una dimensión de peso, que en el caso que colisionen dos principios contradictorios, ello exige siempre ponderar a la luz de las circunstancias particulares cuánto debe ceder uno de ellos en beneficio del otro.

Si esto es verdad, los principios constitucionales son normas que poseen una estructura abierta que, en último caso, requiere que su contenido sea delimitado por el intérprete. En ese proceso de interpretación-construcción de la norma, es usual que se recurra a las reglas que regulan el discurso práctico racional en términos generales. Esto liga directamente a la interpretación constitucional con el razonamiento moral, pero de manera más inmediata, con la literatura científica y la cultura jurídica de un tiempo y un lugar. Esta comprensión del Derecho constitucional como un sistema abierto a las distintas interpretaciones de las normas, es una explicación plausible de por qué el Derecho constitucional no solo está formado por normas de Derecho legislado y decisiones judiciales, sino que también se va formando a partir de las opiniones y estudios que realizan los autores especializados en la materia.

Capítulo Tercero
La Constitución

1. EL CONCEPTO DE CONSTITUCIÓN

Podemos partir esta unidad recordando el concepto de Constitución más difundido en la literatura nacional, la antigua definición formulada por Silva Bascuñán en 1963, la que ha sido constantemente reiterada con posterioridad por otros autores nacionales. Esta definición señala: "la ley fundamental de la organización del Estado, de la forma de su gobierno, de la actividad que rige los asuntos públicos, es, según el significado de sus términos, la Constitución Política" (Silva Bascuñán, 1963). Por supuesto, no es necesario indagar demasiado para constatar que este es un concepto que solo puede servir como una aproximación inicial, ya que soslaya varias cuestiones esenciales, por ejemplo, qué es lo que distingue a una Constitución del resto del Sistema jurídico, o cómo se vincula esta con el poder político o con una ideología determinada. Por el contrario, la literatura especializada comparada ha tratado esta manera con bastante acuciosidad, lo que nos obliga a examinar el tema con algo más de profundidad.

En realidad, definir qué es una Constitución es uno de los ejercicios más polémicos de la Teoría Constitucional. Resulta paradójico que una disciplina presente tantos problemas al intentar delimitar su concepto más básico. Probablemente, sea más honesto reconocer desde un comienzo que el concepto de Constitución es polisémico, que no existe acuerdo entre los autores sobre sus elementos esenciales, y que quizás lo más sensato sea renunciar a un concepto absoluto de Constitución, válido para todos los contextos en que esta noción puede ser utilizada. Por el contrario, para salir del problema parece conveniente distinguir entre las distintas maneras de ser de la Constitución añadiendo un apellido, así, por ejemplo, hablaremos de Constitución en sentido formal, material, empírico, etc. Aun así, y sin ánimo de desalentar a nadie, dentro de cada una de estas subcategorías también existe disputa y diversidad de puntos de vista, lo que convierte el asunto en un verdadero callejón sin salida.

Lo anterior, probablemente, quede más claro con un ejemplo. Donald Kommers, un profesor alemán con una gran experiencia académica en EE. UU. comienza uno de sus libros comentando, casi a título de anécdota, que si se le preguntase a un estudiante de Derecho en Alemania qué es la Constitución, seguramente respondería que son los 146 artículos de la Ley Fundamental de Bonn. En cambio, si se le formulara la misma pregunta a un estudiante en Canadá o en EE. UU., no sería raro que la respuesta fuera que la Constitución se encuentra en el *corpus* jurisprudencial que emana de la Corte Suprema de esos países (Kommers, 2012). Esta metáfora ilustra cómo muchas veces, las explicaciones que damos por ciertas acerca de lo que el Derecho es, se elaboran en ciertos contextos, lugares y bajos ciertas circunstancias y carecen de la capacidad para ser extrapolables fuera de la realidad en la que son producidos. El concepto de Constitución es un claro ejemplo de ello, y pareciera ser que la palabra Constitución, incluso en su sentido más inmediato, significa cosas distintas a cada lado del Océano Atlántico. Desde luego que, si se formulara la misma pregunta de Kommers a un estudiante chileno, la respuesta no sería muy diferente a la de su homólogo alemán.

Ejemplos como este hay muchos y las razones para esta divergencia son varias. En el lúdico comentario de Kommers obviamente influye la cultura jurídica del lugar, que reconoce un valor distinto a diferentes fuentes normativas del Derecho positivo. Otras veces, incluso, se habla de Constitución en un sentido que va más allá de las normas positivas, por ejemplo, para identificar un orden político con un cierto contenido ideológico, o simplemente para identificar el régimen de gobierno de una sociedad determinada. En esos casos, la confusión se origina en el hecho de que el discurso constitucional es una síntesis de los distintos usos discursivos de la política y el Derecho, que se van alternando desde la fase preconstituyente, pasando por el proceso de constitucionalización, en el que la Constitución axiológica resulta positivizada y finalizando en la etapa postconstituyente en la que los poderes resultan constituidos y operan en virtud de las reglas constitucionales. A todo este proceso lo denominaremos el "ciclo constitucional". En la primera de estas fases la función del concepto es esencialmente configuradora, si se quiere constitutiva. En la segunda, esa función pasa a ser descriptiva, mientras que en la tercera fase normalmente se produce una tensión entre lo descriptivo y lo normativo, donde el texto queda a merced de eventuales nuevos desplazamientos producto de la correlación de fuerzas sociales.

Este esquema permite entender que muchas veces se está usando la voz Constitución en sentidos completamente distintos, como si estuviésemos utilizando palabras distintas, pero con la dificultad adicional de que aquí todas estas están relacionadas, o al menos como diría Witgenstein, todas ellas poseen una suerte de parecido de familia (*"no puedo caracterizar me-*

jor esos parecidos que con la expresión, 'parecidos de familia', pues es así como se superponen y entrecruzan los diversos parecidos que se dan entre los miembros de una familia: estatura, facciones, color de los ojos, andares, temperamento, etcétera, etcétera) (Wittgenstein, 2017).

Naturalmente, todo concepto de Constitución se explica dentro del marco de un modelo teórico determinado. Lo que en realidad hacen los modelos teóricos, es proporcionar una explicación general acerca de una realidad que es compleja, compuesta de múltiples matices, pero que muchas veces esa riqueza cromática es simplificada con el objeto de cimentar las bases esenciales del conocimiento. En efecto, lo que normalmente se suele presentar como la teoría ortodoxa de la Constitución, no es sino la versión de esta que, en un momento o lugar, o a la luz de una ideología suma mayores adeptos en su intento de explicar la realidad jurídica de una forma satisfactoria, casi siempre con pretensión de objetividad científica.

Ahora bien, los ejercicios de sistematización de los distintos conceptos de Constituciones no son para nada escasos. Por ejemplo, Guastini en un conocido trabajo enumera cuatro usos de la expresión, a saber: 1. todo ordenamiento de tipo liberal, 2. un conjunto de normas fundamentales que identifican a un Ordenamiento jurídico, 3. un documento normativo que tiene ese nombre y 4. un documento normativo que posee ciertas características formales (Guastini, 2001). La enumeración, que como el mismo autor reconoce, no tiene ánimo de ser exhaustiva, parte desde un enfoque bastante general, incluyendo algunos usos no especializados. Es interesante comprobar cómo esta taxonomía reproduce distintos usos lingüísticos y disciplinares.

Nuestra propuesta será menos ambiciosa: nos interesan aquellos conceptos de Constitución que cumplan dos requisitos: una vinculación directa y central con la teoría constitucional y además recogeremos aquellos que nos parecen los más difundidos en términos de Derecho comparado. De esta manera distinguiremos tres categorías genéricas, dentro de las que es posible encontrar distintas versiones y matices de cada una de ellas.

1.1. Conceptos empíricos de Constitución

Desde esta perspectiva la Constitución es la norma fundamental de un Estado. Se puede afirmar que, según esta, cualquier sociedad que posee normas sobre organización política tiene Constitución. Esto es lo que Grimm llama Constitución en sentido empírico (Grimm, 2006). Aquella es una acepción del término que no presupone ni una forma ni un contenido; en ella cualquier posibilidad cabe, siempre y cuando goce de la eficacia necesaria para imponerse en los hechos. Ejemplos célebres de esta concepción los encontramos en Lassalle, Schmitt y Mortati, por citar a algunos autores. Aunque existen diferencias, en general todas estas versiones apuntan básicamente a que para determinar qué es la Constitución, lo relevante no es la norma jurídica que lleva ese nombre, sino que la verdadera esencia del concepto hay que buscarla en elementos observables empíricamente.

Según Lassalle las respuestas formales a la pregunta de marras nos permiten identificar cómo se forma y qué función cumple una Constitución, pero no dan respuesta a la pregunta más relevante. En síntesis, para este autor, la Constitución de un país es "la suma de los factores reales de poder que rigen ese país". La Constitución jurídica, que Lasalle califica de simple "trozo de papel", no es más que una manifestación escrita de la Constitución en sentido propio (Lassalle, 2004). Otra formulación bien conocida de un concepto de esta naturaleza es la de Carl Schmitt, quien entiende por Constitución una mera decisión del soberano sobre la forma y unidad política de un Estado (Schmitt, Teoría de la Constitución, 1982). Similar idea es la que plantea Constantino Mortati, quien distingue las nociones de Constitución formal y material. La primera sería el documento en el que están plasmadas las normas que rigen la convivencia en un Estado, la segunda se compone por los actores de la política y los comportamientos reales de los mismos en el proceso de organizar efectivamente a un Estado (Mortati, 2000).

1.2. Conceptos jurídico-positivos de Constitución

El Derecho positivo es el Derecho vigente en una comunidad, usualmente puesto por escrito, en cualquiera de los textos que poseen valor autoritativo, es decir, cuya observancia está respaldada por la coerción estatal. La idea de Constitución formal es intrínsecamente moderna, ya que es la Modernidad que impone en Europa la identificación entre el Derecho y el Derecho legislado. Las revoluciones liberales refinaron esta comprensión a través de cuerpos sistemáticos de legislación, cuyo paradigma fue el Código Civil. Es en el contexto de esta tradición ilustrada en la que, tanto en Europa continental, como en los EE. UU., surgió la asimilación de la Constitución con un único documento escrito (Menéndez, 2004).

Desde luego, el concepto de Constitución formal en la actualidad es algo más refinado que en sus orígenes. En primer lugar, es necesario recalcar que cualquier concepto de este tipo afirma que la Constitución es una norma jurídica, es decir un "deber ser", no un hecho que tiene lugar en el ámbito del ser, como presuponen los conceptos empíricos. Obviamente, cabe indagar algo más sobre qué tipo de norma jurídica es la Constitución. Al respecto, la referencia obligada es Kelsen, para quien existen dos sentidos distintos en que podemos hablar de normas constitucionales: uno formal y otro material. Para Kelsen el único sentido relevante es el formal. Nótese que la coincidencia que se produce con las tesis de Mortati es sólo nominal, pues dichas nociones aquí tienen sentido completamente distinto. En sentido formal, una Constitución es un conjunto de normas jurídicas que poseen ciertas características distintivas dentro del sistema normativo, las que permiten diferenciarlas del resto de normas.

Kelsen identifica dos características principales de las normas constitucionales: la supremacía y la rigidez. La supremacía consiste en que las normas constitucionales se sitúan en el vértice de la estructura jerárquica del Derecho, por tanto, toda otra norma debe subordinarse a aquellas. Además, las normas constitucionales son más resistentes al cambio que el resto de los elementos del sistema jurídico. Así, por ejemplo, existe un procedimiento especial para la aprobación y reforma de normas constitucionales que resulta más gravoso que el análogo que se debe utilizar para otras normas (Kelsen, 1949). Llamaremos a esta segunda característica rigidez constitucional. Teniendo todo esto en cuenta, se puede afirmar que las leyes ordinarias son válidas sólo si son consistentes con la Constitución, de lo contrario adolecen de un vicio de invalidez (Bayón, 2010).

Pero además en Kelsen las normas constitucionales se distinguen del resto del ordenamiento por su función. En síntesis, esto se refiere a que estas cumplen una determinada función que desborda su inclusión en un documento normativo que goza de supremacía y rigidez (Kelsen, 1949). Recordemos que, para el jurista vienés, cada grado del orden jurídico establece, a la vez, un eslabón del proceso de producción de Derecho frente al grado inferior, y una reproducción del Derecho, ante el grado superior. De esta manera, el Estado es por esencia un sistema de normas, que asegura su unidad en la medida en que su validez reposa, en último término, en una norma única (Kelsen, 2001). Entre los autores del mundo anglosajón también es posible encontrar enfoques similares, por ejemplo, MacCormick (2015) se refiere al mismo fenómeno, aunque utiliza la expresión "Constitución funcional". Para estos autores, si es que hubiere alguna materialidad en la Constitución, esta se reduce a la función de regular el proceso de producción de otras normas. Más concretamente, estas determinan cuáles son los órganos del Estado, sus potestades, su ámbito de competencia y sus límites. Asimismo, determinan cuál es el procedimiento para la generación de normas jurídicas de rango inferior.

Para Kelsen la constitución formal se opone a noción de Constitución material, correspondiendo esta última a los contenidos que eventualmente pueden establecerse a través de las normas Constitucionales, por ejemplo, declaraciones axiológicas, derechos fundamentales o una determinada forma de gobierno. Dicho autor sostuvo que tales disposiciones nada tienen que ver con el concepto de Constitución en sentido estricto y solo pueden considerarse constitucionales en sentido amplio. En efecto, Kelsen advirtió expresamente el reconocimiento constitucional de principios, tales como, la libertad, la igualdad, o la moralidad, conlleva el problema de su falta de univocidad, lo que hace altamente desaconsejable que dichas normas sean aplicadas por una jurisdicción constitucional. El peligro que advertía no es otro que el de la discrecionalidad: "Si estas fórmulas no recubren nada más que ideología política corriente, de la cual todo orden jurídico se esfuerza por ataviarse, la delegación de la equidad, de la libertad, de la igualdad, de la justicia, de la moralidad, etcétera, significa únicamente, a falta de una precisión de estos valores, que el legislador, así como los órganos de ejecución de la ley, están autorizados a llenar, discrecionalmente, el ámbito que les es abandonado por la Constitución". En definitiva, la única salida que él considera plausible, si lo que se quiere defender es una aproximación racional de la aplicación de la Constitución, es considerar que estas cláusulas escapan al ámbito de lo jurídico y, en consecuencia, quedan también fuera del concepto técnico de Constitución (Kelsen, 2001).

A pesar de la gran influencia que ha ejercido Kelsen, su visión hoy ha sido parcialmente abandonada, particularmente después de los procesos constituyentes que tuvieron lugar en Europa apenas terminada la Segunda Guerra Mundial. Tanto en la *Assemblea Costituente* italiana, como en el *Parlamentarischer Rat* de la República Federal de Alemania, se desarrolló un debate sobre la naturaleza de las normas constitucionales de excepcional importancia para la teoría actual de la Constitución. La conclusión de este debate fue que las normas con contenido axiológico están dotadas de valor normativo pleno y eficacia directa (Zagrebelsky, 2008b). Según Luigi Ferrajoli, en el orden constitucional europeo de posguerra, la noción primigenia de Estado de Derecho se bifurca en dos significados diametralmente distintos y que corresponden a modelos normativos diferentes: el modelo paleo-positivista del *Estado legislativo de Derecho* (o *Estado legal),* que surge con el nacimiento del Estado moderno como monopolio de la producción jurídica, y el modelo neopositivista del *Estado constitucional de Derecho* (o *Estado constitucional),* producto a su vez, de la difusión en Europa tras la Segunda Guerra Mundial, de las Constituciones rígidas y de la justicia constitucional (Ferrajoli, 2003). Este cambio estaría dado por un intento de poner freno a un legislador omnipotente, que no había sido capaz de contener a los totalitarismos que surgieron en el período de entreguerras en Italia y Alemania, y que habían llegado al poder incluso utilizando las vías democráticas.

A partir de ese momento, la Constitución será una norma indefectiblemente rígida, pero por sobre todo garantizada, diseñándose al efecto un complejo sistema de justicia constitucional, que no solo controla la regularidad del proceso de producción normativa, sino también repara las vulneraciones que sufran las personas en sus derechos fundamentales y que incluso pone límites al legislador en lo substantivo. Esta idea, de los derechos como eje central del sistema, terminó por imponerse, de alguna u otra manera, en todos los procesos constitucionales europeos de la posguerra. Al respecto, el caso paradigmático es Alemania, que era el país que tenía mayores incentivos para dar este paso. Aquí, la experiencia de un régimen totalitario que despreció al ser humano fue la causa directa de esta revolución de los derechos, tan o más importante que las de fines del siglo XVIII en Francia y Estados Unidos. Como señala Hesse, bajo la Ley Fundamental de Bonn, se trataba de establecer y fortalecer los derechos "hasta el mayor grado posible de garantía" (Hesse, 2001).

1.3. Conceptos axiológicos de Constitución

Existe una tercera posibilidad de entender el término Constitución, centrada esencialmente en los contenidos. Si el concepto empírico de Constitución es ontológico y el jurídico es deontológico, un concepto de este tipo es eminentemente axiológico, pues parte de la premisa de que no cualquier forma institucional del poder político es una Constitución, sino solo aquella que cumple con determinados estándares. Volviendo a la noción de legitimidad, un concepto de axiológico de Constitución se vincula directamente con una teoría determinada de la legitimidad política.

Una de las formulaciones más célebres de este tipo de conceptos, se encuentra en el artículo 16 de la Declaración de Derechos del Hombre y del Ciudadano de 1789, el que dispone: *"Toda sociedad en la que la garantía de los derechos no está asegurada, ni la separación de poderes establecida, carece de constitución"*. Se trata de un concepto liberal de Constitución, desde cuya óptica esta norma necesariamente tiene por objeto la limitación del poder político, siendo la manera más eficaz de conseguirlo a través de la separación de poderes y el reconocimiento de los derechos individuales. El concepto liberal de Constitución es el que goza de mayor difusión, pero también es posible concebir un concepto conservador, uno religioso, uno marxista, etc. Como sea, es importante resaltar que, en las sociedades occidentales contemporáneas, es difícil que una sola concepción ideológica pueda satisfacer plenamente las exigencias de legitimidad que demanda la convivencia en sociedad. Por ejemplo, a pesar de que el concepto liberal de Constitución parece ser el más extendido, como lo han hecho ver sus diversos críticos, por sí solo es insuficiente y requiere ser complementado por enfoques alternativos.

En general, las sociedades contemporáneas son heterogéneas política y culturalmente. Por eso mismo, el constitucionalismo ha insistido con un concepto bastante amplio de Constitución ideológica, denominado Estado de Derecho, considerado por muchos el fundamento del orden constitucional y el componente identitario que le da unidad al orden constitucional. Según Fallon, en un gran número de ocasiones, las palabras de la Constitución escrita no suministran suficiente información acerca de la clase de documento que la Constitución es, y lo que es más importante, sobre el significado de muchas de sus cláusulas, por lo que será necesario encontrar algún criterio que permita integrar las lagunas del texto constitucional (Fallon, 1999b). Este papel lo cumple en el Derecho público contemporáneo la noción de Estado de Derecho, existiendo consenso en torno a que los sistemas jurídicos deben ajustarse a sus exigencias.

Sin embargo, no existe absoluto consenso respecto de qué es lo que el Estado de Derecho significa. Al respecto señala Raz que "no es poco común que cuando una idea política captura la imaginación de un amplio número de personas, su nombre se convierta en un slogan usado por partidarios de ideales que tienen poca o ninguna relación con el ideal que originariamente designaba", al respecto critica con dureza "Si el estado del derecho es el imperio del derecho bueno, entonces explicar su naturaleza es proponer una filosofía social completa" (Raz, 2002).

Sin pretender agotar el tema, es necesario desarrollar con mayor detalle cuáles son las principales teorías acerca del Estado de Derecho. Desde una perspectiva sincrónica existen dos principales teorías: las procedimentales y las sustantivas. Esta distinción siempre ha estado presente a lo largo de la historia, pero también han evolucionado a lo largo de ella. Por esta razón también es necesario revisar cómo el concepto de Estado de Derecho se ha desarrollado diacrónicamente.

1.3.1. El Estado de Derecho desde una perspectiva sincrónica

La expresión Estado de Derecho (*Rechstaat*) es acuñada en Alemania durante el siglo XIX, dando origen a las fórmulas equivalentes en distintas lenguas romances (*Etat de droit, Estado de Derecho, Estado de Direito* o *Stato di diritto*). También se suele señalar, que la voz inglesa *Rule of Law* posee un sentido similar, aunque esta reviste algunas particularidades respecto de sus homólogas continentales. Todas estas fórmulas lingüísticas describen un tipo de ordenamiento en el cual el ejercicio del poder se encuentra sometido al imperio del Derecho racional, entendiendo esto último de acuerdo con los criterios de racionalidad generalmente aceptados. Böckenförde, sintetizando las aportaciones de los autores alemanes del siglo XIX, señala que: "el Estado de Derecho es el Estado del Derecho racional, esto es, el Estado que realiza los principios de la razón en y para la vida en común de los hombres, tal y como estaban formulados en la tradición del Derecho racional" (Böckenförde, 2000).

En principio, el Estado de Derecho no se compromete con unos arreglos institucionales específicos, encontrándose dentro de sus contornos una gran variedad de figuras. Por el contrario, se ha debatido intensamente respecto de cuáles son las condiciones concretas que permitirían concluir que un ordenamiento se encuentra racionalmente limitado por el Derecho. Ello pone de relieve una característica del concepto de Estado de Derecho, compartida también con otros conceptos basales de la teoría de la Constitución, que es la posibilidad de establecer diferencias entre tipos de Estado de Derecho sustancialmente distintos. Al respecto existen dos grandes grupos de teorías: las teorías procedimentales y las teorías sustanciales. Ambas concepciones defienden la tesis de que el Estado de Derecho es el modo de organización política en el que el Estado se organiza sobre la base de criterios de justificación racional, solo que defienden ideas diferentes acerca de cómo las instituciones deben organizarse racionalmente.

Las teorías procedimentales se concentran en el valor de la seguridad jurídica. Existen varias versiones de este enfoque, siendo uno de los más conocidos el de Joseph Raz, basado en la posibilidad de predecir el comportamiento de los poderes públicos. Desde este punto de vista el Estado de Derecho consiste en una serie de exigencias, entre las que se puede citar: que las leyes sean generales, claras y relativamente estables, que el poder judicial emita sus juicios con arreglo a las leyes, que los procesos judiciales garanticen independencia e imparcialidad del juzgador y un debido proceso a las partes (Raz, 1990). Todos estos principios hacen posible la existencia de reglas universalmente aplicables al Estado y a los particulares. En este mismo sentido, señala MacCormick que, si "el Estado de Derecho es respetado, la gente puede tener una razonable certeza previa, relativa a las reglas y estándares por los cuales su conducta será juzgada y a las exigencias que ellos deberán satisfacer para dar validez jurídica a sus transacciones" (Mac-Cormick, 1999).

El enfoque centrado en la ley, la seguridad jurídica y el principio de juridicidad es la manera más clásica de entender el Estado de Derecho. Según esta el poder del Estado nunca debe ejercido contra los ciudadanos, salvo que se indique lo contrario en una norma jurídica generalmente obligatoria y pública. En otros términos, la mayor preocupación de quienes suscriben esta tesis es la existencia de reglas claras como ideal de justicia, de modo que el poder sea ejercido en contra de los ciudadanos según parámetros explícitamente establecidos y conocidos para todos. En palabras de Dworkin, para esta concepción: "ningún gobierno que acostumbre a actuar en contra de lo que dictan sus propias normas puede ser justo, por más que sus instituciones sean sabias o justas en otros sentidos" (Dworkin R., 2012).

Sin embargo, desde mediados del siglo XX un enfoque alternativo ha sido ampliamente difundido en la cultura jurídica occidental, que el mismo Dworkin denomina: "concepción centrada en los derechos". Esta mirada es claramente más ambiciosa que la anterior, pues asume que cada ciudadano posee derechos y deberes morales en relación con el resto de los ciudadanos y derechos políticos en relación con el Estado en su conjunto. Según lo anterior, el cumplimiento de las normas no es suficiente para garantizar la justicia: "cuando las normas son injustas, un cumplimiento absoluto puede llevar a grandes injusticias" (Dworkin R., 2012).

Una teoría similar ha sido propuesta por Ferrajoli, para quien existe una distinción clave que permite explicar el cambio que se produjo en Europa después de la Segunda Guerra Mundial, que se traduce en la bifurcación del concepto de Estado de Derecho. En este sentido, dirá, que lo que contemporáneamente caracteriza a un Estado de Derecho, es que "todos los poderes, incluido el legislativo, están vinculados al respeto de principios sustanciales, establecidos por las normas constitucionales, como la división de poderes y los derechos fundamentales" (Ferrajoli, 2003b). Este modelo neopositivista descansa principalmente en el respeto de un conjunto de condiciones que permiten que las personas puedan desarrollar su vida en condiciones dignas. Ellas se expresan en una serie de bienes jurídicos que es necesario salvaguardar del poder del Estado. La forma de hacerlo es a través del reconocimiento de ciertos derechos públicos subjetivos, que en la denominación más usual reciben el nombre de derechos fundamentales, a los que inclusive el legislador resulta obligado.

1.3.2. El Estado de Derecho desde una perspectiva diacrónica

Resulta también interesante examinar la noción de Estado de Derecho desde la perspectiva de su evolución histórica, ya que permite observar que, tanto las teorías procedimentales como las sustantivas, solo pueden ser comprendidas bajo la luz de ciertas coordenadas específicas. El mismo análisis permite ver cómo en la actualidad ambas perspectivas se entremezclan, resultando difícil deslindar la una de la otra.

a. Del Estado legal de Derecho al Estado Constitucional de Derecho

En relación con las formas jurídicas, en Europa y Latinoamérica la evolución histórica ha dejado como resultado profundos cambios en la arquitectura del Estado de Derecho. Como se señaló anteriormente, el concepto de Estado de Derecho ha resultado fuertemente influenciado por los procesos históricos. En efecto, su primera formulación fue obra de los autores que reflexionaron e influyeron en el marco de las revoluciones liberales del siglo XVIII. Es así como luego de la Revolución Francesa nace el denominado Estado legal de Derecho. Este modelo se caracteriza por la fuerte influencia de las tesis de Rousseau que trasuntan, tal como su nombre lo indica, en la consagración de la ley como la fuente formal más importante del Ordenamiento jurídico, debido a que esta garantiza a los ciudadanos la participación en su elaboración, a la vez que representa un arma eficaz en contra del privilegio estamental.

Esta tesis asume de forma plena el mito del pacto social, entendiendo que cualquier forma de organización política debe ser impuesta solo con el previo consentimiento de sus obligados, pues sería un contrasentido que aquellos legislaran en contra de sus propios intereses. Adicionalmente, el argumento en favor de la ley se relaciona con su aptitud para romper con el privilegio estamental, puesto que desde muy temprano se asentó la idea de que esta solo puede poseer un carácter abstracto y general, estando proscrita la legislación *ad-hoc*. Ello haría imposible que se establezcan privilegios a favor de un grupo determinado, como sucedía en el Antiguo Régimen. Estos argumentos tuvieron una gran acogida después de la Revolución Francesa, lo que se tradujo en que las Constituciones de la época recibieron escasa atención y fueron las leyes las normas que verdaderamente vertebraron la convivencia social en Francia en el siglo XIX. En la práctica, durante dicho periodo a la Constitución se le negó el carácter de norma jurídica, siendo considerada un documento meramente político que establecía directrices para el legislador, pero que en ningún caso era vinculante.

Sin embargo, este modelo funcionaba con un presupuesto que luego se demostró falso, esto es, la racionalidad intrínseca del procedimiento legislativo. El siglo XX puso en evidencia la inocencia de esta tesis, pues fue a través de las reglas de la democracia liberal que los totalitarismos llegaron al poder en Italia y Alemania, y fue a través de la regla de la mayoría que se violaron los derechos más esenciales de millones de personas durante las dos guerras mundiales. Esta fue la causa determinante, para que una vez restituida la paz, los países que fueron responsables de la barbarie, hayan sido los que iniciaron un profundo proceso de reflexión que los llevaría a la refundación de sus Estados, con el propósito de impedir que dentro de sus fronteras vuelva a asomar el fantasma del totalitarismo.

En el Estado constitucional de Derecho, se invierten las relaciones entre ley y Constitución. El asunto fue discutido, tanto en Alemania como en Italia, a propósito de la aprobación de sus respectivas Constituciones de postguerra, concluyéndose en ambos países que era necesario establecer limitaciones a la regla de la mayoría. La forma de implementar esta decisión pasó por reivindicar el papel de la Constitución como la norma suprema del ordenamiento jurídico, dotar de eficacia directa y vinculante a los derechos fundamentales y establecer un sistema de justicia constitucional que tuviera fuerza suficiente, incluso para invalidar las decisiones del legislador democrático. Para ello se recuperó la idea propuesta por Kelsen en la Constitución austríaca de 1920, de establecer un tribunal autónomo, que asegurara el principio de Supremacía Constitucional (Prieto, 2004).

b. Del Estado liberal al Estado social y democrático de Derecho

Los principios básicos de justicia del constitucionalismo clásico, gracias a la influencia de John Locke, se desarrollaron bajo una marcada impronta liberal. Esto se tradujo en que el papel del Estado se reducía exclusivamente a la protección del orden público y a la tutela de la propiedad privada, resultando vedada toda posibilidad de que el Estado desarrollara actividades económicas en beneficio de sus ciudadanos. Ahora bien, para entender esta interpretación del Estado de Derecho es clave detenerse en la forma cómo era entendida la libertad y la propiedad. A este respecto, se puede citar el texto de la Declaración de 1789: "La libertad consiste en hacer todo lo que no dañe al otro; así el ejercicio de los derechos naturales de cada hombre no tiene otro límite que el que garantiza a los demás miembros de esa sociedad el disfrute de esos mismos derechos. Estos límites sólo pueden ser establecidos por la ley". Esta cita muestra que la libertad era entendida exclusivamente en su faz negativa, es decir, como mera ausencia de coerción.

Esta dicotomía entre libertad privada versus abstencionismo estatal da lugar a un panorama en el que la solución del problema económico queda entregado totalmente a los particulares, reduciéndose el papel del Estado a mantener las condiciones para que estos, por sus propios medios, puedan adquirir los bienes y servicios para la satisfacción de las necesidades. De este modo, la asignación de bienes y servicios, así como la distribución de derechos y obligaciones, quedaba radicada de forma exclusiva en el mercado. Este modelo de Estado comenzaría a cambiar en Europa a fines del siglo XIX con el surgimiento del denominado Estado democrático de Derecho, y ya entrado el siglo XX, con el Estado social de Derecho. La lectura más crítica de la Revolución Francesa apunta sus dardos al hecho de que aquella fue principalmente una revuelta de comerciantes en contra de la nobleza, que era el estamento que poseía todos los privilegios en el Estado absoluto, y los derechos que al alero de ella se proclamaron. Más que los derechos del hombre, lo verdaderamente importante eran los derechos del *homo oeconomicus*.

La primera señal de cambio tuvo lugar con el proceso de generalización de los derechos, como consecuencia del surgimiento de los sindicatos y los partidos políticos. Este proceso en el largo plazo tuvo consecuencia la universalización del derecho a sufragio, permitiendo que todos los ciudadanos intervengan efectivamente en la generación de las políticas públicas. La Revolución Francesa en sus comienzos había manifestado su desconfianza frente al derecho de asociación, prohibiéndolo en 1791. Fue precisamente la generalización de estos derechos, lo que permitió que las grandes masas populares se incorporaran a la discusión política, dando un paso definitivo para la construcción del Estado social.

El paradigma del Estado mínimo defendido por el liberalismo clásico se comienza a romper a fines del siglo XIX, debido a dos motivos principales: el primer factor está dado por la carrera armamentista llevada a cabo por los Estados europeos en el último tercio del siglo XIX, proceso conocido como la Paz Armada. Con dicho proceso se advierte que existen determinadas actividades que solo se pueden desarrollar de forma eficiente si se realizan de forma centralizada. El caso paradigmático es la producción de material bélico, y en la medida en que los principales Estados europeos se involucraron en una carrera armamentista que desembocará finalmente en la Primera Guerra Mundial, la necesidad de que el Estado intervenga en la economía, monopolizando la industria de armamentos se hizo evidente. Este es el primer signo de intervencionismo estatal.

Pero hubo un segundo factor mucho más determinante, relacionado con la Cuestión Social. Este fenómeno producido como consecuencia de la Revolución Industrial, conllevó el desplazamiento de grandes masas de población desde el campo a la ciudad para prestar servicios en las industrias en condiciones infrahumanas, a cambio de una escasa o nula remuneración. Esta situación fue un terreno fértil para la propagación de doctrinas políticas críticas del liberalismo abstencionista. En particular, son dos los grandes referentes ideológicos que van a servir de fundamento para el surgimiento del Estado social: las ideas socialistas y la doctrina social de la Iglesia católica. Ambas corrientes de pensamiento tuvieron el mérito de ser capaces de aglutinar a los trabajadores, dando lugar a la formación de partidos políticos de masas que articularon sus demandas bajo la forma de los denominados *derechos sociales*. Es así como el Estado comienza a intervenir en el mercado, realizando prestaciones en auxilio de su población más necesitada a través de la creación de un sistema público de educación, salud y seguridad social. Pasarán pocos años para que dichas demandas llegaran al texto de la Constitución, consagrándose bajo la forma de derechos fundamentales de contenido social, ello sucedería por primera vez en la historia en la Constitución mexicana de 1917 y en la Constitución alemana de 1919.

1.4. Valoración de los conceptos de Constitución

No es sencillo concluir cuál es el concepto de Constitución más apropiado. En realidad, todos ellos se refieren a aspectos distintos de la realidad constitucional. Por esta razón, ninguno de ellos es completamente autosuficiente, por lo que es preciso complementarlo con las perspectivas que aportan los restantes enfoques. A modo de conclusión, esta sección finalizará con un pequeño paralelo que muestra la utilidad de cada uno de ellos, así como sus insuficiencias.

1.4.1. Conceptos empíricos

Las virtudes de los conceptos empíricos pueden resumirse en su pretendido carácter científico y en su capacidad para iluminar más claramente las relaciones entre Política y Derecho. En primer lugar, estos se presentan como conceptos meramente descriptivos, usualmente con pretensiones de cientificidad y neutros desde el punto de vista ideológico. Todo esto parece ser una virtud en un contexto donde las ciencias sociales, con mayor o menor éxito, han intentado validarse a través de los mismos medios de las ciencias empíricas.

En segundo lugar, los conceptos empíricos son conscientes de las interacciones entre política y Derecho, por lo que proporcionan un valioso insumo para entender los cambios jurídicos y sociales. Si bien el mismo Grimm señala que el concepto empírico en modo alguno ha quedado obsoleto, y suele regresar en forma de factor interpretativo cuando la Constitución jurídica no se impone en la realidad social o produce efectos distintos de los esperados (Grimm, 2006). Así las cosas, este enfoque resulta útil para estudiar, de una manera más exhaustiva, ciertos procesos de cambio constitucional, que de otra manera carecen de explicación.

Sin embargo, también presentan inconvenientes. El más evidente es que menosprecian las formas jurídicas, lo que representa una postura algo temeraria, ya que todo poder finalmente se expresa a través de formas institucionales. Además, al soslayar el papel de la norma jurídica, desconocen un hecho sociológico básico, que es que las personas condicionan su conducta a través de normas (sociales, morales y jurídicas), negar la relevancia de la normatividad parece una reconstrucción pobre de nuestro mundo

En uno de los trabajos más discutidos del siglo XX, Lon Fuller utilizó la expresión "moral interna del Derecho" para hacer referencia a la importancia de las formas jurídicas en el Derecho. Este autor sostuvo que existen ocho condiciones sin las cuales ningún soberano puede gobernar de forma eficaz (ausencia de leyes o adjudicación ad-hoc, leyes secretas o no publicadas, legislación ininteligible, legislación retroactiva, legislación contradictoria, leyes que exigen conductas imposibles, legislación inestable, falta de correspondencia de la legislación con las prácticas sociales). Fuller además creyó ver en esas ocho exigencias reclamos de carácter moral, y si bien fue duramente criticado por esto último, sus detractores concuerdan en que estas exigencias son indispensables en cualquier modelo de organización del poder. Si la tesis de Fuller es efectiva, las formas jurídicas sí revisten una importancia crucial para nuestras sociedades contemporáneas.

Pero también los conceptos empíricos adolecen de un segundo problema: carecen de una teoría de la legitimidad. Al reducir la Constitución a un fenómeno exclusivamente fáctico, las teorías empíricas no son capaces de sincerar las relaciones entre política e ideología. Esto es importante en la medida que los procesos políticos difícilmente pueden ser justificados solo a partir de la acción de fuerzas, como si se tratara de fenómenos naturales. Normalmente, las acciones que los impulsan se basan en una reconstrucción valorativa del mundo. Por tanto, una explicación cabal de las relaciones de poder requiere de un modelo axiológico que la justifique. Cabe destacar que usamos la expresión ideología en el sentido propuesto por Althusser, quien plantea que las ideologías cumplen entonces la función de ser "concepciones del mundo" que penetran en la vida práctica de los hombres y son capaces de animar e inspirar su praxis social. Desde este punto de vista, las ideologías suministran a los hombres un horizonte simbólico para comprender el mundo y una regla de conducta moral para guiar sus prácticas. A través de ellas, "los hombres toman conciencia de sus conflictos vitales y luchan por resolverlos" (Castro-Gómez, 2000). La concepción de Althusser es singular, en tanto este fue uno de los teóricos marxistas importantes del siglo XX. Bien sabido es que el concepto de ideología posee en Marx un sentido fundamentalmente peyorativo, asimilándolas con la "falsa conciencia", es decir, con la imagen *distorsionada* que un grupo social en particular se hace de la realidad en un momento histórico determinado. Para Althusser, por el contrario, las ideologías son capaces de dotar a los hombres de normas, principios y formas de conducta, pero no de *conocimientos* sobre la realidad. Sintetizando lo dicho podríamos afirmar que, para este último, las ideologías no son el espacio donde se establece el juego del error y la verdad, sino el terreno de la lucha por el control de los significados (Castro-Gómez, 2000).

Esa función la cumple en los Estado occidentales contemporáneos la noción de Estado de Derecho, la que precisamente por esta razón se ha convertido en un terreno en disputa. Por ello, como explica Richard Fallon (1999a), prácticamente todos los teóricos buscan justificar que sus respectivas explicaciones acerca de la esencia del vocablo Constitución, son las más idóneas para realizar valores asociados con el Estado de Derecho, la democracia y los derechos fundamentales.

1.4.2. Conceptos jurídico-positivos

Presentan la virtud de su simplicidad. Por esta razón, son el tipo de concepto más familiar y utilizado por los juristas dogmáticos, por lo que no son fáciles de eludir. Al respecto, no cabe duda de que, la gran mayoría de veces, cuando los juristas prácticos (abogados, jueces, etc.) utilizan la palabra Constitución, lo hacen en este sentido. Esto porque un jurista es un profesional que se dedica al estudio de la regulación de la conducta a través de normas, por lo que no puede prescindir de esta perspectiva, salvo que esté interesado en migrar a otra disciplina.

Igualmente, los conceptos jurídico-positivos son los más evidentes y fáciles de aprehender por el ciudadano común, por lo mismo, representan un dato que no se puede soslayar. Aunque usualmente no pocos autores que son partidarios de un concepto empírico de Constitución tienden a subestimar su importancia, en la práctica es muy difícil deshacerse completamente de ellos. Recuérdese, por ejemplo, que Lasalle denomina a la Constitución escrita "simple hoja de papel", expresión claramente peyorativa, pero no se atreve a negar su existencia. Si bien autores como Lasalle tienen razón en que la Constitución jurídica casi siempre es una norma maleable, o si se quiere elástica, que posee cierta capacidad de adaptación frente a consideraciones políticas, esa adaptabilidad también tiene un límite, y cuando ese límite se traspasa, cualquiera que sea el régimen que ejerce el poder, este incurre en una situación de descrédito general, normalmente difícil de salvar.

La desventaja de los conceptos jurídicos está asociada a que estos muestran indiferencia respecto de las interacciones entre política y Derecho, pues explican las normas constitucionales como decisiones descontextualizadas de las circunstancias en las que estas fueron creadas. Un análisis centrado exclusivamente en las normas jurídicas formalmente aprobadas puede llevar a conclusiones muy diferentes acerca de realidad constitucional de un país. Por ejemplo, existe un conocido libro de Bruce Ackerman que muestra cómo un jurista, que carezca de conocimientos respecto de la historia reciente y de la realidad de los EE. UU., utilizando métodos completamente ortodoxos de la teoría constitucional, podría llegar a interpretar la Constitución de ese país de manera muy diferente de como lo han hecho los tribunales de justicia (Ackerman, 2011). No tener en cuenta esta circunstancia supone un riesgo de que ese equilibrio se pueda descompensar hacia cualquiera de los extremos, provocando o una judicialización de la política o una politización de la justicia.

1.4.3. Conceptos axiológicos

Los conceptos axiológicos presentan como característica virtuosa, que permiten disminuir la tensión existente entre Constitución empírica y Constitución jurídico-positiva, al generar una teoría de la autoridad necesaria para interpretar la realidad política y eventualmente modificarla. Solo a modo de ejemplo, existe una famosa metáfora que concibe a la Constitución como una especie de edificio inconcluso en el que la obra gruesa limita las decisiones de los poderes públicos, pero que a su vez contempla un espacio para seguir construyendo sobre la base de dichos cimientos (Balkin, 2011). Este proyecto inacabado que vendría a ser la Constitución, al igual que un edificio, requiere de un plano de desarrollo con el objeto de que la actualización que deban hacer los jueces a través de su aplicación a los casos concretos se realice de manera coherente. Para Dworkin, este plano no puede ser sino la mejor reconstrucción posible de los principios que forman parte de la idea de Estado de Derecho (Dworkin R., 2012).

En el mismo sentido se puede también añadir que toda Constitución, en tanto expresión de un régimen político determinado, requiere de una respuesta al problema de la legitimidad. Pues bien, un concepto ideológico de Constitución es precisamente una teoría acerca de la legitimidad política, es decir una respuesta coherente y sistemática a la pregunta por los valores que deben informar a las instituciones.

Desde la vereda opuesta, un concepto ideológico posee una vocación de hegemonía, pues se percibe a sí mismo como la respuesta correcta a la pregunta por los principios sobre los cuales se debe asentar la convivencia social, por lo que todo concepto ideológico de Constitución persigue derrotar y excluir a sus rivales. Ahora bien, ese es un objetivo imposible de alcanzar en sociedades plurales, como las sociedades contemporáneas. Eso explica la razón de por qué, en la actualidad, la noción que desempeña ese papel sea una idea tan general, que intenta ensamblar posiciones ideológicas muy disímiles, lo que genera problemas en la determinación de su contenido.

Pero también existe un segundo problema. Un concepto ideológico de Constitución, aunque se encuentre plenamente asentado en una sociedad, por sí solo es incapaz de llevar a efecto cambios en la realidad social, pues para eso requiere de las normas jurídicas, que son el único dispositivo de control social que está respaldado con el uso de la fuerza. Por esta razón, un concepto ideológico es altamente dependiente de la Constitución jurídica-positiva, y frente a esta su margen de acción es limitado, pudiendo solo operar como criterio de interpretación o integración, ante silencios o vacíos de la norma escrita.

2. CLASIFICACIÓN DE LAS CONSTITUCIONES

Las Constituciones pueden clasificarse en atención a diferentes criterios. Nosotros repasaremos únicamente los casos más referenciados en la doctrina. El valor de revisar una taxonomía de las Constituciones radica en que toda clasificación es una importante herramienta para comprender las distintas manifestaciones de un fenómeno. En este caso, se trata de un ejercicio que permite adquirir familiaridad con la terminología que utiliza la Teoría Constitucional. Por lo mismo, la utilidad de las clasificaciones reside en su potencial analítico, pues ellas mejoran la compresión de los fenómenos complejos al simplificar los datos del mundo real mediante esquemas conceptuales que dan vida a modelos generales y abstractos (Pegoraro, 2013).

2.1. Según su forma, se distingue entre Constituciones escritas y consuetudinarias

Las Constituciones escritas constan en una norma jurídica que se expresa por escrito y que está revestida de ciertas características formales. Este tipo de Constitución se corresponde con el concepto formal de Constitución y desde el punto de vista estadístico, es la regla general en el constitucionalismo comparado. Desde esta perspectiva, la Constitución escrita es creada por actos legislativos, en el sentido de que se trata de actos lingüísticos que deliberadamente persiguen establecer una regla de conducta (Kelsen, 1949).

Las Constituciones consuetudinarias son aquellas Constituciones cuya fuerza proviene de la costumbre. Esta clase de Constituciones pueden perfectamente figurar en un documento escrito, pero dicho documento carece de una formulación distinta de otras fuentes del sistema jurídico. El caso paradigmático es la Constitución del Reino Unido, que se ha formado dentro de la tradición jurídica del *Common Law* durante casi un milenio. En realidad, está Constitución sí está escrita en una serie de documentos, algunos bastante antiguos, como la *Carta Magna* de 1215, *Habeas Corpus Act* de 1679, *Bill of Rights* de 1689, *Act of Settlement* de 1701, *Union Act* de 1707, e incluso la *Human Rights Act* de 1998, etc. Sin embargo, la fuerza de esas reglas no está en el texto en sí mismo, sino que esta procede de una práctica que las considera jurídicamente vinculantes.

Al revisar esta clasificación hay que tener presente, al menos, dos consideraciones relevantes:

a. La existencia de una Constitución escrita no significa que la Constitución contiene la totalidad del Derecho constitucional de ese Estado.

b. En los sistemas donde existe una Constitución escrita, es usual, que parte del Derecho constitucional esté conformado por interpretaciones de la jurisprudencia constitucional, o incluso, por la cultura constitucional del medio jurídico, que no necesariamente está incorporada en la Constitución escrita.

2.2. Según su procedimiento de reforma, se distingue entre Constituciones rígidas y flexibles

Las Constituciones flexibles son aquellas Constituciones que pueden ser enmendadas por una norma de rango legal. Este criterio fue planteado por Bryce y se vincula con la relación que cada Constitución posee con las leyes ordinarias del Estado, y a la autoridad que las promulga. Según esto, algunas Constituciones, incluidas todas las que pertenecen al *Common Law*, se encuentran en el mismo nivel jerárquico de las demás leyes del país. Tales Constituciones proceden de las mismas autoridades que hacen las leyes ordinarias; y se promulgan o derogan de la misma manera que las leyes ordinarias. En tales casos, la "Constitución" posee únicamente una especificidad desde el punto de vista material, pero en la práctica se produce una identidad entre ley y Constitución desde el punto de vista formal, siendo a menudo difícil determinar acerca de cualquier ley particular si es o no es parte de la Constitución política (Bryce, 1901).

Por oposición a la categoría anterior, las Constituciones rígidas son aquellas cuyo procedimiento de reforma es más complejo que el de una ley. Esta complejidad puede ser consecuencia de diversos arreglos institucionales. Los más frecuentemente utilizados son las mayorías cualificadas y el diseño de procedimientos más extensos. Por ejemplo, la Constitución chilena exige para su modificación un quórum de 3/5 o 2/3 de los Senadores y Diputados en ejercicio, según sea el caso (art. 127). En el segundo caso podemos citar el procedimiento agravado de reforma de la Constitución española, que exige que una vez aprobado el principio de reforma (la idea general de reformar la Constitución), se deben disolver las Cortes (el Parlamento) y convocar a nuevas elecciones generales, para que sean las nuevas Cortes las que ratifiquen y aprueben definitivamente la reforma constitucional.

Cabe señalar que la rigidez constitucional es un concepto gradual. Así, por ejemplo, en la Constitución chilena se pueden encontrar dos niveles diferentes de rigidez, uno agravado para los capítulos I, II, VII, XI, XII y XV, y otro ordinario para el resto. Al mismo tiempo, se debe distinguir, conceptualmente hablando, la rigidez de la intangibilidad. Esta última consiste en la prohibición o imposibilidad jurídica de reformar una, varias o todas las disposiciones del texto constitucional. Un ejemplo de una Constitución totalmente rígida sería la de Arabia Saudita, puesto que esta hace suyos los preceptos del Corán, el libro sagrado de la fe musulmana. En Occidente solo encontramos ejemplos de disposiciones concretas protegidas por cláusulas de intangibilidad, como el artículo 89 de la Constitución francesa de 1958.

2.3. Según su extensión se distingue entre Constituciones breves y desarrolladas

Este criterio puede ser interpretado de dos maneras. Cuantitativamente una Constitución es extensa si posee un número elevado de disposiciones. Por ejemplo, la Constitución de la República Bolivariana de Venezuela posee un total de más de 350 artículos, a diferencia de la Constitución de los Estados Unidos que solamente tiene 7 artículos, más 27 enmiendas. Esta última sería una Constitución breve desde esta perspectiva, a diferencia de la primera que sería claramente una Constitución desarrollada.

Esta clasificación también posee una segunda lectura, pudiendo operar a partir del nivel de profundidad o detalle que poseen las disposiciones de la Constitución. Desde esta segunda mirada, una Constitución es breve si sus disposiciones poseen carácter programático. Una norma programática o directriz es aquella cuyo texto estipula la obligación de perseguir determinados fines, pero no define la manera específica como estos deben llevarse a efecto (Atienza, 1991). Por ejemplo, el artículo 19 N° 6 CPR que reconoce el derecho a la libertad de conciencia, no la define ni tampoco entrega pautas concretas sobre cómo interpretar este derecho fundamental. Así las cosas, cualitativamente hablando, las Constituciones desarrolladas son aquellas que poseen una reglamentación de detalle ya sea en alguna materia o en todo su texto. Un buen ejemplo de una disposición altamente desarrollada es el artículo 19 N° 24 CPR, que protege el derecho de propiedad privada.

La importancia de esta clasificación está dada porque permite comprender cómo el desarrollo constitucional, combinado con la rigidez, es una importante herramienta de diseño institucional. En la medida que una materia es regulada constitucionalmente, con el mayor detalle y extensión posible, se produce el efecto de su indisponibilidad para el legislador ordinario. De esta forma el constituyente tiene la posibilidad de blindar ciertos contenidos frente a los vaivenes de la política, lo que con independencia de los aspectos valorativos, nunca es una decisión inocente.

2.4. Según su origen se distingue entre: Constituciones otorgadas, pactadas y democráticas

Esta es una clasificación que posee una importancia, más bien, de carácter histórico. Las Constituciones otorgadas eran aquellas Constituciones que emanaban directamente de la voluntad unilateral del monarca. Las denominadas Constituciones pactadas se originaban del acuerdo de dos o más estamentos. Por el contrario, las Constituciones democráticas son aquellas en que la totalidad del cuerpo político participa de la elaboración y/o aprobación del texto constitucional.

Sin perjuicio de lo anterior, la clasificación también puede ser de utilidad para describir la realidad constitucional de nuestros días. Así, por ejemplo, se suele afirmar que la Constitución de 1980 representa el prototipo de una Constitución otorgada. Por otra parte, se suele utilizar la expresión Constitución pactada en un sentido más actual, para aludir a las Constituciones (o sus reformas) que son creadas a partir de la interacción de grupos de intereses, los que por definición son capaces de representar solo parcialmente las diversas posiciones existentes en una sociedad. Por el contrario democracia significa a estos efectos, la existencia de participación universal en el proceso de elaboración de una nueva Constitución.

En relación con las Constituciones democráticas, existen diversas modalidades, pues la participación de la ciudadanía se puede producir de diferentes maneras. Existen, por ejemplo, fórmulas participativas en la elaboración del texto. Probablemente, las tres más conocidas, son: un congreso, una comisión o una asamblea constituyentes. También existen mecanismos de participación con carácter ratificatorio, frecuentemente llevados a efecto a través de la figura del referéndum. Algunos procesos constituyentes suelen considerar ambos tipos de mecanismos. Desde luego, la figura que posee una mayor legitimidad democrática es la asamblea constituyente, pero también es la que posee más problemas en su diseño y puesta en práctica.

2.5. *Según su modo de creación se distingue entre: Constituciones originarias y derivadas*

Las Constituciones originarias encarnan un principio (o modelo) de gobierno nuevo y verdaderamente creador para la dirección del proceso político (Loewenstein, 1969). Estas se suelen producir a través de dos vías, o en virtud de una primera Constitución histórica, o a través de una ruptura constitucional. Hay que tener presente que dicha ruptura, no necesariamente implica un uso de la violencia, pues la ruptura institucional puede perfectamente suscitarse a través de medios pacíficos. Por ejemplo, la Constitución colombiana de 1991, considerada completamente originaria, se generó a partir del movimiento Séptima Papeleta, Movimiento Estudiantil ante las elecciones del 11 de marzo de 1990 de Colombia, en las que se elegían representantes para el Senado, Cámara de Representantes, Asamblea Departamental, Juntas Administradoras Locales, Concejo Municipal, alcaldes y para el Consejo Estudiantil. Dicho movimiento propuso incluir un séptimo voto en el que se solicitaría una reforma constitucional mediante la convocatoria de Asamblea Constituyente. El movimiento fue tan exitoso, que a partir de este se generó el respaldo popular para reemplazar a la Constitución de 1886.

Las Constituciones derivadas son aquellas que siguen un modelo típico, caracterizado por la utilización de las normas de cambio constitucional establecidas en el mismo texto constitucional que se reforma. En el caso chileno estas normas se encuentran en el capítulo XV, así por ejemplo se suele hablar del constituyente derivado de 1989, de 2005, etc.

2.6. *Según su contenido se distingue entre:* Constituciones ideológicas *y pragmáticas*

Las Constituciones pueden ser distinguidas según su carácter ideológico o estrictamente utilitario. A primera vista esta es una clasificación que puede parecer extraña, e incluso trivial, puesto que hemos visto que toda Constitución posee una ideología que la sustenta, por lo que todas ellas serían ideológicas en algún sentido. Además, prácticamente todas las Constituciones contemporáneas suelen recibir una fuerte influencia del liberalismo político. Por estas razones esta clasificación ha sido entendida en un sentido diferente. Desde esta última perspectiva, se denominan Constituciones pragmáticas o utilitarias a aquellas que son compatibles con un gran número de expresiones políticas, económicas e incluso religiosas, por ejemplo, la Constitución chilena de 1925. De este modo, serían ideológicas aquellas Constituciones, que, como la chilena de 1980, toman partido por un modelo económico determinado o aquellas que están imbuidas de una ideología religiosa en particular; por ejemplo, el catolicismo (Portugal, 1933; Austria, 1934; Irlanda, 1937) o el islamismo (Pakistán, 1946) (Loewenstein, 1969).

2.7. *Según su conformidad con el modelo liberal, se distingue entre* Constituciones normativas, nominales y semánticas

Esta es la denominada clasificación ontológica, la que se atribuye a Karl Loewenstein, por lo que en lo sucesivo nos limitaremos a exponer las ideas de este autor alemán (Loewenstein, 1969). Esta distinción alude a la validez pragmática y la observancia realista de las normas constitucionales por gobernantes y gobernados, distinguiendo entre estos tres tipos de Constitución según si sus preceptos se reflejan o no en la realidad política en un país. Una Constitución es normativa si sus preceptos operan como controles efectivos de los gobernantes y como protección efectiva de los gobernados contra la arbitrariedad gubernamental. La Constitución normativa, además de ser legalmente válida, es observada y cumplida lealmente por todos los interesados. En conjunto, la Constitución normativa coincide con la categoría de democracia constitucional.

La Constitución nominal, por otra parte, no carece de validez legal, sino de realidad existencial, pues se trata de un orden jurídico que se ajusta al ideal normativo de limitación del poder, pero que sus preceptos no han sido activados en los hechos. En tales casos, la situación real no permite la transformación de las normas constitucionales en la realidad política. Sin embargo, dada la buena voluntad de los gobernantes y la capacidad de los gobernados, puede esperarse que, con el tiempo, las disposiciones constitucionales que hasta ahora sólo poseían validez nominal, se harán normativas; esto es, plenamente operativas.

Finalmente, la Constitución semántica no es más que la formalización exterior, en términos constitucionales, de la configuración política existente en beneficio de los gobernantes del momento, sean estos una persona individual, el dictador, o una colectividad específica, como una junta, un comité, un partido o incluso una asamblea como órgano constituido de gobierno. Se formula una adhesión de boca a los principios del constitucionalismo o incluso del constitucionalismo democrático. Pero el proceso del poder es congelado en interés de quienes lo detentan de hecho, independientemente de cómo lo hayan conseguido. En otras palabras, este tipo de Constitución lo que hacen es enmascarar una dictadura bajo el aura de los principios liberales.

Capítulo Cuarto

El poder constituyente

1. LA TEORÍA DEL PODER CONSTITUYENTE

El poder constituyente es uno de los conceptos clave de la teoría constitucional, pero a la vez es uno de los más controvertidos. Desde siempre se ha discutido intensamente acerca de sus contornos, sus límites y las consecuencias que implica asumir una idea tan radical. En palabras sencillas, el poder constituyente significa el poder de elaborar una Constitución, por lo que su esencia está íntimamente ligada a las posibilidades de la soberanía del Estado. Incluso varios autores consideran que esta es, precisamente, la principal manifestación de la soberanía o la única verdaderamente genuina. Así, por ejemplo, Nestor Sagués señala que *el poder constituyente* es un poder *fundacional,* cuando crea el Estado, o *posfundacional,* si inaugura una nueva *era* o *ciclo constitucional,* cuando se ejercita en un Estado ya existente, pero despegándose del orden constitucional previo. Tiende, de tal modo, a configurarse como un poder revolucionario (Sagués, 2009).

En términos generales, las implicancias de este concepto han sido desarrolladas con claridad por Arendt, quien ha mostrado, cómo a partir de la modernidad, las sociedades occidentales han asumido la premisa del dominio de su destino, lo que como consecuencia conlleva el rechazo de otras ideas antinómicas como, por ejemplo, la divina providencia, las fuerzas de la historia o el destino como fundamento de la sociedad política. Este atributo de las comunidades políticas se encuentra representado simbólicamente en el acto de la fundación, según Arendt, el acto político por antonomasia y encuentra su mejor aliado en el concepto de revolución, el que comprende la posibilidad de refundar completamente una comunidad política desde cero.

Lo anterior no es baladí, ya que la vinculación existente entre soberanía y poder constituyente hace partícipe a esta última idea de las sospechas que existen respecto de la primera. No hay que olvidar que la concepción clásica de la soberanía estatal, apuntalada por Hobbes y Bodin, la caracteriza como el poder perpetuo y absoluto de una república. Esto muestra claramente que la soberanía es un concepto pensado para el Estado absoluto, lo que plantea la duda razonable sobre qué función cumple este concepto en la teoría constitucional contemporánea y cuáles son las posibilidades de acomodo del poder constituyente en el Estado constitucional de Derecho, fundado este último sobre la base del régimen democrático y el respeto a los derechos fundamentales como principales criterios de legitimidad.

Desde el punto de vista histórico, los orígenes del concepto de poder Constituyente se encuentran en las reinterpretaciones calvinistas de la descripción de la soberanía en Bodin elaboradas durante el siglo XVII por autores como Althusius, Arniseus, Lawson y Locke. El objetivo principal de esta invención tuvo como propósito original articular un modelo mixto de legitimidad del poder político, configurando un principio de "doble soberanía", cuyos componentes son la soberanía personal (*majestas personalis*) en poder del gobernante y la soberanía real (*majestas realis*) conferida al pueblo. Este tipo de argumento fue utilizado por las facciones radicales durante los diversos conflictos políticos europeos acaecidos en dicha época, siendo el caso más célebre el Club de los Jacobinos, quienes, a partir de la fundación del Comité de Salvación Pública, tomaron el control de la Revolución Francesa reprimiendo ferozmente cualquier acto contrarrevolucionario. Aunque con matices, quienes abrazaron estas ideas opusieron como escudo frente al poder regio las nociones de soberanía popular y poder constituyente del pueblo. Con posterioridad, la trayectoria de esta línea de pensamiento dio origen a una distinción estructural entre "poder constituido", el poder conferido al príncipe para ejercer el poder y "poder constituyente", el poder a través del cual el poder del príncipe para gobernar estaba autorizado (Loughlin, 2013).

Si esto es efectivo, queda en evidencia que la invención del poder constituyente representa el intento por dar vida a un principio de doble legitimidad, y desde esta perspectiva, la invención de la idea de poder constituyente tiene que ver cimentar las bases de una incipiente teoría democrática. Una pista en este sentido la podemos encontrar en Negri, quien afirma: "hablar del poder constituyente es hablar de democracia. En la Edad Moderna los dos conceptos han sido a menudo coextensivos y en todo caso se han visto insertos en un proceso histórico que, a juicio de este autor, el siglo XX ha terminado por eliminar los límites entre ambos. Lo que significa que el poder constituyente no sólo ha sido considerado la fuente omnipotente y expansiva que produce las normas constitucionales de todo ordenamiento jurídico, sino también el sujeto de esa producción, una actividad igualmente omnipotente y expansiva" (Negri, 2015). Una postura similar es la que presenta Kalyvas, proponiendo la reconversión del concepto de forma funcional a una teoría democrática de la legitimidad del momento constituyente, de manera que este permita ofrecer "una lente crítica con la cual evaluar las prácticas y elecciones políticas, y en particular, varias formas de creación constitucional" (Kalyvas, 2005).

En cualquier caso, se considera que el poder constituyente posee una serie de características

a. Es inmanente a la sociedad política. Se encuentra ínsito en la comunidad política, nace junto con ella y le acompaña en su devenir. Por lo mismo, el poder constituyente no puede ser enajenado, o ejercerse *interposita persona* a través de la figura de un gobernante.

b. Es extrajurídico. No siendo susceptible de ser capturado por las categorías jurídicas, pues es decisión en estado puro, justamente lo opuesto al Derecho, el que se caracteriza por ser decisión reconducida a través de las formas jurídicas. Esta tensión entre decisión en estado puro y decisión encausada formalmente se expresa con elocuencia en la teoría constitucional del positivismo jurídico, que concibe al Estado como un sistema ordenado de normas estructuradas jerárquicamente, que derivan en su conjunto de una norma superior, la que instituye y regula el poder. Es decir, en la medida que para el positivismo el Derecho posee una configuración esencialmente formal, la idea de poder constituyente no tiene mucha cabida en su instrumental conceptual. Por ejemplo, en Kelsen la noción de poder constituyente queda silenciada, reducida a un mero supuesto lógico como es la norma hipotética fundamental, carente de substancia y menoscabando todo su potencial transformador (Córdova, 2006).

c. Es ilimitado. Es decir, en su seno se comprende la posibilidad de fijar las bases de un orden político *ex novo*. No obstante, el hecho de que una comunidad política ejerza el poder constituyente no disminuye su potencia en el porvenir. Esto significa que este no se consume en el acto de elaborar una Constitución, sino que por el contrario, permanece inalterable junto a su creación, como si se tratase de un óleo pintado sobre un lienzo, que en cualquier momento puede ser modificado por su autor.

La síntesis de estas características representa la posibilidad de innovación radical respecto del pasado, como también la comprensión del futuro como una empresa siempre inacabada e incondicionada. Esto produce una de las clásicas paradojas del constitucionalismo, que fue magistralmente descrita por Schmitt: si el poder constituyente es pura potencia, es inconcebible que se pueda autolimitar, por tanto, la idea de Constitución en tanto norma jurídica que establece límites al poder carece de sentido. Dicho autor afirmó que, puesto que la Constitución es creación del poder constituyente, y aquella está condicionada y subordinada a este poder, es vulnerable en todo momento a ser cambiada por sus voliciones. De esta forma, el poder constituyente siempre puede iniciar un cambio en la Constitución sin que ello signifique vulnerar el orden jurídico positivo instituido (Schmitt, 2011).

Según Arendt, dicha paradoja se produce porque el liberalismo fue incapaz de deshacerse del concepto de soberanía, pretendiendo fundar el Estado liberal sobre la base de una idea que era la piedra angular del absolutismo. De esta forma, el liberalismo culpable o inocentemente pensó que el problema de la arbitrariedad desaparecería cambiando de manos el poder de destruir todo el orden establecido, con el objeto de refundar uno nuevo desde las cenizas. En efecto, la Revolución Francesa es el gran intento por arrebatar ese poder de manos del monarca y depositarlo, o en el pueblo, o en la nación francesa. Por esta razón, a pesar de su naturaleza polémica, la idea de poder constituyente sigue siendo uno de los pilares de la teoría constitucional. De este modo, el esquema básico del Derecho constitucional occidental se construye en gran parte sobre la distinción entre una voluntad que precede a la Constitución y es superior a ella (el poder constituyente) y las formas constitucionales positivas creadas por el sujeto constituyente (los poderes constituidos), que determinan cómo es el poder público ser ejercitado y cómo las leyes ordinarias deben ser creadas (Colón-Ríos, 2010).

2. LA DISTINCIÓN ENTRE PODER CONSTITUYENTE Y POTESTAD DE REFORMA DE LA CONSTITUCIÓN

2.1. Poder constituyente originario

El poder constituyente originario representa al poder de elaborar una Constitución originaria, esto es una primera Constitución en sentido histórico o una Constitución que se genera a partir de una ruptura con el régimen establecido. En realidad, todo lo que hemos dicho anteriormente se aplica al poder constituyente originario, que, en realidad, es el único que puede asumir tal denominación en propiedad.

Así las cosas, la teoría constitucional reserva la expresión poder constituyente originario para aludir a las hipótesis de cambio extrasistémicas, que se caracterizan por la ruptura con el orden establecido, o si se quiere en términos más categóricos, por la destrucción de la Constitución que se pretende sustituir. Esta situación se produce siempre a través de vías de hecho ya sea de manera violenta, como por ejemplo en un golpe de Estado; ya sea a través de la protesta social, como en la desobediencia civil; o incluso, por la decisión espontánea del *demos* que entiende que el orden político debe ser sustituido por uno nuevo.

2.2. Poder constituyente derivado

Se entiende por poder constituyente derivado, la juridificación del poder constituyente originario. Sin perjuicio de la discusión teórica, en la que muchos autores defienden la tesis de que el poder constituyente es una fiera que no es susceptible de ser domada, la inmensa mayoría de las Constituciones existentes asumen la posición contraria, contemplando reglas de cambio constitucional. Esto significa que parten de la base que el poder constituyente sí puede ser sometido a reglas, por ende, limitado. De esta manera, "el poder reformador de la Constitución es un poder instituido por la Carta Fundamental (el que) constituye una actividad sometida y reglada por la propia Constitución" (Nogueira, 2006). Por ello, la teoría constitucional utiliza esta expresión para caracterizar las hipótesis de cambio constitucional intrasistémicas. Estas reglas de cambio suelen ser de dos tipos:

2.2.1. Reglas procedimentales

Son normas que regulan cuáles son los órganos competentes para discutir y aprobar una reforma constitucional, la forma cómo esa discusión se deberá llevar a cabo, los requisitos para aprobar la propuesta de reforma y la manera cómo participará la ciudadanía en su tramitación. En la Constitución chilena estas normas están contenidas en el capítulo XV (artículos 127 y siguientes CPR), las que establecen que, en términos esenciales, las reformas constitucionales se tramitan y aprueban en virtud del procedimiento para la aprobación de la ley, pero con dos excepciones: quórums más elevados y la posibilidad del Presidente de la República de convocar a un plebiscito en los términos establecidos por el artículo 128 CPR.

2.2.2. Reglas de carácter sustantivo

Son conocidas como cláusulas de intangibilidad y establecen limitaciones de contenido a la reforma, usualmente bajo la forma de prohibiciones, aunque en realidad se trata de normas que establecen incompetencias. Un ejemplo de estas lo encontramos en el artículo 139 de la Constitución italiana, que establece que: "No podrá ser objeto de reforma constitucional la forma republicana". Aunque puede parecer tautológica la expresión, las cláusulas de intangibilidad, cuando son eficaces, producen el efecto de invalidar las reformas constitucionales, precisamente, por infracción de las normas de la Constitución vigente.

Evidentemente, el principal problema de estas disposiciones es que nada asegura su eficacia, a pesar de que pueden constituir Derecho vigente desde el punto de vista de su validez. En Chile el tema se ha discutido y buena parte de la doctrina sostiene que en nuestra Constitución no existen dispositivos de este tipo, por ende, se podría reformar la totalidad de las disposiciones de la Constitución (Zúñiga F., 2013). Por el contrario, para otros autores sí existen tales límites, aunque sea de manera implícita. Según esta postura, en la Constitución chilena estos límites se encuentran en el artículo 5° inciso 2° de la Carta Fundamental, que establece que "el ejercicio de la soberanía tiene como limitación el respeto a los derechos esenciales que emanan de la naturaleza humana" (Nogueira, 2006).

3. OTRAS VÍAS DE CAMBIO CONSTITUCIONAL: LAS MUTACIONES CONSTITUCIONALES

Por otra parte, hay que poner de manifiesto que el cambio constitucional también se puede producir por mecanismos intrasistémicos, pero por vías no destinadas al efecto. Este es el fenómeno que en nuestra cultura jurídica se denomina mutación constitucional. El problema de los cambios informales de la Constitución ha sido largamente discutido por la doctrina desde hace bastante tiempo. Por ejemplo, el tema ya fue teorizado en las obras de autores de la escuela alemana del Derecho público, como Paul Laband o Georg Jellinek, desde finales del siglo XIX. En este contexto, se formuló el término "mutaciones constitucionales" para describir el cambio de significado o sentido de la Constitución sin que vea alterada su expresión escrita (Sánchez, 2000). La rigidez constitucional es una técnica de diseño institucional que proporciona estabilidad a las normas constitucionales, pero también contiene el riesgo de fosilizar un ordenamiento, convirtiéndolo en inhábil para adaptarse a los cambios sociales. Esta última situación, es decir la rigidez constitucional excesiva, es el escenario propicio para las mutaciones constitucionales, en la medida en que estas adquieren mayor importancia en contextos en que la reforma pierde su capacidad para adecuar la Constitución a la realidad.

En un conocido trabajo de principios del siglo XX, el jurista chino Hsü Dau-Lin identificó los diferentes tipos de mutaciones constitucionales (Hsü, 1998). Sintetizando mucho sus ideas, se puede señalar que las mutaciones constitucionales se pueden producir, en primer lugar, a consecuencia de prácticas no reguladas por la Constitución, e incluso, en ocasiones en abierta contradicción con su texto. En segundo lugar, se sitúan las producidas por el desuso o imposibilidad de cumplimiento de sus disposiciones. Por último, Hsü destaca las mutaciones constitucionales que se producen por vía interpretativa, ya sea a través de la interpretación que realiza el legislador, como también la que tiene un origen jurisprudencial. Estas últimas, desde luego son las más relevantes desde el punto de vista estadístico.

El cambio constitucional por vías no previstas para tal finalidad refleja con elocuencia la relación dialéctica entre política y Derecho, la que se continuamente va delineando los contornos de la norma constitucional. Esta circunstancia no necesariamente ha sido valorada de manera negativa. Por ejemplo, algunos autores no consideran que las mutaciones constitucionales sean un problema, sino que simplemente un factor más de cambio constitucional que trasciende la configuración de los mecanismos de reforma: siempre se producirán, aunque las normas de reforma no sean excesivamente rígidas. En esta línea, Da Silva defiende la idea de que estas son simplemente un hecho que deriva de la inevitable tensión entre poder constituyente y poderes constituidos (Da Silva, 1999). No obstante, otros autores creen ver en las mutaciones constitucionales un problema de afectación a la seguridad jurídica, puesto que, para el ciudadano sin formación jurídica, el texto escrito de la Constitución se hace inaccesible a consecuencia de las mutaciones constitucionales y se hace necesario el ojo de un jurista profesional para desentrañar su significado y contenido.

En cualquier caso, la expresión mutación constitucional parece tener una connotación negativa, al mismo tiempo que revela su origen cultural claramente europeo continental. Así por ejemplo, cuando Jellinek en 1906 dictó su conocida conferencia sobre reforma y mutación constitucional contrapuso ambos conceptos, resaltando el problema de la falta de control de las mutaciones constitucionales (Jellinek, 1991). Más contemporáneamente, autores como Hesse han destacado la importancia del texto como límite a cualquier mutación constitucional (Hesse, 2001a). Como se puede observar, ambos autores provienen de la tradición constitucional europea, en la que el texto escrito opera como el principal insumo para determinar el contenido de la Constitución. A diferencia de Europa, en los EE. UU. no existe el concepto de mutación constitucional.

Esto explica el enfoque totalmente distinto es el que predomina en la teoría constitucional estadounidense, o al menos en parte importante de ella, mucho más abierto a concebir a la Constitución como un proyecto en constante construcción. Solo por citar un ejemplo, Dworkin popularizó la célebre metáfora acerca de que la Constitución es una especie de novela por entregas, que va siendo escrita por diversos autores a través del tiempo (Dworkin R., 2008). Otro modelo muy difundido, que reconoce que el cambio constitucional no solo se produce a través de la reforma, es el de Bruce Ackerman, quien, para estudiar el ciclo constitucional de un pueblo, introduce la distinción entre *momentos constitucionales* y *momentos de política ordinaria*. Los primeros representan aquellos periodos francamente excepcionales en la vida de una comunidad, donde esta decide las bases esenciales de su destino. En estos momentos de política constitucional, es precisamente donde se despierta el poder constituyente y toda su capacidad transformadora. Por el contrario, los momentos de política ordinaria, los poderes constituidos operan como delegados del pueblo en el ejercicio de la soberanía. Obviamente, Ackerman plantea este esquema en el contexto de la realidad constitucional estadounidense, en la que identifica tres momentos constitucionales: la fundación del Estado, la reconstrucción producto de la Guerra Civil y la Revolución de los Derechos Civiles. Si se presta atención, sobre todo a esta última, a pesar de que en la teoría constitucional estadounidense no existe la expresión, se puede observar que esencialmente las victorias jurídicas del Movimiento por los Derechos Civiles se produjeron a través de mutaciones constitucionales, o como se suele decir en dicho país, fueron producto de una interpretación evolutiva de la Constitución.

Así las cosas, en dicho período, varias disposiciones de primera importancia en la Constitución de dicho país como el derecho a la igualdad, debido proceso o la libertad de expresión son reinterpretadas, ya sea por el legislador (p.e. *Equal Pay Act de 1963, Civil Rights Act de 1964, Age Discrimination in Employment Act de 1968, etc.),* o por la jurisprudencia de la Corte Suprema (p.e. *Brown v. Board of Education* de 1954, *Browder v. Gayle* de 1956, *Lovin v. Virginia* de 1967, etc.). Sin perjuicio de lo anterior, se debe reconocer que se ha debatido intensamente acerca de la pertinencia de los métodos evolucionistas para interpretar la Constitución. Durante las décadas de 1980, 2000 e incluso de 2010, se ha nombrado jueces de la Corte Suprema a los EE. UU. a personas que son partidarios de estrategias mucho más conservadoras para interpretar la Constitución, quienes se han mostrado abiertamente contrarios a aceptar que se altere el texto de la Constitución por vía interpretativa, defendiendo la tesis de que toda modificación a ella debe utilizar el procedimiento de reforma. Se trata esta última de una teoría de interpretación de la Constitución denominada originalismo interpretativo, la que mira con desconfianza las mutaciones constitucionales y tiende a favorecer el *statu quo* constitucional.

Capítulo Quinto

La supremacía de la Constitución

1. NOCIÓN Y SIGNIFICACIÓN ACTUAL DE LA SUPREMACÍA CONSTITUCIONAL

Conceptualmente, la Supremacía Constitucional es el principio que establece que la Constitución es la norma de mayor jerarquía del ordenamiento jurídico, debiendo las restantes normas someterse a lo dispuesto por esta, so pena de que la norma o acto de marras adolezca de un vicio de invalidez. En este sentido la declaración de inconstitucionalidad es un tipo específico de nulidad que priva a la norma cuestionada de sus efectos, en algunos casos con carácter temporal y en otros con carácter definitivo.

La Supremacía Constitucional es uno de los principios cardinales del Derecho constitucional contemporáneo, y como tal, tiene por función vertebrar todo su sistema de fuentes. Desde esta perspectiva, es una dimensión específica del principio de jerarquía normativa. Este último es un principio estructural que informa todo el ordenamiento jurídico, consistente en que existen diversas categorías de normas jurídicas, cada una con un rango determinado, y que las mismas se relacionan jerárquicamente entre sí. De esta manera, las de superior nivel prevalecen en caso de conflicto sobre las de rango inferior, las cuales en ningún caso pueden contradecir a aquellas (López Guerra, 2010). En este contexto, la Supremacía Constitucional, es decir la asunción de que la Constitución es la norma de mayor jerarquía de todo el sistema, deriva de su origen, es decir, del hecho de provenir de un poder (denominado poder constituyente) que es superior a todos los poderes creados por la Constitución (poderes constituidos).

La idea de la existencia de una norma que está por sobre las demás en esta ordenación jerárquica, no es en ningún caso una invención *ex novo* de los teóricos constitucionalistas. Desde un punto de vista histórico, es posible incluso encontrar alguna similitud en el Derecho romano con la figura de las constituciones imperiales. Sin embargo, en términos más contemporáneos, es en la tradición inglesa del *Common Law* donde este principio comienza a tomar cuerpo. Son justamente las prácticas consuetudinarias de dicho sistema, las que a través de decisiones judiciales van dado vida a la noción de Derecho común, el que va paulatinamente adquiriendo un rango superior respecto de las normas aprobadas por el parlamento, las que allí toman el nombre de *statutes*. Así, ya en el siglo XVII, se defendió por Edward Coke la posibilidad de que los jueces pudieran anular las leyes que fueran contrarias al *Common Law* (Limbach, 2003). Por otra parte, en EEUU cuando se inicia el movimiento por la independencia, los colonos justificaron su actuar en virtud de la existencia de unas leyes y unos derechos que están por encima de cualquier autoridad y que siempre deben ser respetados. La Declaración de Independencia de 1776 habla de las "leyes de la naturaleza" y los "derechos inalienables" de los hombres que ninguna forma de gobierno puede destruir.

Desde el punto de vista de su significación actual, hay que partir de la idea de que hoy en día este principio forma parte de la ortodoxia del Derecho constitucional. Sin embargo, ello no significa que este se haya asentado de forma inmediata y pacífica. Por el contrario, la respuesta a la pregunta acerca de quién debe ser el guardián de la Constitución, siempre ha sido muy polémica. La causa de todas estas discusiones se encuentra en la peculiar naturaleza de las normas constitucionales. Como ya se ha señalado, la Constitución es un conjunto de normas que se sitúa en una zona fronteriza entre la política y el Derecho, por lo que esta polémica es implemente una consecuencia. Por esto, desde siempre, la Supremacía Constitucional ha sido la fuente de tres grandes debates teóricos: ¿quién debe ser el guardián de la Constitución?, ¿cuál es la mejor manera de garantizar la Constitución?, y finalmente, ¿es legítimo el control de constitucionalidad?

1.1. ¿Quién debe ser el guardián de la Constitución?

No obstante, el texto de la Constitución estadounidense de 1787 guarda silencio sobre el punto, los jueces de dicho país "inventaron" jurisprudencialmente uno de los principales mecanismos para garantizar la supremacía normativa de la Constitución: la revisión judicial de las leyes (*Judicial Review*), es decir, la posibilidad de que cualquier juez controle la constitucionalidad de las normas de rango legal (Carbonell, 2006). El primer antecedente de esta tesis se puede encontrar en la célebre sentencia Marbury v. Madison de 1803. El argumento central es que la Constitución es una norma jurídica en el sentido pleno del término, pero que adicionalmente, está dotada de mayor jerarquía que las normas aprobadas por el Congreso, y por lo tanto, si aquella entra en conflicto con una ley, esta última debe ser declarada inválida.

Sin embargo, en Europa la supremacía constitucional será rechazada durante el siglo XIX, tardando mucho más tiempo en implantarse. Salvo el experimento kelseniano de la Constitución 1920, que sería imitado por la Constitución checoslovaca del mismo año y la española de 1931, la supremacía constitucional solo se implantará en dicho continente con carácter general luego de la Segunda Guerra Mundial (Stern, 1985). En el fondo esta toma de posición estuvo motivada por las dudas acerca de la naturaleza jurídica o política del texto constitucional. Durante el siglo XIX, se impuso la opinión de que era el segundo rasgo el que definía la esencia del fenómeno constitucional, dado que la Constitución era considerada un mero proyecto político, entendiéndose que sus disposiciones no eran vinculantes para el legislador, pues eran simplemente directrices, que expresaban en términos generales el proyecto político ilustrado (Zagrebelsky, 2008a).

Ya entrado el siglo XX, el primer autor que se mostró crítico con esta idea fue Kelsen, al reivindicar el papel de la Constitución como una pieza sumamente importante en su Teoría Pura del Derecho (Kelsen, 2009), aunque para afirmar lo anterior, Kelsen no vaciló en desprenderse de las normas que poseían un alto contenido valorativo, tales como principios o derechos fundamentales. En este sentido, el propósito de Kelsen fue formular un concepto bastante claro y definido de Constitución explicitando las características que permiten distinguirla del resto de las normas del sistema jurídico.

En este punto Kelsen, siendo coherente con su teoría de la norma suprema, se apura en señalar que lo que precisamente caracteriza a la Constitución es que esta es "la norma que regula la elaboración de las leyes, de las normas generales en ejecución de las cuáles se ejerce la actividad de los órganos estatales, tribunales y autoridades administrativas" (Kelsen, 1949). Lo que, por cierto, no sucedía a propósito de los derechos fundamentales, pues estos al ser positivados por las distintas declaraciones, bajo la arquitectura constitucional de los principios, es decir como meras proclamaciones, pero sin determinar un supuesto de hecho al que se aplicase la norma o una consecuencia jurídica que acarreara su infracción, caían, para el positivismo fuera del ámbito de lo jurídico. De aquí que una Constitución puede declarar que los hombres nacen libres e iguales entre ellos, pero la ciencia del derecho no podría, según estos, dar cuenta de estas afirmaciones ni reconocerles una significación jurídica objetiva y sólo considerarlas, en palabras del propio Kelsen, como "elementos jurídicamente indiferentes" (Kelsen, 1949).

En esta etapa histórica, el debate más importante de la teoría constitucional fue la polémica Kelsen-Schmitt que tuvo lugar durante la República de Weimar en Alemania. Este último autor siguió defendiendo que la Constitución era una norma eminentemente política, y por lo tanto su defensa debía estar encomendada a órganos que tuvieran este carácter, pues cuando los tribunales controlan la constitucionalidad de una ley operan a la manera de un "legislador negativo", o sea se comportan como un órgano político. Específicamente, lo que propuso era que, el guardián de la Constitución debía ser el Presidente del Reich, el órgano que simbolizaba la unidad de la nación alemana y que estaba concebido como un verdadero poder neutro (Cordova, 2009). Por el contrario, Kelsen sostuvo que la Constitución es una norma jurídica, y como tal, su control debía estar encomendado a los órganos encargados de aplicar el Derecho al caso concreto, es decir se debía encomendar a un Tribunal de Justicia (Kelsen, 2001). En esa tesis se encuentra el germen del órgano que actualmente se denomina Tribunal Constitucional. De hecho, el primer tribunal constitucional de la historia fue el austriaco, creado por la Constitución de 1920, en cuyo diseño colaboró activamente el mismo Kelsen.

Hoy en día, parece claro que el tiempo le dio la razón a Kelsen por sobre su contradictor alemán, y la existencia de tribunales que realizan funciones de control de constitucionalidad se ha extendido por todo el mundo. Sin embargo, hay que señalar que esta discusión influyó no solo en las tesis del propio autor austríaco, sino que, en la actualidad todavía estas obras escritas a comienzos del siglo XX son releídas y utilizadas para fundar determinados arreglos institucionales con el objeto de definir los contornos de la garantía jurisdiccional de la Constitución.

1.2. ¿Qué procedimientos deben garantizar la Constitución?

Con posterioridad a la Segunda Guerra Mundial los ordenamientos jurídicos europeos dieron la razón a Kelsen, pues en todos ellos, el control de la Supremacía Constitucional estuvo encomendado a un tribunal, abandonando la tesis de la defensa a través de órganos políticos. Sin embargo, nunca ha sido un tema pacífico determinar cuál es el modelo de tribunal más indicado para garantizar la Constitución. En efecto, en el diseño proyectado por dicho jurista para la Constitución austriaca de 1920, esta función fue encomendada a un tribunal especial, que se integraba de forma mixta, por jueces letrados y por miembros que poseían una clara extracción política. Desde este punto de vista, Kelsen excluye de la tutela constitucional a los tribunales ordinarios, que son integrados cien por ciento por jueces de carrera.

Por el contrario, en EE. UU. este debate nunca se produjo. Desde muy temprano la sentencia *Marbury vs Madison* estableció el carácter de norma jurídica que posee la Constitución, y por lo tanto, que cualquier tribunal de justicia está investido con la potestad para declarar inconstitucional una norma jurídica. Es decir, en la visión estadounidense del control de constitucionalidad, no se requiere de tribunales especiales para llevarlo a efecto, ya que son los mismos jueces que se encargan de la resolución de los asuntos de Derecho común, los que tienen atribuida esta competencia. Sin embargo, eso no quiere decir que en este país se crea que los jueces cuando aplican la Constitución prescindan completamente de consideraciones políticas. Más bien todo lo contrario. Así, por ejemplo, en los EE. UU. existen ciertos jueces que son elegidos en comicios y que tienen mandatos acotados a cierto período, y en cualquier caso, en la nominación de los jueces de la Corte Suprema intervienen directamente las autoridades políticas.

Por el contrario, el juez continental se caracteriza, por su carácter preeminentemente técnico y no político. El modelo sobre el que se basa su función supone un rol aplicador antes que creador de Derecho. Derivado de este carácter esencialmente técnico de los jueces continentales, la defensa de la Constitución nunca se les ha encargado a ellos (Bordalí & Paredes, 2014). Sin embargo, en las últimas décadas, parece que se comienza a asumir parcialmente que los jueces letrados también pueden intervenir en la defensa de la Constitución, ya que en los países europeos ha sido cada vez más frecuente que se establezcan procedimientos en los que los jueces ordinarios colaboran de manera activa con la Supremacía Constitucional, teniendo muchas veces, la exclusividad para someter por vía incidental un asunto al conocimiento del respectivo tribunal constitucional.

1.3. ¿Es legítimo el control de constitucionalidad?

Finalmente, otro de los grandes tópicos del Derecho constitucional contemporáneo dice relación con la legitimidad del control de constitucionalidad, en específico, en sus relaciones con la ley. No es momento de repasar en detalle esta cuestión. Sólo a título muy general, podemos señalar que existe un importante sector de la doctrina comparada que ha centrado sus críticas en la jurisdicción constitucional, arguyendo que esta función de los tribunales adolece de problemas de legitimidad democrática. Esta tesis que se suele conocer con el nombre de "objeción contramayoritaria al control de constitucionalidad", en los EE. UU. encuentra su formulación más célebre en la obra de Alexander Bickel (1986), la que más recientemente han desarrollado importantes juristas como Jeremy Waldrom (2005) o Mark Tushnet (2000). En una apretada síntesis, el argumento plantea que desde el punto de vista de la democracia el control de constitucionalidad es ilegítimo, pues permite que funcionarios no electos invaliden la decisión de los representantes de la ciudadanía. Este argumento acerca de la ilegitimidad del control de constitucionalidad, si bien no ha evitado que en el constitucionalismo contemporáneo la mayoría de los países hayan optado por mecanismos de control de constitucionalidad, es una importante razón para articular la jurisdicción constitucional, de forma tal de disminuir las tensiones entre el Tribunal Constitucional y el principio democrático, que se manifiesta principalmente en las normas legales aprobadas por el parlamento.

2. SUPREMACÍA EN SENTIDO FORMAL Y SUPREMACÍA EN SENTIDO MATERIAL

Como ya se señaló en los capítulos introductorios, las disposiciones de la Constitución se pueden clasificar en dos grandes categorías:

El Derecho constitucional orgánico se compone de todas aquellas disposiciones de la Carta Fundamental que establecen los órganos del Estado, sus atribuciones y regulan los procedimientos de producción y reproducción del ordenamiento jurídico.

El Derecho constitucional dogmático es el relativo a las disposiciones de carácter substantivo. Es usual que las Constituciones contemplen declaraciones de carácter axiológico contenidas en un preámbulo o en un capítulo introductorio. Asimismo, es regla general que, prácticamente todas las Constituciones del orbe, contengan una declaración de derechos públicos subjetivos, relacionados con la protección de la dignidad humana.

Las dimensiones del principio de Supremacía Constitucional se relacionan con esta clasificación, en consecuencia, es posible distinguir entre supremacía formal y material, según la manera cómo una norma pueda contradecir el texto constitucional.

2.1. Supremacía Formal

Asume la premisa de que todas las normas del ordenamiento jurídico encuentran su origen en las normas constitucionales, es decir, no hay más potestades públicas que las que expresamente confiere la Constitución. Esto significa que, a través de esta, el Derecho regula el ejercicio de las potestades públicas de los órganos del Estado, estableciendo los procedimientos en virtud de los cuales se producen las distintas manifestaciones jurídicas que emanan del Estado. De esta manera, en los textos constitucionales se regulan generalmente el procedimiento de formación de la ley, de la potestad reglamentaria y las normas relativas a incorporación del Derecho internacional al Derecho interno, etc.

Desde esta perspectiva, la supremacía formal consiste en que todas las normas y actos jurídicos, para poder nacer a la vida del Derecho y producir efectos plenos, deben aprobarse en virtud de un procedimiento regulado constitucionalmente, el que debe ser rigurosamente observado. En otras palabras, es solo a través de la ejecución de dichos procedimientos que la voluntad del Estado tiene la capacidad de expresarse en términos válidos. En caso contrario, ante su inobservancia, la norma deviene en inconstitucional y es susceptible de ser anulada.

No obstante, hay que tener presente dos matices. El primero consiste, en que en realidad la Constitución solo establece de forma directa las normas que suponen el ejercicio de potestades públicas, dejando generalmente entregada al principio de autonomía de la voluntad la regulación de las relaciones jurídicas entre particulares. El segundo tiene que ver con las reales posibilidades fácticas de la Constitución. Sobre esto último habría que aclarar que en el modelo ilustrado, la Constitución funcionaría como la *norma normarun* (es decir, la norma que regula a todas las otras normas), de modo tal, que ningún órgano del Estado quedaba fuera de su alcance. En la actualidad, debido a la enorme complejidad del ordenamiento jurídico, se acepta que la Constitución regule solo los procedimientos a partir de los cuales se producen las normas más importantes del sistema, dejando las de menor relevancia al legislador. De este modo, por ejemplo, en la CPR solamente se regula la potestad reglamentaria del P. de la R. (artículos 32 N° 6, 63 N° 20 y 5ª D.T. CPR), el procedimiento establecido para la potestad reglamentaria que corresponde a los otros órganos de la Administración del Estado, se encuentra en la Ley de Bases de los Procedimientos Administrativos, N° 19.880. Lo mismo puede decirse del procedimiento para la dictación de una sentencia que se encuentra regulado, en términos generales, en los respectivos códigos procesales. Todo esto sin perjuicio de que, dichos cuerpos legales deben aprobarse de acuerdo con procedimiento de formación de la ley, que se detalla en los artículos 65 y siguientes de la CPR.

2.2. Supremacía material

Al contener las Constituciones disposiciones de carácter sustantivo, lo que hacen es determinar un contenido mínimo de Derecho constitucional, que opera como un componente necesario para el resto del Ordenamiento jurídico. Por lo tanto, si se aprueba una norma que cumple con los requisitos formales, pero que vulnera dicho contenido mínimo, ella será materialmente inconstitucional. Esto se explica porque los contenidos de la Constitución, especialmente las normas sobre derechos fundamentales, se proyectan al resto del Ordenamiento jurídico no siendo disponibles estos para la administración o legislador, en virtud de lo que doctrinariamente se denomina "efecto de irradiación de las normas constitucionales" (Cruz Villalón, 1989).

La supremacía material también tiene como punto de partida una idea basal: todo acto de creación normativa es una aplicación de los contenidos de la Constitución, única norma que representa en puridad el pacto social. Sin embargo, al igual que en el caso de la supremacía formal, hay que introducir al menos un matiz. Si bien cierto que la Constitución es simbólicamente la norma que debería gozar de mayor legitimidad democrática, existen razones importantes para que esta delegue muchas decisiones importantes en el legislador. Aquí sólo nos limitaremos a dos: la rigidez constitucional y el carácter controvertido de muchos de los conceptos pertenecientes a la Constitución dogmática. Lo primero tiene que ver con que el ejercicio del poder constituyente es un momento excepcional en la vida política de una comunidad, por este motivo las Constituciones se encuentran protegidas por instituciones que evitan que su texto pueda ser fácilmente alterado. Ello obliga a una adecuada distribución del trabajo entre los poderes constituyente y legislativo, pues en este sentido, es conveniente radicar en el primero las cuestiones basales, y dejar entregado al segundo las que necesitan de actualización constante (Jiménez J., 1993). Lo segundo está relacionado con las verdaderas posibilidades del texto constitucional de regular la convivencia en sociedad. En palabras simples, muchas de las cuestiones que comúnmente forman parte de la materia constitucional, son cuestiones esencialmente controvertidas. En términos generales, se trata de conceptos con un alto contenido valorativo y que son susceptibles de evolucionar con el paso del tiempo. Dada esta circunstancia, las Constituciones normalmente se decantan por establecer principios con un carácter más bien general y dejar el detalle de dicha regulación a la ley, pues es la norma que tiene mayores ventajas comparativas para reflejar la diversidad de opiniones en una sociedad (Sunstein, 2007).

Por todas estas razones, es pertinente afirmar que el legislador disfruta de un ámbito de libertad de configuración normativa frente a la Constitución. Asimismo, la teoría constitucional de nuestros días ha descartado la tesis que Ernst Forsthoff denominó sarcásticamente la "teoría de la Constitución como un huevo jurídico originario", del que todo surge, desde el código penal, hasta las normas que rigen la construcción de termómetros. Desde esta perspectiva, entre las normas infraconstitucionales se puede diferenciar aquellas que están constitucionalmente prohibidas (por ejemplo, "la ley no podrá presumir de derecho la responsabilidad penal", artículo 19 N° 3 inciso 7°) y otras que son constitucionalmente imperativas ("una ley orgánica constitucional establecerá los requisitos mínimos que deberán exigirse en cada uno de los niveles de la enseñanza básica y media", artículo 19 N° 11, inciso final). Asimismo, existe un vasto campo que podríamos llamar "de lo constitucionalmente posible", donde el legislador goza de libertad de configuración normativa para establecer el contenido de las leyes.

3. LA DEFENSA DE LA CONSTITUCIÓN: SU PROTECCIÓN POLÍTICA Y SU CONTROL JUDICIAL. SISTEMAS DE CONTROL DE LA CONSTITUCIONALIDAD DE LAS LEYES

3.1. La protección política de la Constitución

Como ya adelantábamos, uno de los debates clásicos de la teoría de la Constitución dice relación con la forma como esta debe ser garantizada. Esto ha dado lugar a una pluralidad de modelos, cuya sistematización más elemental, obliga a distinguir entre mecanismos jurídicos y mecanismos políticos de defensa. Esta discusión ha sido planteada con pasión en los círculos académicos, pero también ha tenido importantes implicancias en el diseño institucional en diversos países.

Como ya se señaló, durante la época de la República de Weimar, particularmente célebre fue la polémica Kelsen-Schmitt acerca de quién debe ser el guardián de la Constitución. En realidad, la cuestión no puede ser entendida sin hacer una breve referencia a que detrás de las posiciones defendidas por cada uno de estos autores, lo que hay en realidad es una concepción muy diferente acerca del significado de la palabra Constitución. En este sentido, para el primero, la garantía de la Constitución se relaciona con su idea de concebir el ordenamiento jurídico como un sistema de normas ordenadas jerárquicamente, en cuya base se sitúa la norma constitucional, la que cumple el papel de servir de fuente de origen y validez de todo el ordenamiento jurídico. En estas condiciones, lo lógico sería encomendar la defensa de la Constitución a un órgano jurisdiccional, aunque la solución que Kelsen propuso fue encomendar esta función a un tribunal especial cuya actividad se remitiera únicamente a los aspectos de forma (Kelsen, 2001).

Por el contrario, para Schmitt no es correcto concebir a la Constitución como una norma (o un conjunto de normas), sino que ésta más bien se identifica con una decisión política del pueblo que adquiere conciencia de su existencia colectiva. De este modo, el concepto de Constitución de Schmitt se sitúa en las antípodas del anterior. Si en Kelsen la Constitución es básicamente forma, en Schmitt esta es esencialmente voluntad pura. Es por esto que para el autor alemán no tiene sentido encomendar la defensa de la Constitución a un órgano jurisdiccional, pues esta es una tarea eminentemente política de defensa de la unidad nacional, no habiendo nada imparcial en ella. En conformidad con lo anterior, defiende que el Presidente del *Reich* es el órgano más adecuado para defender la Constitución y no un tribunal constitucional (Schmitt, 2011).

Luego de la Segunda Guerra Mundial el debate se consideró superado. Las Constituciones que se redactaron en aquella época, se decantaron por el modelo de control jurisdiccional defendido por Kelsen, aunque con algunas modificaciones, dejando de lado las ideas de Schmitt, consideradas próximas al pensamiento autoritario. De esta manera, en el contexto de los países del *Civil Law*, primó la idea del control jurídico de la Constitución, abandonándose la idea de que la Constitución podía ser tutelada por un órgano de naturaleza política. Sin perjuicio de lo anterior, como una excepción que confirmaba la regla, se solía citar al constitucionalismo inglés, el que durante siglos había estado esencialmente informado por el principio de soberanía del parlamento y que por lo tanto carecía de control jurisdiccional de la Constitución. En todo caso, las circunstancias presentes en el país insular eran muy diferentes del resto de Europa: una Constitución consuetudinaria y un sistema parlamentario que contaba con siglos de evolución, hacían allí poco aplicables los insumos de un debate que se había generado en países de habla alemana y de profunda tradición jurídica romano-canónica.

Ahora bien, esto no significa que los sistemas jurídicos del *Civil Law* hayan prescindido completamente de mecanismos de defensa política. Sin ir más lejos, en nuestra propia Carta Fundamental encontramos una serie de normas que buscan defender la Constitución ante una crisis institucional que pueda terminar por destruirla. Todo ello, sin recurrir a los tribunales de justicia. Al respecto, se pueden citar las siguientes instituciones:

Nacionalidad y ciudadanía. En esta materia encontramos que el P. de la R. puede por decreto, privar de la nacionalidad a aquellos que, en caso de guerra, presten servicios a enemigos de Chile o a sus aliados. Por otra parte, el mismo P. de la R. puede cancelar la carta de nacionalización a quienes se hayan hecho indignos de tal gracia o por haber sido condenado por alguno de los delitos contemplados en la Ley N° 12.927 de 6 de agosto de 1958, sobre Seguridad del Estado.

Obligaciones del P. de la R. Constitucionalmente el presidente tiene la obligación de conservar la independencia de la nación, y de guardar y hacer guardar la Constitución y las leyes (nótese la similitud con la tesis de que el guardián de la Constitución debía de ser el Presidente del *Reich*). Pues bien, desde el punto de vista de sus atribuciones esta obligación tiene su correlato aquella consagrada en el numeral 5° del artículo 32 CPR, esto es, declarar los estados de excepción constitucional. Siguiendo a Fernández Segado, podemos definir a los estados de excepción, como "el conjunto de circunstancias, previstas, al menos genéricamente, en las normas constitucionales, que perturban el normal funcionamiento de los poderes públicos y amenazan a las instituciones y principios básicos del Estado y cuyo efecto inmediato es la concentración en manos del Gobierno de poderes o funciones que, en tiempo normal, deben estar divididas o limitadas" (Fernández Segado, 1973). Así, por ejemplo, según el art. 42 CPR., por la declaración de estado de sitio "el Presidente de la República podrá restringir la libertad de locomoción y arrestar a las personas en sus propias moradas o en lugares que la ley determine y que no sean cárceles ni estén destinados a la detención o prisión de reos comunes. Podrá, además, suspender o restringir el ejercicio del derecho de reunión".

En este último caso, se habla de mecanismos políticos de defensa de la Constitución porque son atribuciones de los órganos que tienen este carácter (P. de la R. y Congreso), sin que los Tribunales de Justicia puedan calificar los fundamentos de dichas decisiones (artículo 45 CPR). Todo ello nos puede parecer tremendamente contraintuitivo. Como veremos más adelante, en el Estado de Derecho el principio de juridicidad y el control son uno de los pilares básicos. Es por esto mismo que en el constitucionalismo liberal, aquello que aquí se ha llamado mecanismos de defensa política de la Constitución, están indisolublemente ligados con la excepcionalidad y la crisis, por lo que la regla general y habitual en tiempos de normalidad son las herramientas de defensa jurídica de la Constitución.

3.2. La protección jurídica de la Constitución

En Estados Unidos, se asumió desde fines del siglo XVIII y claramente con la sentencia Marbury v. Madison de 1803, que la Constitución como primera norma jurídica del Estado debía ser defendida por los jueces de la república. De lo contrario, se estimó que la Supremacía Constitucional devenía en un mero *flatus vocis*. El acta de nacimiento del control jurídico de la Constitución es la célebre sentencia *Marbury* v. *Madison* (5 U.S. 137 [1803]).

La cuestión planteada ante el Tribunal Supremo surgió como consecuencia de un problema político a raíz de las elecciones presidenciales de 1800. Sucedió que en estas Thomas Jefferson, republicano demócrata, derrotó al entonces presidente John Adams, federalista. En los últimos días del gobierno de Adams, el Congreso dominado por los federalistas, estableció una serie de cargos judiciales, entre ellos 42 jueces de paz para el Distrito de Columbia. El Senado confirmó los nombramientos, el presidente los firmó y el secretario de Estado estaba encargado de sellar y entregar las comisiones. En el ajetreo de última hora, el secretario de Estado saliente no completó cuatro de los nombramientos, entre el que se contaba el de William Marbury. Por este motivo el nuevo Secretario de Estado del gobierno del presidente Jefferson, James Madison, encontró al tomar posesión de su cargo designaciones de jueces firmadas y selladas, pero también otras que no habían sido expedidas. Entonces, se dice que motivado por el momento de tensión política que reinaba, mandó retenerlas. Los cuatro afectados, Marbury incluido, recurrieron al Tribunal Supremo para que este ordenara completar los nombramientos paralizados, a través de la emisión de un *writ of mandamus* (orden de comparecencia), que obligara a Madison a proceder en tal sentido.

En síntesis, el problema jurídico consistía en que la Constitución de los EE. UU. no reconocía al Tribunal Supremo la facultad de intervenir en casos de esta naturaleza, pero por otra parte existía una ley, la *Judiciary Act* (Ley de Poder Judicial) de 1789, que facultaba a dicho tribunal para emitir este tipo de mandamiento. Mucho se ha especulado desde entonces, diciéndose por ejemplo que la sentencia se explica por razones políticas, que sus fundamentos son contradictorios, o que incluso tergiversó la Constitución, pero lo cierto es que John Marshall pasó a la historia por plantearse por primera vez en sede jurisdiccional la cuestión, resumiendo en breves palabras el *quid* del asunto:

> "O la Constitución es la Ley Suprema, inmutable por medios ordinarios, o está en el nivel de las leyes ordinarias, y como otra, puede ser alterada cuando la legislatura se proponga hacerlo. Si la primera parte de la alternativa es cierta, entonces un acto legislativo contrario a la Constitución no es ley; si la última parte es exacta, entonces las Constituciones escritas son absurdos proyectos por parte del pueblo para limitar un poder ilimitable por su propia naturaleza. Ciertamente, todos los que han sancionado Constituciones escritas las consideraban como ley fundamental y suprema de la nación y, por consiguiente, la teoría de cada uno de los gobiernos debe ser que una ley de la legislatura que impugna a la Constitución es nula".

Pues bien, sea o no que el juez John Marshall se haya propuesto ser el forjador de la doctrina de la revisión judicial de las leyes, hoy en día se considera que esta sentencia representa el nacimiento del principio de Supremacía Constitucional. No obstante lo anterior, la aludida sentencia tuvo escaso eco entre sus contemporáneos y no fue hasta 1857 que el Tribunal Supremo, en el asunto *Dred Scott v. Sandford*, declaró inconstitucional una ley federal en materias no judiciales. Otro hito fundamental en la evolución jurisprudencial del Tribunal Supremo fue la sentencia *Texas v. White* de diciembre de 1869, por el que se declara nula por ser contraria a la Constitución una ley secesionista del estado de Texas promulgada en tiempos de la guerra civil. Por último, serán la jurisprudencia sobre las enmiendas XIII, XIV y XV, las que terminarán por dar forma definitiva a la justicia constitucional tal como se la conoce hoy en EE. UU.

En efecto, hoy utilizamos la expresión justicia constitucional, para indicar que el poder del gobierno está limitado por normas constitucionales y que se han creado procedimientos e instituciones de carácter judicial para garantizar la Supremacía Constitucional. Pues bien, a partir de las mencionadas enmiendas se comenzó a desarrollar una profusa actividad jurisprudencial que sistemáticamente fue dando forma a la idea del control de constitucionalidad tal como hoy la conocemos. Esto se produjo cuando el Tribunal Supremo encontró en las cláusulas de estas enmiendas, la autoridad para anular las leyes "que no consideraba razonables". Así se ha llegado a señalar por algunos autores, que las tres últimas décadas del siglo XIX, no son más que un comentario de dichas enmiendas, particularmente de la simbólica cláusula contenida en la enmienda número XIV que señala: *"nor shall State deprive any person of life, liberty, or propiety, without due process of law"*. De esta forma, el Tribunal Supremo de los EE. UU. ha declarado a lo largo de su historia, sólo por citar algunos ejemplos, que son contrarios a la Constitución, y por tanto inválidas, leyes que establecen la segregación racial en los colegios o aquellas que penalizan el aborto o la sodomía.

En Europa, si bien esta idea no sedujo inicialmente, la irrupción de partidos de inspiración marxista a fines del siglo XIX y fascistas a comienzos del XX, puso en jaque la alternativa liberal-conservadora hasta ese momento reinante, lo que obligó a las democracias europeas a proponer mecanismos institucionales para defender el principio de supremacía constitucional. De todas formas, es importante mencionar que, los primeros atisbos de este principio, se pueden encontrar en el marco de los Estados federales europeos a propósito de los conflictos entre las cuestiones centrales de la federación versus las normativas de los Estados federados. Todas estas razones explican que, a comienzos del siglo XX, se comience a hablar en el continente de rigidez constitucional y de defensa jurídica del principio de Supremacía Constitucional.

De esta manera, la discusión en Europa sobre la forma cómo se debía defender la Constitución, terminó en el año 1920 en Austria con la creación del Tribunal Constitucional. Ese tribunal se debe fundamentalmente a la obra de Hans Kelsen, quien participó activamente en la discusión y en la redacción de sus disposiciones. Similar tribunal fue creado en el mismo año en Checoslovaquia. Luego bajo la Segunda República española se creó en el año 1931 un Tribunal de Garantías Constitucionales, que era en lo sustancial un Tribunal Constitucional de inspiración kelseniana. Finalmente, después de la Segunda Guerra Mundial, prácticamente todos los países europeos crearon tribunales constitucionales. Lo mismo se replicó después en la mayoría de las repúblicas latinoamericanas.

En suma, conforme a esta evolución, se puede concluir que la principal estrategia de defensa de la Constitución está representada por la garantía judicial. Esta se crea como un freno efectivo a la opresión gubernamental, especialmente cuando esa opresión se deja caer sobre los derechos y libertades de los ciudadanos y sobre los intereses de las minorías políticas representadas en el Parlamento. En este sentido, los dos modelos paradigmáticos de defensa jurídica de la constitución son el estadounidense y el europeo continental, existiendo entre ellos importantes diferencias.

3.3. Sistemas comparados de control de la constitucionalidad de las leyes

La defensa jurídica judicial de la Constitución está encomendada en los EE. UU. a los jueces ordinarios; a todos ellos. Se habla así de un control difuso de constitucionalidad. En Europa, por el contrario, esa defensa se encomienda en régimen de exclusividad a un tribunal especial; al Tribunal Constitucional. Se habla en este caso de un control concentrado de constitucionalidad. La razón del por qué se atribuye esta función a estos jueces especiales está dada por la evidente influencia de Hans Kelsen. Kelsen proponía que un órgano especial verificase un juicio abstracto de normas, donde quedase excluida toda ponderación de los valores e intereses que subyacen a la ley o a los hechos que son objeto de su aplicación, para así evitar toda subjetividad que estaba tan presente en muchos de los jueces europeos de ese entonces. Por otra parte, ese órgano de control debía adoptar como parámetro exclusivo del enjuiciamiento a la Constitución concebida solo como regla procedimental y de organización y nunca como fuente generadora de problemas morales y sustantivos. El Tribunal Constitucional debía controlar la legitimidad de las leyes a modo de un operador jurídico lo más cercano a la razón y a la lógica (Bordalí & Paredes, 2014).

No obstante, esta dicotomía sigue vigente a los días de hoy, en la actualidad es bastante más tenue. Por una parte, si bien es verdad que en los EE. UU. cualquier tribunal puede controlar la constitucionalidad de la ley, sin duda, la labor más importante en tanto órgano máximo del sistema proviene de la jurisprudencia del Tribunal Supremo, el que finalmente termina resolviendo todos los casos realmente importantes. Por otra parte, en la tradición del Derecho continental hoy está bastante asentada la idea de que toda aplicación del Derecho supone potencialmente una aplicación constitucional y, por lo tanto, toda actividad jurisdiccional también supone potencialmente un contenido constitucional y ello es aplicable tanto al Tribunal Constitucional como a los tribunales ordinarios. Tenemos así que se ha diluido la rígida separación entre la esfera de la constitucionalidad y la de mera legalidad y el juez ordinario es también juez constitucional en cuanto aplica la Constitución (Pegoraro, 2002).

Esto último se ve reflejado en varios aspectos, aunque aquí solo nos detendremos en uno de ellos: el relativo a la forma cómo la justicia constitucional, originalmente centrada únicamente en la figura del tribunal constitucional, en la actualidad permite el acceso a otros actores, como por ejemplo, los tribunales ordinarios, e incluso al ciudadano de a pie. Esta es una tendencia general en los países en que existe una jurisdicción constitucional concentrada, y desde luego, en Chile también se encuentra presente. Así por ejemplo, la acción de inaplicabilidad del artículo 93 N° 6 CPR, puede ser interpuesta por el juez que conoce de la causa, o incluso por alguna de las partes que intervienen en el proceso *a quo*. Más amplia es aún la legitimación activa en el caso de la acción de inconstitucionalidad del artículo 93 N° 7 CPR, respecto de la cual existe acción popular para su interposición ante el Tribunal Constitucional. En estos dos ejemplos citados se observa claramente, cómo en la actualidad, si bien en los modelos continentales se conserva el carácter concentrado, existe una apertura hacia la participación de otros actores en el control de constitucionalidad.

3.4. El modelo chileno de control de constitucionalidad

Dentro de la tipología de los sistemas de justicia constitucional, el nuestro responde a lo que antes hemos caracterizado como un modelo concentrado, es decir, en el ordenamiento jurídico chileno existe un único órgano con competencias para declarar la inconstitucionalidad de una norma jurídica. Lo anterior no es muy difícil de comprobar; basta constatar que, a partir de la reforma constitucional de 2005, la Corte Suprema pierde la atribución para declarar incidentalmente inaplicable un precepto legal por resultar contrario a la Constitución, la que pasa a ser resorte del Tribunal Constitucional. Por otra parte, dicho órgano conserva las atribuciones de control preventivo que ha ejercido desde su creación en 1970. Adicionalmente, también a partir de la reforma constitucional de 2005, se crea una atribución hasta entonces novedosa en el Derecho chileno: la declaración de inconstitucionalidad de una ley con efectos generales.

Desde esta perspectiva, la reforma constitucional de 2005 rompe con la lógica híbrida que había existido desde siempre en Chile. Esta tendencia histórica a la hibridación ha dado lugar a verdaderos experimentos, los que generalmente han terminado en un rotundo fracaso. El ejemplo más clásico es el de la acción de inaplicabilidad por inconstitucionalidad ante la Corte Suprema, establecida por el artículo 86 de la Constitución de 1925, respecto a la cual la doctrina se encuentra conteste en los evidentes problemas que presentó dicho mecanismo. En efecto, es pacífico que fueron precisamente dichos problemas los que motivaron la creación del Tribunal Constitucional al amparo de la reforma constitucional de 1970, dando lugar a un modelo dual de control, que combinaba sin mucha lógica, el control preventivo abstracto y el concentrado ante el Tribunal Constitucional con el control represivo, concreto e incidental ante la Corte Suprema. Este ingenio tuvo pocas probabilidades de ser testeado. En el difícil contexto en el que fue creado, este primer Tribunal Constitucional tuvo una existencia breve y sumamente complicada. Antes de ser clausurado por la dictadura, alcanzó a dictar nada más diecisiete sentencias que estuvieron marcadas por el trance político que el país enfrentaba por aquellos días. Por otra parte, a pesar de que la Corte Suprema siguió existiendo a causa de su explícito apoyo a los militares golpistas, la destrucción de la Constitución de 1925 puso también fin a la atribución de controlar la constitucionalidad de las leyes, al menos hasta que el país volvió a tener una nueva Carta Fundamental.

Durante el proceso de elaboración de la Constitución de 1980, la reflexión fue escasa y terminó por reproducir sin mayores cambios el esquema existente en los últimos días de vigencia de la Constitución de 1925. Al respecto, la doctrina ha sido contundente en poner de relieve las contradicciones y deficiencias del modelo. Ello explica que las atribuciones de control de constitucionalidad fueran una de las materias modificadas por la Ley N° 20.050, que introdujo 84 reformas a la Constitución de 1980, que muy resumidamente en esta materia, mantuvo las atribuciones de control preventivo del Tribunal Constitucional, traspasó a este último el antes denominado recurso de inaplicabilidad, y finalmente, estableció la posibilidad de que el mismo tribunal declare la inconstitucionalidad con efectos *erga omnes,* de un precepto legal previamente declarado inaplicable[3]. De este modo, actualmente se pueden distinguir en el control de constitucionalidad de la ley, tanto atribuciones de control preventivo como correctivo (Paredes, 2013).

3.4.1. El control preventivo

Las atribuciones de control preventivo están contenidas en los numerales 1° y 3° del art. 93 CPR. En el primero de dichos numerales se regula el control forzoso de constitucionalidad que debe recaer sobre las leyes interpretativas de la Constitución, las leyes orgánicas constitucionales y los tratados internacionales que versan sobre materias propias de dichas leyes. Desde esta perspectiva, el pronunciamiento del Tribunal Constitucional pasa a formar parte de procedimiento de aprobación de la ley. De naturaleza diferente es la atribución del artículo 93 N°3 CPR, según la cual el control preventivo del resto de las leyes se establece como la hipótesis subsidiaria, debiendo pronunciarse el Tribunal Constitucional únicamente a instancia de órgano activamente legitimado.

La figura del control previo de constitucionalidad ha sido duramente criticada en Derecho comparado y hoy es más bien una excepción (Moderne, 1993). Estas críticas también se han formulado recientemente en la doctrina chilena (Aldunate E., 2005). De todas formas, hay que señalar que las sentencias en sede de control preventivo suponen una pequeña parte de la actividad jurisdiccional del Tribunal Constitucional, sin embargo en los últimos años las sentencias de control preventivo se han referido a importantes materias, aumentando las críticas a esta institución.

3.4.2. El control correctivo: las acciones de inaplicabilidad e inconstitucionalidad

Innovó el constituyente derivado de 2005 en la configuración de las atribuciones de control de constitucionalidad de las leyes con carácter *a posteriori*. Como se desprende de la simple lectura del artículo 93 CPR, estas

---

[3]   Adicionalmente existen otras materias de gran relevancia, que no serán analizadas en detalle y serán solo mencionadas en esta nota al pie: la facultad de declarar inconstitucionales los autos acordados y las atribuciones de control de la potestad reglamentaria. En este último caso, la modificación consiste en la racionalización de la técnica de redacción de la norma constitucional respectiva, originariamente dispersa en tres numerales (núms. 5, 6 y 12 del art. 82), los que se fusionan en el actual art. 93 núm. 16.

quedan entregadas en la actualidad completamente al Tribunal Constitucional. *Grosso modo,* el modelo chileno funciona dividido en dos tipos de atribuciones: la declaración de inaplicabilidad con efectos *inter partes* y la declaración de inconstitucionalidad con efectos *erga omnes.*

En el primer caso se establece una figura de control de tipo incidental, es decir, el pronunciamiento del Tribunal Constitucional sólo puede ser provocado en el marco de una gestión judicial pendiente. Además de ello se exige, como es usual en este tipo de procedimientos, que la norma impugnada sea relevante para resolver la gestión judicial pendiente. En términos generales, el mecanismo funciona sobre la siguiente lógica: el juez que conoce del asunto plantea la duda al Tribunal Constitucional, acerca de si el precepto que le llevará a resolver el asunto en un determinado sentido es o no contrario a la Constitución. En definitiva, el pronunciamiento del Tribunal Constitucional determinará si dicho precepto legal puede o no ser aplicado en el caso concreto, pero la sentencia en nada afecta su validez general dentro del ordenamiento jurídico para el resto de los casos futuros.

En el segundo caso la atribución discurre sobre una lógica totalmente diferente. Antes que todo, no es necesario que el requerimiento se plantee en el marco de una gestión judicial pendiente, pero sí que el precepto legal que se impugna haya sido declarado inaplicable por inconstitucional con anterioridad. En efecto, el pronunciamiento del Tribunal Constitucional puede ser requerido por cualquier persona estableciéndose al respecto acción popular, o incluso, la declaración puede ser realizada de oficio por el mismo Tribunal Constitucional. Si en la especie se estima que la norma en cuestión es inconstitucional la sentencia producirá un efecto anulatorio, el que se traducirá en la invalidez de la norma.

Desde esta perspectiva el modelo chileno es bastante *sui generis.* En primer lugar, porque el control *a priori* es una atribución que progresivamente han ido perdiendo los Tribunales Constitucionales en el mundo, a causa de su alta incidencia en las agendas legislativa. Pero también lo es porque el control correctivo responde a un modelo dual o bifásico, donde para obtener la inconstitucionalidad de una norma es necesario declararla primero inaplicable para el caso particular, lo que ha despertado críticas desde el punto de vista del derecho a la igualdad ante la ley.

SEGUNDA PARTE:
LA CONSTITUCIÓN DE 1980 Y LAS BASES DE LA INSTITUCIONALIDAD

Capítulo Sexto

Génesis y evolución de la Constitución de 1980

1. EL QUIEBRE DE LA INSTITUCIONALIDAD DE 1980 Y EL PROCESO CONSTITUYENTE IMPULSADO POR LA DICTADURA

1.1. *El golpe de estado y los antecedentes de la Constitución de 1980*

Inmediatamente después del quiebre institucional de septiembre de 1973, la Constitución de 1925 dejó de existir. A pesar de que el Decreto Ley N° 1, de 11 de septiembre de 1973, señalaba que la junta de gobierno "asume el mando de la nación (…) respetando la Constitución y las leyes", prontamente se comprobó que dicha declaración de intenciones no era realmente efectiva. Desde luego, tomar el poder político por la fuerza, en un acto en que resultó muerto el Presidente de la República constitucionalmente electo, bajo ningún respecto podría haberse considerado actuar de acuerdo con las disposiciones de la Carta Fundamental de 1925. No obstante, más allá de los hechos dramáticos que se fueron desencadenando en el país a partir de aquel fatídico día, la junta de gobierno fue aprobando una serie de actos jurídicos, con el objeto de irse dotando de una institucionalidad que le permitiese una refundación del Estado, con el respaldo que le daban las armas y el apoyo de un sector de la población. Dicho plan contemplaba como objetivo final la elaboración de una nueva Constitución.

El primer paso en este proceso está dado por el DL N° 27, de 21 de septiembre de 1973, por el que se disuelve el Congreso Nacional. Posteriormente, se dictaría el DL N° 128, de 16 de noviembre de 1973, por el que se interpretaría el DL N° 1. En este sentido, se precisa que la expresión "mando supremo de la nación", comprende el ejercicio de los poderes ejecutivo, legislativo y constituyente. Sería justamente esto último, lo que la dictadura entendería como suficiente habilitación normativa para iniciar un proceso de elaboración de una nueva Constitución. Adicionalmente, a pesar de que en la realidad la Constitución de 1925 carecía ya de existencia, el mismo cuerpo legal insistía en que "*el ordenamiento jurídico contenido en la Constitución y en las leyes de la República continúa vigente mientras no sea o haya sido modificado*", pero inmediatamente a continuación, afirmaba que:

"el Poder Constituyente y el Poder Legislativo son ejercidos por la Junta de Gobierno mediante decretos leyes con la firma de todos sus miembros y, cuando éstos lo estimen conveniente, con la de el o los Ministros respectivos", añadiendo que *"las disposiciones de los decretos leyes que modifiquen la Constitución Política del Estado, formarán parte de su texto y se tendrán por incorporadas en ella"*.

1.2. Las bases ideológicas de la dictadura

Luego del golpe de Estado prontamente queda en evidencia, que los generales que integraban la junta habían actuado de acuerdo con intereses claramente partisanos. Por ejemplo, en el Bando N° 5, el primer acto dictado por el régimen, inmediatamente después de consumar el golpe de Estado, puede leerse: *"Que el mismo Gobierno que ha quebrado la unidad nacional fomentando artificialmente una lucha de clases estéril y en muchos casos cruenta, perdiendo el valioso aporte que todo chileno podría hacer en búsqueda del bien de la Patria y llevando a una lucha fratricida y ciega, tras las ideas extrañas a nuestra idiosincrasia, falsas y probadamente fracasadas"*. En el mismo sentido, más abajo se añade: *"Que estos mismos antecedentes son, a la luz de la doctrina clásica que caracteriza nuestro pensamiento histórico, suficientes para justificar nuestra intervención para deponer al gobierno ilegítimo, inmoral y no representativo del gran sentir nacional"*.

Esto pone en evidencia que los motivos que justificaron el quiebre institucional eran fundamentalmente el desacuerdo con las ideas del gobierno democráticamente electo de la Unidad Popular. Posteriormente, se publicó un documento titulado "Declaración de principios del Gobierno Militar, donde queda mucho más claro la toma de posición que inspiraría el proyecto político de la dictadura, el que se transformaría posteriormente en la Constitución de 1980. En este documento se expresan una serie de consideraciones de carácter axiológico, con bastante más detalle que en los casos anteriores. Algunas de las afirmaciones que en él se expresan son del siguiente tenor:

> *"La alternativa de una sociedad de inspiración marxista debe ser rechazada por Chile, dado su carácter totalitario y anulador de la persona humana, todo lo cual contradice nuestra tradición cristiana e hispánica.*
>
> *(…) el Gobierno de Chile respeta la concepción cristiana sobre el hombre y la sociedad. Fue ella la que dio forma a la civilización occidental de la cual formamos parte, y es su progresiva pérdida o desfiguración la que ha provocado, en buena medida, el resquebrajamiento moral que hoy pone peligro esa misma civilización.*

(...) Después de largo tiempo de mesianismos ideológicos y de la prédica de odios mezquinos, el Gobierno de las Fuerzas Armadas y de Orden, con un criterio eminentemente nacionalista, invita a sus compatriotas a superar la mediocridad y las divisiones internas, haciendo de Chile una gran nación. Para lograrlo, ha proclamado y reitera que entiende la unidad nacional como su objetivo más preciado, y que rechaza toda concepción que suponga y fomente un antagonismo irreconciliable entre las clases sociales.

La integración espiritual del país será el cimiento que permita avanzar en progreso, justicia y paz, recuperando el lugar preponderante que los forjadores de nuestra República le dieron en su tiempo dentro del continente. Reivindicar y sembrar en el corazón de cada chileno el ejemplo de nuestra Historia Patria, con sus próceres, héroes, maestros y estadistas, debe transformarse en el acicate más poderoso para despertar el verdadero patriotismo, que es amor entrañable a Chile y deseo de verlo nuevamente grande y unido. Conspiran en contra de esa unidad las ideologías foráneas, el sectarismo partidista, el egoísmo o antagonismo deliberado entre las clases sociales, y la invasión cultural extranjerizante".

De acuerdo con estos antecedentes se pueden comprender perfectamente las bases ideológicas del nuevo régimen, así como su intención verdaderamente fundacional, lo que desmintió dramáticamente la apreciación de un sector de la oposición al presidente Allende, representado por la Democracia Cristiana, partido en el que parte importante de sus dirigentes se manifestaron a favor del golpe de Estado con el que esperaban recobrar el poder en el corto plazo. Por el contrario, como muestran todos estos documentos existió desde el primer momento la intención por parte de los militares de transformar, no solo la organización política, sino también las bases sociales del país en su sentido más amplio. Al mismo tiempo, dichos documentos son sumamente reveladores de las tensiones y divisiones existentes entre las nuevas autoridades golpistas.

No cabe duda, que la intención de la junta era proveerse rápidamente de una Constitución. Para cumplir con este propósito, apenas dos semanas después del golpe de Estado comienza a trabajar un grupo de juristas en un proyecto de Constitución, el que posteriormente recibiría el nombre de Comisión de Estudios de la Nueva Constitución (CENC). No obstante, esas expectativas se verían prontamente frustradas y el camino que se recorrería, hasta que la nueva Carta Fundamental vea la luz, sería bastante más largo. Recién el 21 de octubre de 1980 la Constitución Política de la dictadura sería promulgada. Parte de esta demora se puede explicar en las tensiones y contradicciones existentes en el plano de las ideas. En efecto, entre los partidarios de la dictadura, estas eran bastante más significativas de lo que se suele pensar. Es obvio que lo que congregaba a los civiles y militares que formaban parte del régimen era su aversión al marxismo, pero más allá de esta circunstancia, entre ellos poseían hondas discrepancias. En la composición del círculo que elaboró el texto de la Constitución se pueden observar posturas liberales libertarias, conservadoras de inspiración religiosa, neofacistas, nacionalistas, etc. Esta situación convenció a la dictadura de que, para mantener la unidad, debía adoptar una doble estrategia constitucional: una de corto plazo y otra de largo plazo.

1.3. Las Actas Constitucionales y el proyecto constituyente de la Dictadura

De esta manera, el proceso de construcción del nuevo orden constitucional se generó por día vías paralelas, una provisoria y otra definitiva. En el primer caso, se comenzaron a aprobar sendos decretos leyes, que adoptaron el nombre de actas constitucionales, que reemplazarían capítulos completos de la Constitución de 1925, imponiéndose a las disposiciones de esta. En definitiva, se dictarían las siguientes actas constitucionales:

AC N° 1. Crea el Consejo de Estado

AC N° 2. Bases esenciales de la institucionalidad chilena

AC N° 3. Derechos y deberes constitucionales

AC N° 4. Regímenes de emergencia

Por otra parte, el proyecto constitucional del régimen asumía la discusión de un proyecto de Constitución de largo plazo, el que finalmente daría origen a la Carta de 1980. Con este propósito continuaría trabajando la CENC, hasta concluir un anteproyecto de Constitución. Este itinerario se anunció por el propio Pinochet en el acto del cerro Chacarillas el 09 de julio de 1977.

"Durante el período que falta de la etapa de recuperación, será necesario completar la dictación de Actas Constitucionales, en todas aquellas materias de rango constitucional aún no consideradas por ellas, como también de algunas leyes trascendentales, como de seguridad, trabajo, previsión, educación y otras que se estudiarán en forma paralela. De esta manera, quedará definitivamente derogada la Constitución de 1925, que en sustancia ya murió, pero que jurídicamente permanece vigente en algunas pequeñas partes, lo que no resulta aconsejable.

Simultáneamente, deberán revisarse las Actas Constitucionales ya promulgadas, en aquellas materias donde su aplicación práctica hubiere demostrado la conveniencia de introducir ampliaciones, modificaciones o precisiones.

La culminación de todo este proceso de preparación y promulgación de las actas constitucionales, que continuará desarrollándose progresivamente desde ahora, estimo que deberá en todo caso estar terminado antes del 31 de diciembre de 1980, ya que la etapa de transición no deberá comenzar después de dicho año, coincidiendo su inicio con la plena vigencia de todas las instituciones jurídicas que las actas contemplen (...).

Simultáneamente con lo anterior, que implicará el paso de la etapa de transición a la de consolidación, corresponderá aprobar y promulgar la nueva Constitución Política del Estado, única y completa, recogiendo como base la experiencia que arroje la aplicación de las Actas Constitucionales. La etapa de transición servirá así para culminar los estudios del proyecto definitivo de la nueva Carta Fundamental".

2. ARREGLOS INSTITUCIONALES DEL TEXTO ORIGINAL Y LA TESIS DE LA DEMOCRACIA PROTEGIDA

2.1. *La Comisión de Estudios de la Nueva Constitución y la aprobación de la Constitución*

El DS N° 1064, de 25 de octubre de 1973, creó formalmente la Comisión de Estudios de la Nueva Constitución, la que tendría por finalidad: estudiar, elaborar y proponer un anteproyecto de nueva Constitución. No obstante, el grupo ya había comenzado a trabajar de manera no oficial el 24 de septiembre de 1973. El DS N° 1064 le da existencia plena en términos jurídicos y establece su composición, presentando un carácter absolutamente partisano. En efecto, como se ha explicado antes, lo único que tenían en común dichas personas era que se trataba de juristas partidarios de la Dictadura. Según el citado DS, esta estaba conformada por: Sergio Díez Urzúa, Enrique Evans de la Cuadra, Jaime Guzmán Errázuriz, Gustavo Lorca Rojas, Enrique Ortúzar Escobar, Jorge Ovalle Quiroz y Alejandro Silva Bascuñán. Alejandro Silva y Enrique Evans renunciaron en 1977 y con posterioridad lo hizo también Jorge Ovalle. En su reemplazo ingresaron Luz Bulnes, Raúl Bertelsen y Juan de Dios Carmona. La comisión fue presidida por Enrique Ortúzar, por lo que se la suele llamar también Comisión Ortúzar.

Como se ha explicado antes, a diferencia de lo previsto, el proceso de discusión del anteproyecto fue largo y complejo. En definitiva, la CENC sesionó 417 veces entre el día 24 de septiembre de 1973 y el 05 de octubre de 1978. En octubre de 1978 la CENC le entregó a Pinochet el anteproyecto de una nueva Constitución. En noviembre el documento pasó al Consejo de Estado, órgano consultivo de 18 miembros, civiles y militares, designados por Pinochet quienes elaboraron un nuevo texto constitucional, más cercano a una reforma de la Constitución de 1925, y lo entregaron a la junta de gobierno en julio de 1980. Para decidir las discrepancias entre ambos proyectos, la misma junta nombró una comisión de abogados cercanos que le asesoró en la tarea de revisar el anteproyecto (Correa Sutil, 2015).

La convocatoria a plebiscito, cuya celebración estaba prevista para el día 11 de septiembre de 1980, se realizó mediante el Decreto Ley Nº 3465, publicado en el Diario Oficial el 12 de ese mismo año. En la actualidad es bien conocida la falta de garantías electorales de ese plebiscito. Se ha señalado, entre ellas, la ausencia de espacios para que la oposición se manifieste, la inexistencia de registros electorales y las adulteraciones de resultados (Fuentes, 2013). El plebiscito arrojó como resultado oficial el triunfo de la opción SÍ por un 67,04% de los sufragios (4.204.879 votos). En consecuencia, la Constitución resultó formalmente aprobada y se determinó que su fecha de entrada en vigor sería el 11 de marzo de 1981. Sin embargo, es importante tener presente que parte importante de su contenido, solo entró en vigor hasta el día 11 de marzo de 1990, pues en virtud de sus disposiciones transitorias la junta militar siguió concentrando todos los poderes, incluso el poder constituyente y atribuciones extraordinarias para decretar estados de excepción constitucional. En efecto, el estado de sitio sería la regla general en los años siguientes.

2.2. *La rearticulación de la oposición y la represión en la década de 1980*

El texto de la Constitución Política de la República (CPR) aprobado en 1980 llegaría hasta nosotros, no sin antes sufrir numerosos cambios. Es imposible entender esas reformas sin tener en cuenta, al menos brevemente, el contexto en el que se produjeron. En términos generales, el texto original de la CPR de 1980 era inviable para regir los destinos de una sociedad democrática. Desde luego, nunca fue concebida con dicha finalidad y los juristas que participaron en su elaboración siempre reconocieron abiertamente su carácter autoritario. Sin embargo, en 1989, ante el advenimiento inminente de la democracia, el texto se tuvo que adaptar vertiginosamente a unos estándares mínimos, que permitiesen que la sociedad chilena comience a recuperar su libertad.

Por desgracia la dictadura chilena, una de las más sangrientas de Latinoamérica, ha sido poco estudiada por la historiografía nacional. Al respecto, aún existe controversia sobre hechos esenciales, e incluso, subsiste un desconocimiento sobre una seria de eventos respecto de los cuales solo se han podido reconstruir de forma fragmentaria. Como sea, sí parece haber consenso en que, a partir del año 1982, tendrían lugar una serie de hechos que precipitarían el término de la dictadura en marzo de 1990. Ese año 1982 ocurrió una gran crisis financiera en el país, la más importante desde la época de la Gran Depresión de 1929, en la que el PIB disminuyó un 14,3% respecto del año anterior y el desempleo, según datos oficiales, alcanzó el 23,7%, pero se piensa que fácilmente pudo haber sobrepasado el 30%. Finalmente, la crisis provocó el colapso de todo el sistema financiero, la intervención de la banca por parte del Estado y unos desastrosos efectos en el sector más pobre de la población, que fue sometida a unas condiciones de enorme precarización debido al desastroso estado de la economía.

Ese fue el contexto en el que comenzaron a producirse las primeras protestas en contra de la dictadura, siendo probable que la grave crisis económica contribuyera a crear un inusual clima de mayor tolerancia. La primera manifestación, convocada por los trabajadores del cobre, ocurrió el 11 de mayo de 1983 y la gran cantidad de asistentes sorprendió tanto a los organizadores como también a los dirigentes de la dictadura (Mörckeberg, 1983). De allí en adelante las manifestaciones en contra del régimen se harían frecuentes, a pesar de que era común que estas terminaran con detenidos y muertos. Por ejemplo, el diario El País de España, publicaba en su edición del día 13 de septiembre de 1983 que, durante cinco días de manifestaciones ininterrumpidas contra el régimen de Pinochet, el número de muertos ya ascendía a 16 personas.

Frente a las protestas Pinochet respondió con una fuerte represión. En esta época se sitúan varios de los crímenes más atroces de la dictadura, pues se trataba de víctimas que, en su gran mayoría, no mantenían una actitud violenta en contra del régimen. En este período se observa una política sistemática de exterminio y tortura contra toda persona que intentase articular cualquier atisbo de oposición. Sin perjuicio de lo deleznable de todos los crímenes cometidos por los militares en los 17 años que detentaron el poder, en los primeros años la violencia se dirigió específicamente en contra de quienes habían sido dirigentes políticos y sociales durante el gobierno de la Unidad Popular. Por el contrario, en la década de 1980, los crímenes en muchas ocasiones tuvieron como destinatarios personas sin militancia política, quienes resultaron víctimas por el solo hecho de disentir de manera pública. Durante esta época, por ejemplo, ocurrió el asesinato de Tucapel Jiménez, el caso quemados y el caso degollados. El resurgimiento de la represión en su vertiente más dura acarreó importantes consecuencias, tanto en el plano internacional, como en el plano interno lo que precipitaría el término del régimen autocrático.

En el plano internacional, documentos desclasificados del gobierno de los EE. UU. publicados por el *National Security Archive,* ponen en evidencia el impacto de la represión en las relaciones de dicho país con Chile. Poco después de asumir la presidencia, a comienzos de 1981 Ronald Reagan había reestablecido las relaciones con Chile, levantando las sanciones que su antecesor Jimmy Carter había impuesto al régimen de Pinochet, como consecuencia del atentado de 1976 en Washington, que ocasionó la muerte de Orlando Letelier y su asistente estadounidense Ronni Moffitt. En dichos documentos se observa cómo la consternación mundial que provocó el "caso quemados", fue un factor fundamental en el retiro del apoyo. El 02 de julio de 1986, Rodrigo Rojas De Negri, un fotógrafo chileno residente en EE. UU. y Carmen Gloria Quintana, una estudiante de ingeniería, fueron detenidos por una patrulla militar durante una protesta, rociados con gasolina y quemados. Rodrigo Rojas murió días después, mientras que Carmen Gloria Quintana sobrevivió a pesar de resultar con el 62% de su cuerpo quemado. Esos hechos motivaron la protesta del embajador de EE. UU en Chile y llevaron en definitiva a revisar la política hacia nuestro país.

Por otra parte, la Comisión Interamericana de Derechos Humanos volvió a poner sus ojos en Chile, tal como había sucedido en la década de 1970. El Informe sobre la Situación de los Derechos Humanos en Chile, publicado en 1985 y presentado ante la Asamblea General de la OEA, vuelve a poner a nuestro país en la lista de principales violadores de derechos humanos en el mundo. Las conclusiones del informe recalcan las condiciones deplorables en que se encuentra el país desde la perspectiva examinada, constatándose graves vulneraciones del derecho a la vida, integridad personal, libertad personal, derechos políticos, debido proceso, libertades de expresión e información, derechos laborales y sindicales, entre otros. Dicho informe, como no podía ser de otra manera, genera un repudio mundial contra el régimen de Pinochet.

En el plano interno, la violencia represora fue respondida por los ciudadanos con más movilizaciones de los sectores opositores, cada vez con una mejor organización, pero también alentaron el surgimiento de grupos que buscaban desestabilizar a la dictadura a través de la insurrección armada. Luego del golpe de Estado de 1973, la dictadura prontamente acabó con los movimientos de izquierda que reivindicaban la vía armada al socialismo, específicamente el MIR y el MAPU, los que pronto dejaron de ser una amenaza real para los militares. Sin embargo, los hechos ocurridos a partir de 1982 produjeron, como consecuencia, la articulación de varios grupos que tuvieron por objeto combatir a la dictadura a través de las armas. Entre estos, el más importante fue el Frente Patriótico Manuel Rodríguez (FPMR), surgido en el seno del Partido Comunista, que por entonces se encontraba en la clandestinidad. El FPMR organizó varias actividades de sabotaje, pero sin duda, la que tuvo mayor relevancia pública fue la Operación Siglo XXI, que consistió en la organización de un atentado en contra del mismo Augusto Pinochet.

El atentado falló en su intento de asesinar a Pinochet, pero demostró que incluso el mayor jerarca del régimen era vulnerable. Los hechos sucedieron el 07 de septiembre de 1986 y la comitiva de Pinochet fue emboscada por un comando del FPMR en el camino de regreso del Cajón del Maipo, cerca de Santiago. La acción tuvo como resultado cinco muertos y once heridos entre las personas que custodiaban a Pinochet, pero este último solo resultó herido, pues el auto blindado en el que viajaba logró escapar del lugar. Posteriormente, se determinó que el automóvil había sido impactado por un proyectil antitanques que no detonó al impactar contra el vehículo, pero de lo contrario lo habría destruido completamente. Es probable, que estos hechos hayan llevado a la convicción por parte de los militares, de que era necesario intentar un camino distinto a la mera represión para mantener el poder, siendo necesaria una alternativa que les permitiese algo de legitimidad frente al descrédito internacional y al difícil escenario interno.

2.3. El plebiscito de 1988

La Constitución de 1988 contemplaba en su disposición transitoria (DT) décimo tercera que, el período presidencial que comenzara a regir a contar de la vigencia de esta Constitución duraría el tiempo que establece el artículo 25, es decir, ocho años. Dado que la Constitución entró en vigor el 11 de marzo de 1981, dicho período terminaría el día 11 de marzo de 1989. Al mismo tiempo la DT décimo cuarta establecía que, durante el período anteriormente señalado, continuaría como Presidente de la República Augusto Pinochet hasta el término de dicho período.

A su vez, en las DT vigésimo séptima a la vigésima novena, se establecía el itinerario para que la Constitución de 1980 entre en vigor en plenitud. En ellas se establecían las siguientes reglas:

a) Corresponderá a los Comandantes en Jefe de las Fuerzas Armadas y al General Director de Carabineros, proponer al país, por la unanimidad de ellos a la persona que ocupará el cargo de Presidente de la República en el período presidencial.

b) Dicha designación deberá ser ratificada por la ciudadanía a través de un plebiscito.

c) Si la ciudadanía no aprobare la proposición sometida a plebiscito a que se refiere la disposición vigesimoséptima transitoria, se entenderá prorrogado de pleno derecho el período presidencial a que se refiere la disposición decimotercera transitoria, continuando en funciones por un año más el Presidente de la República en ejercicio y la Junta de

Gobierno, con arreglo a las disposiciones que los rigen. Vencido este plazo, tendrán plena vigencia todos los preceptos de la Constitución.

d) Para estos efectos, noventa días antes de la expiración de la prórroga indicada en el inciso anterior, el Presidente en ejercicio convocara a elección de Presidente de la República y de parlamentarios en conformidad a los preceptos permanentes de esta Constitución y de la ley.

Ahora bien, es materia de controversia cuán dispuesta estaba la dictadura a que la participación de la ciudadanía resultara decisiva, en los casos en que esta era requerida por las citadas disposiciones transitorias de la Constitución. Informes desclasificados de los EE. UU., preparados para el *National Security Council,* niegan que esa era una opción genuina para Pinochet, quien consideraba que perder el plebiscito era un escenario absolutamente improbable. Adicionalmente, existen otros antecedentes que es necesario considerar y sin los cuáles la oposición democrática a la dictadura no hubiese aceptado participar de ese plebiscito. Después de todo, la experiencia de septiembre de 1980 todavía estaba demasiado fresca. Para sorpresa de todos, las garantías mínimas para una elección medianamente competitiva se generarían a partir de tres heroicas sentencias del Tribunal Constitucional, un órgano instituido por la Constitución de 1980 dotado de autonomía, pero que en su primera integración los militares habían designado a todos sus integrantes.

La primera es la sentencia rol 33-1985, en virtud de la cual se declara inconstitucional el artículo 11 transitorio de la Ley Orgánica del Tribunal Calificador de Elecciones, exigiendo la constitución de una justicia electoral efectiva para los actos de votación popular que permitieron el fin del gobierno militar y las reformas constitucionales de 1989. La segunda sentencia, rol 38-1986, declaró inconstitucional el art. 53 h) de la Ley Orgánica Constitucional sobre Sistema de Inscripciones Electorales y Servicio Electoral. Dicha disposición entregaba al Director del Registro Electoral amplias facultades para estimar configurada una causal legal que permitiría excluir ciudadanos del censo electoral. Por último, otro hito importante fue la sentencia rol 43-1987, que recayó sobre la Ley Orgánica de Partidos Políticos. En dicha oportunidad el tribunal declaró inconstitucional, entre otros, los artículos 47 y 48 de dicha ley que, interpretado en relación al artículo 2º del mismo cuerpo legal, disponía que los partidos políticos que no propendan a la "defensa de la soberanía, independencia y unidad de la nación o no contribuyan a preservar la seguridad nacional, los valores esenciales de la tradición chilena y la paz social", podrían ser disueltos por el Director Nacional del Servicio Electoral (Paredes, 2014).

En esas condiciones se realizó el mencionado plebiscito, el día 05 de octubre de 1988. La opción "Sí" obtuvo el 43,01% y la opción "No", el 54,71% de los sufragios válidamente emitidos. La victoria en las urnas significaba que en el plazo de un año se debía convocar a elecciones libres de Presidente de la República, Senadores y Diputados, que la Constitución de 1980 entraría en vigor en su integridad y que ello podría, ser en definitiva, el fin de la dictadura. Pero la coalición, por entonces denominada Concertación de Partidos por el No, tenía claro que no podría haber democracia posible sin reformas a la Constitución de 1980. De esta forma es posible explicar las reformas constitucionales de 1989.

2.4. Las reformas Constitucionales de 1989

Poco tiempo después del plebiscito de 1988, la coalición política vencedora adquirió la convicción de la necesidad de trabajar en un pacto de Estado que hiciera posible la democracia. La negociación de esas reformas ha sido un momento muy poco estudiado por la literatura nacional, con algunas honrosas excepciones, siendo la principal de ellas el libro de Carlos Andrade, en el que se analizan en detalle las negociaciones que dieron origen a esas reformas (Andrade, 1991). El día 14 de octubre, apenas había transcurrido una semana y media del plebiscito, la posteriormente denominada Concertación de Partidos por la Democracia publicó un documento en el que se planteaba la necesidad de cambios constitucionales. Desde el lado del pinochetismo, fue Renovación Nacional el partido que comprendió la importancia de las reformas y contestó la primera propuesta de la Concertación, formulando una segunda propuesta. Pinochet en un principio se mostró en contra de cualquier reforma constitucional, pero el nuevo Ministro del Interior Carlos Cáceres, le terminaría finalmente convenciendo de la necesidad de un pacto para hacer posible la transición.

Por la misma dinámica de las negociaciones, del proceso se irían excluyendo, voluntaria o forzosamente a los partidos con una tendencia más marcada en cada uno de los sectores, y terminarían sentados en la mesa la Democracia Cristiana, representada por Patricio Aylwin y Renovación Nacional, representada por Sergio Onofre Jarpa. En varias de estas conversaciones el mismo Carlos Cáceres obraría como mediador. En una serie de reuniones se analizaron varias propuestas y contrapropuestas de la DC, RN y del propio gobierno. Las conversaciones entre la DC y RN habían comenzado tímidamente en octubre de 1988, a fines de ese año se sumó el Ministro del Interior, y recién el día 31 de mayo de 1989, Augusto Pinochet anunció en cadena nacional que se había llegado a un acuerdo entre gobierno y la oposición de aquel entonces en torno al tema de las reformas constitucionales. A pesar de lo anterior, el vocero de la Concertación, Patricio Aylwin, informaba a la prensa que: "*Las conversaciones que hemos sostenido nos han permitido exponer nuestros puntos de vista al Gobierno. Conociéndolos, el Gobierno ha formulado proposiciones que en alguna medida constituyen un avance y en otros aspectos no nos satisfacen; pero dentro del ánimo de contribuir a lograr ese consenso, nosotros hemos decidido expresar nuestra aquiescencia, para que el Gobierno lleve adelante ese proyecto*". Acto seguido añadiría que, esta aquiescencia no significaba la renuncia a reformas posteriores.

En este escenario la junta de gobierno aprobaría la reforma, que a pesar de ser un decreto ley, llevaría por nombre oficial Ley N° 18.285. Esa norma fue ratificada el día 23 de julio por un plebiscito en el que resultó vencedora la opción *Apruebo,* por un 91,25% de los sufragios válidamente emitidos. En dicha oportunidad se introdujeron 54 reformas al texto original de la CPR. Entre estas se pueden destacar:

a. Derogación del artículo 8° que contenía limitaciones al pluralismo ideológico.

b. Agregación al inciso 2° del art. 5° la cláusula de apertura a los tratados internacionales sobre derechos humanos.

c. Restricción de efectos de los estados de excepción constitucional.

d. Disminución a 4 años del primer período presidencial.

e. Eliminación de la facultad del P. de la R. de disolver la Cámara de Diputados.

f. Aumento del número de Senadores.

g. Eliminación del mecanismo de reemplazo en caso de vacancia de los senadores Institucionales.

h. Modificación de la composición del COSENA, incluyendo al Contralor General de la República.

3. LA TRANSICIÓN A LA DEMOCRACIA: ESPECIAL REFERENCIA A LAS REFORMAS DE 1989 Y 2005

3.1. La transición a la democracia

Existe consenso en que, con el pacto y las reformas constitucionales de 1989, se inauguró el período de nuestra historia denominado Transición a la Democracia, el que se caracteriza porque, durante todo su desarrollo, se seguiría una dinámica similar a la de ese invierno de 1989: la búsqueda de acuerdos cupulares entre los dirigentes de las dos coaliciones, sin la participación directa de la ciudadanía, con evidentes transacciones de ambos lados. Como se puede apreciar, en este primer acuerdo entre los sectores partidarios del pinochetismo y la Concertación de Partidos por la Democracia, se pactaron algunos ajustes en la Constitución que permitieron que los partidos que ocuparían el gobierno partir de 1990, pudiesen tener un mínimo de control sobre el proceso político, pero aceptando importantes limitaciones, que en la práctica asegurarían la supervivencia de los aspectos esenciales de la Constitución de 1980 por muchos años más.

En definitiva, la Concertación, que a esas alturas nadie dudaba que resultaría vencedora en las elecciones presidenciales de 1989, cedió la posibilidad de tener mayoría en el Parlamento, lo que le habría permitido llevar a cabo reformas estructurales, por el contrario, aceptó compartir el poder con los militares y sus partidarios. Resultaba evidente que dicho acuerdo suponía mantener la presencia de Pinochet como un actor relevante en la política de la incipiente democracia que se avecinaba. Ello también tenía una importancia fundamental frente a cualquier intento de investigar las violaciones a los derechos humanos cometidas durante la dictadura.

El camino de las reformas sería sumamente duro para la Concertación. Esto último se explica porque la Constitución de 1980 fue concebida como un completo mecanismo que contenía una serie de cerrojos que impedía la manifestación de la voluntad ciudadana. Se trató de una estrategia de diseño institucional que los juristas de la dictadura llamaron "democracia protegida", un simple eufemismo para designar un modelo que mantenía una profunda desconfianza hacia el ciudadano y a las expresiones genuinas de la democracia. Las reformas de 1989 lograron destrabar sólo una pequeña parte del tejido institucional, que impedía la formación de mayorías parlamentarias y políticas.

El difícil contexto político de la transición se expresó en el abandono de cualquier intento por desconocer la Constitución de 1980. Durante la década de 1990, se impuso la tesis de los "enclaves autoritarios", que planteaba la posibilidad de avanzar en reformas puntuales para dotar de mayor legitimidad a la Constitución, considerando que las críticas a su legitimidad podían resolverse modificando partes específicas de su articulado, por lo que, una vez purgados dichos enclaves autoritarios, una democracia plena imperaría en Chile. Entonces, toda la discusión constitucional giró en torno a identificar cuáles eran esos enclaves autoritarios.

Entre los puntos respecto de los que se generó un mayor consenso, se pueden señalar los siguientes:

3.1.1. Composición del Congreso

Originalmente en la Constitución de 1980 no todo el Congreso era electo a través de sufragio universal. Específicamente, parte de los Senadores no poseía ese carácter. Antes del año 1989 los Senadores designados representaban el 39% de dicha cámara (9 de un total de 23) y la reforma de 1989 solo consiguió aumentar el número de Senadores electos, con el objeto de disminuir la influencia de los designados (se aumentaron los miembros del Senado de 23 a 38, pasando los Senadores designados a representar un 23,5% de los votos). Los Senadores designados eran los siguientes: dos ex Ministros de la Corte Suprema, que hayan desempeñado el cargo a lo menos por dos años continuos; un ex Contralor General de la República, que haya desempeñado el cargo a lo menos por dos años continuos, elegido también por la Corte Suprema; un ex Comandante en Jefe del Ejército, uno de la Armada, otro de la Fuerza Aérea, y un ex General Director de Carabineros que hayan desempeñado el cargo a lo menos por dos años, elegidos por el Consejo de Seguridad Nacional; un ex rector de universidad estatal o reconocida por el Estado, que haya desempeñado el cargo por un período no inferior a dos años continuos, designado por el Presidente de la República, y un ex Ministro de Estado, que haya ejercido el cargo por más de dos años continuos, en períodos presidenciales anteriores a aquel en el cual se realiza el nombramiento, designado también por el Presidente de la República.

Por otro lado, se establecían también los Senadores vitalicios. Al respecto, la norma pertinente señalaba que el Senado estará compuesto, además, por los ex Presidentes de la República que hayan desempeñado el cargo durante seis años en forma continua. Estos senadores lo serán por derecho propio y con carácter vitalicio. En virtud de dicha norma Augusto Pinochet se convertiría en Senador vitalicio en el año 1998, cuando se retiró del Ejército. Al mismo tiempo la norma, conocedora de la circunstancia de que el primer presidente democrático ejercería el cargo solo por 4 años, estableció que el requisito para asumir dicho cargo era desempeñar la primera magistratura por al menos seis años. Esta fue la razón por la que Patricio Aylwin no pudo asumir como Senador al término de su periodo. Al conjunto de Senadores no electos se le denominó Senadores institucionales y su importancia sería clave durante la transición, pues estos terminarían engrosando las filas de la derecha, manteniendo en la práctica una actitud sistemáticamente conservadora respecto del *statu quo*.

3.1.2. Sistema electoral

Otro punto tremendamente polémico fue el sistema electoral para elegir a los parlamentarios, que se denominó sistema binominal. Dicho sistema electoral representaba una rareza a nivel comparado, pues no pertenecía ni a la familia de los sistemas mayoritarios, ni tampoco a la de los sistemas proporcionales. En realidad, era un sistema diseñado para limitar la regla de la mayoría, pues en la práctica producía como resultado un empate entre las dos coaliciones con representación parlamentaria, impidiendo que quien ganaba la elección gobierne ya que aumentaba artificialmente los escaños de la segunda fuerza política más votada. Por esta razón se acuñó como expresión, que el sistema binominal actuaba como "un seguro para los sub-campeones electorales", ¿ya que produjo el efecto de sobrerrepresentar a los perdedores Si bien las reglas del sistema binominal podían favorecer a cualquiera de las dos coaliciones, en términos históricos, la mayoría de las veces la coalición de derecha se benefició de este dispositivo, y por esta razón, a pesar de que la Concertación resultó la clara ganadora en las tres primeras elecciones, nunca pudo reflejar su superioridad electoral en los escaños que obtuvo.

3.1.3. Leyes supermayoritarias

Este aspecto se relaciona estrechamente con el anterior, pues no siendo suficiente para el constituyente de 1980 que sea prácticamente imposible que se formara una mayoría parlamentaria, adicionalmente se blindaron ciertos aspectos claves bajo la figura de las mayorías cualificadas. En este sentido, la Constitución de 1980 contiene una profusa tipología legislativa que establece tres clases de leyes que requieren mayorías cualificadas, que se sitúan entre la ley simple y la Constitución: las leyes de quórum calificado (requieren de la mayoría absoluta de Senadores y Diputados en ejercicio), las leyes orgánicas constitucionales (requieren de 4/7 de Senadores y Diputados en ejercicio) y las leyes interpretativas de la Constitución (requieren de 3/5 de Senadores y Diputados en ejercicio). No es baladí que la última de estas figuras posea el mismo quórum que una reforma constitucional en ciertos capítulos.

Si bien en Derecho comparado varios ordenamientos constitucionales recurren a la figura de las leyes supermayoritarias, la verdad es que su utilización es bastante excepcional. La razón es que representan una figura contramayoritaria, pues dotan a la minoría de un importante poder de veto en contra de la mayoría. Por otra parte, lo normal es que exista solo una figura entre la ley ordinaria y la Constitución. Por ejemplo, la Constitución española de 1978 establece solo la figura de las leyes orgánicas constitucionales, las que para su aprobación requieren el voto de la mayoría absoluta de Senadores y Diputados en ejercicio. Por el contrario, en Chile su uso ha resultado bastante amplio, lo que se tradujo en que la Constitución de 1980 obligó a que todas las cuestiones verdaderamente importantes, debían pactarse entre las dos coaliciones con representación parlamentaria, pues en la práctica los límites a la formación de la voluntad popular hacían impensable traspasar la serie de cerrojos que establecía la Carta Fundamental.

3.1.4. Tutelaje de las FFAA

El rol de las fuerzas armadas fue otra de las materias que generó un hondo debate durante la transición. Al respecto, la Constitución contenía varias disposiciones que atribuían a las Fuerzas Armadas y Carabineros un rol preponderante en su institucionalidad. Antes que todo, es importante destacar que no es usual que las Constituciones del orbe reglamenten a las FFAA de forma tan profusa. La Constitución de 1980 se refiere a estas en una serie de aspectos, de un modo excesivamente reglamentario. Así, siguiendo a Peña, se puede afirmar que respecto de ellas la Constitución aborda, entre otras materias, las siguientes: dependencia administrativa, su composición, misiones y características. También se incluyen referencias a la forma de ingreso a sus plantas y dotaciones, al uso de las armas, la supervigilancia y control de su actividad, la designación de las máximas autoridades institucionales, duración y término de sus funciones. Además de lo anterior, la remisión al legislador orgánico constitucional para los aspectos no regulados constitucionalmente tampoco es libre, pues igualmente se determinan los contenidos de la ley orgánica, como por ejemplo, las cuestiones vinculadas a la carrera de sus miembros, previsión, antigüedad, mando, sucesión de mando y presupuesto (Peña M., 2002).

Sin embargo, más allá de la sistemática constitucional y de su interés por los aspectos de detalle, en la redacción original de la Constitución existían varias figuras que interferían directamente en las decisiones de los órganos políticos democráticamente legitimados, así como alteraban la calidad de cuerpos no deliberantes en materia política y subordinados al poder civil, que debe tener en una democracia el ejército y las demás ramas de la defensa nacional.

a. Las FFAA como garantes de la institucionalidad

La primera de ella tenía que ver con que al artículo 90 inciso 2° original, que convertía a las Fuerzas Armadas en garantes de la institucionalidad, al señalar que estas: *"son esenciales para la seguridad nacional y garantizan el orden institucional de la República"*. Si bien no existía consenso en su significado, parte de la doctrina entendía que esta expresión quería significar que la Carta Fundamental de 1980 legitimaba una intervención militar, incluso cuando a juicio de ellas mismas, se estimara que existía un peligro para las instituciones establecidas por la Constitución de 1980. Al respecto, Godoy afirma, *"el rediseño de los cuerpos armados va más allá de una simple e inocua adición de funciones. Involucra la emergencia de unas Fuerzas Armadas distintas de las tradicionales, independientes y autónomas y bajo un régimen de obediencia a sus mandos superiores y a la institucionalidad. Esta es una condición necesaria para ejercer la función política de garantes de la institucionalidad, que es el fin último que los autores de la Constitución se propusieron asignarles"* (Godoy, 1996).

b. COSENA

Además, la Constitución de 1980 establece un órgano denominado Consejo de Seguridad Nacional, el que originalmente poseía competencia para adoptar decisiones vinculantes en estas materias, en el que las fuerzas armadas eran mayoría y que, incluso, podía autoconvocarse. Recordemos que en el año 1989 se había modificado la integración de este órgano, incorporando al Contralor General de la República, de forma tal de que las autoridades sean mayoría, pero dicha reforma no modificó el carácter vinculante de sus decisiones.

c. Inamovilidad de los Comandantes en Jefe

Adicionalmente existía una tercera cuestión que se relacionaba con las anteriores, que era la inamovilidad de los comandantes en jefe. Y no podía ser de otra manera, porque había que habilitar a las Fuerzas Armadas para que ejercieran funciones deliberativas y decisorias en el orden político. Para ello era menester que se les garantizara la independencia del poder político y se alterara la noción de obediencia. Con ese propósito se diseñaron la inamovilidad de los Comandantes en Jefe y la no intervención del Presidente de la República en los ascensos y retiros de los altos mandos, amén de una ley orgánica constitucional que les atribuye a los cuerpos armados un elevado nivel de autonomía interna, y una nueva doctrina de la obediencia militar (Godoy, 1996).

3.2. La detención de Pinochet y las reformas de 2005

A pesar de que en la década de 1990 se comienzan a aprobar una serie de reformas sobre aspectos específicos, las materias antes reseñadas planteaban desafíos importantes a la novel democracia chilena, puesto que fueron objeto de polémica entre los partidos de la derecha y los de la concertación y perduraron durante quince años, a pesar de lo reñidas que resultaban con cualquier modelo de democracia. La presencia de Pinochet como Comandante en Jefe del Ejército hasta 1998, con una fuerte figuración pública y una marcada lealtad de su sector, contribuyeron a mantener el *statu quo* de 1989. Este juego de suma cero no tenía un pronóstico diferente en el corto plazo, pues a partir de dicho año, el retirado general se convertiría en Senador vitalicio, posición desde donde continuaría ejerciendo su influencia. A pesar de que, oficialmente, en 1990 la Comisión de Verdad y Reconciliación había establecido que el régimen que encabezó era responsable de 3.065 ejecuciones y desapariciones forzosas de ciudadanos chilenos y extranjeros, nadie hubiese pensado que el exdictador enfrentaría un tribunal de justicia. Posteriormente, los informes de la Comisión Valech 1 (2003) y Valech 2 (2011), cifrarían en 40.018 la cifra total de víctimas, incluyendo a todas las personas sometidas a apremios ilegítimos. Sin embargo, a fines de 1998 la situación cambiaría repentinamente, lo que sería el comienzo de nuevos aires para la débil democracia chilena.

En 1998 Pinochet viaja a Londres a un tratamiento médico, oportunidad que aprovecharon algunas víctimas y sus descendientes que por entonces residían en Europa para intentar someterlo a un juicio. En medio de su estadía en el Reino Unido, desde España se solicita una orden de detención internacional y posterior extradición a dicho país para ser juzgado por crímenes de lesa humanidad, respecto de los cuales se entiende que existe jurisdicción universal. Pinochet permanecerá dos años sin poder volver a Chile, y una vez que consigue regresar invocando razones humanitarias, su figura perderá peso en la política nacional, lo que contribuirá a destrabar las negociaciones en materia de reformas constitucionales. Es así como en el año 2001, tal como se había hecho durante toda la transición, las cúpulas de los partidos comienzan a negociar una serie de reformas estructurales que darán origen a la segunda gran modificación de la transición: la reforma constitucional del año 2005. En efecto, las negociaciones comienzan ese mismo año 2000, pero se acelerarían a partir del año 2004 cuando, en una investigación ordenada por el Senado de los EE. UU., se descubrieron millonarias cuentas mantenidas por Augusto Pinochet en el banco Riggs de ese país, con dineros obtenidos como producto de sistemáticas defraudaciones a las arcas fiscales.

La Ley N° 20.50, que establece la reforma a la Constitución más importante desde el año 1989, contemplaba una diversidad de materias que cruzaban todo el articulado constitucional. Dicha reforma constitucional fue iniciada en el año 2000 en virtud de dos proyectos de ley[4], uno presentado por la oposición de la época y otro por parlamentarios de Gobierno. Ambas mociones reflejaban un alto grado de coincidencia en algunas materias, aunque otras eran abordadas con distintos acentos. El primer proyecto, presentado por los partidos de la Alianza, estaba redactado en un tono más conservador. En líneas generales reivindicaba el éxito de la Constitución de 1980 y planteaba que era un modelo que había que mantener, no obstante era preciso perfeccionar en algunos aspectos puntuales. La moción estaba firmada por los Senadores Chadwick, Díez, Larraín y Romero, y las principales materias sobre las que versaba eran: la composición y atribuciones del Congreso Nacional, la aprobación de los tratados internacionales y la integración y funciones del Tribunal Constitucional. En su exposición de motivos, el proyecto indicaba que su finalidad principal era cerrar la transición a la democracia y perfeccionar las instituciones. Por supuesto, dentro de esta genérica denominación, un lugar destacado dentro de su articulado debería haber estado reservado a la eliminación de los mecanismos contramayoritarios que contemplaba el texto original de la Constitución, aunque sorprendentemente no contemplaba disposición alguna que hiciera referencia a la escandalosa presencia de las Fuerzas Armadas en las instituciones civiles. Así las cosas, el proyecto comenzaba dando una visión bastante optimista de lo que ha significado la Constitución de 1980 para la consolidación de la democracia y la protección de los derechos fundamentales, para luego dar a conocer los aspectos, que, en criterio de los legisladores, "necesitan perfeccionarse".

En este sentido, el proyecto proponía para el caso del Senado, que la totalidad de sus miembros sean elegidos por votación popular. En cuanto al Tribunal Constitucional, planteaba modificar la forma de designación de sus miembros eliminando las facultades de las Fuerzas Armadas en la designación de los magistrados, elevar los quórums necesarios para apro-

---

4   Boletines 2526-07 y 2534-07.

bar las leyes orgánicas constitucionales, como de igual forma elevar los quórums de las materias que afecten el orden público económico, aumentar las facultades fiscalizadoras de la Cámara de Diputados, entre otras materias. La exposición de motivos finalizaba señalando que, en relación a las atribuciones de dicho órgano, se plantea "ampliar su competencia con el objeto de que pueda controlar la constitucionalidad de los autos acordados de la Corte Suprema y de los tratados internacionales". De la misma manera, pretendía "transferir el recurso de inaplicabilidad de la Corte Suprema al Tribunal Constitucional, dando vida con ello a una jurisprudencia constitucional especializada y uniforme", aunque el proyecto solamente contemplaba una simple transposición del antiguo recurso de inaplicabilidad, que se contenía en el artículo 80 de la Constitución, al Tribunal Constitucional.

El segundo proyecto, que correspondía a los partidos de Gobierno de la época, se inició con una moción presentada por los Senadores: Bitar, Silva, Hamilton y Viera-Gallo. Carecía de exposición de motivos, no obstante, de su articulado se desprendía su objetivo de poner en discusión un paquete de reformas más amplios y sustanciales, que tocaba todos los temas que se contenía en el proyecto de la oposición, pero que además agregaba otras cuestiones tales como: contemplar un reconocimiento constitucional de los pueblos originarios, sistema electoral en las elecciones parlamentarias o el rol de las Fuerzas Armadas en el proceso democrático. En la discusión en particular en la Comisión de Constitución, Legislación y Justicia, los proyectos, se fusionaron y la tramitación continuó como uno solo hasta su aprobación y promulgación el 18 de agosto de 2005. En su ratificación por el Congreso Pleno, 150 votos a favor, 3 en contra y 1 abstención.

Entre las principales reformas, se encuentran las siguientes:

- Eliminación de los senadores designados y vitalicios. En consecuencia, el Senado quedó conformado por 38 miembros íntegramente elegidos por votación popular.

- Aumento de las facultades fiscalizadoras de la Cámara de Diputados.

- La Corte Suprema adquiere la superintendencia directiva, correccional y económica sobre tribunales militares en tiempo de guerra.

- Se eliminó la función de las Fuerzas Armadas de ser "garantes de la institucionalidad", función que se encarga ahora a todos los órganos del Estado.

- Los comandantes en jefe de las Fuerzas Armadas y el Director General de Carabineros ya no son inamovibles en sus cargos: el Presidente de la República podrá ordenar su retiro. Y ya no necesitará permiso del Consejo de Seguridad Nacional, sino solamente informar al Senado y a la Cámara de Diputados.

- El Consejo de Seguridad Nacional ya no puede autoconvocarse, sino que deberá llamarlo únicamente el Presidente de la República. Dicho Consejo tiene ahora una función sólo de asesoría, al eliminarse la facultad de "hacer presente" sus observaciones a órganos públicos.

- Para declarar estado de asamblea (en caso de guerra externa), el Presidente de la República necesitará el acuerdo del Senado, no el del Consejo de Seguridad Nacional.

La aprobación de estas reformas constitucionales prontamente originó el debate acerca de si tenían el mérito suficiente como para cerrar la transición. Por ejemplo, en opinión del presidente Ricardo Lagos, esa Constitución debería ser considerada una nueva y bautizada como Constitución del año 2005, en reemplazo de su designación original. Sin embargo, era obvio que no todas las cuestiones que había sido identificadas como enclaves autoritarios habían logrado ser reformadas, por ejemplo, el sistema binominal sólo había sido retirado de la Constitución, pero seguía manteniéndose en la ley orgánica, respecto de la cual no se formó acuerdo para su modificación. Otra muestra de que el consenso no había sido total, se manifestó en el hecho de que las leyes supermayoritarias se mantuvieron exactamente igual, ahora en el artículo 66 de la Constitución. Por otra parte, tampoco existió la voluntad de mejorar los mecanismos de participación ciudadana, por ejemplo, estableciendo el plebiscito como regla general de participación, o incorporar la iniciativa popular en materia de ley. En relación con esto último es claro que, aún eliminando todos los enclaves autoritarios, el modelo de democracia de la Constitución de 1980, no pasaría de ser una democracia representativa en el sentido más clásico del término, que no considera la opinión del ciudadano más que para efectos de la participación electoral. Con todo, el problema constitucional pareció desaparecer, al menos por unos años.

3.3. La reactivación del debate constitucional y el proceso constituyente impulsado de la presidenta Michelle

A pesar de los esfuerzos del año 2005 en el 2011 vuelve aparecer el fantasma de la Constitución de 1980. El llamado de alerta partió las manifestaciones populares, principalmente estudiantiles, en contra del gobierno del presidente Sebastián Piñera. Dichas manifestaciones tuvieron como eje principal la demanda por derechos sociales, pero también al mismo tiempo desnudaron la incapacidad de la Constitución para recoger las demandas ciudadanas, lo que puso en evidencia dramáticamente las carencias de la democracia chilena. Todo esto volvió a plantear la necesidad de discutir la aprobación de una nueva Constitución. Los autores rápidamente aceptaron la invitación a la reflexión y se publicaron una serie de estudios que coinciden en que la Constitución de 1980 representa una norma, que pesar de todas las reformas, nunca ha podido pulgar su pecado original (Atria, 2013). De este modo, la tesis que ha primado en la doctrina de los últimos años es que la teoría de los enclaves autoritarios era falsa, puesto que con modificaciones no es posible solucionar el problema constitucional, sino que ello implica cambiar cuestiones que son estructurales, lo que evidencia la necesidad de una nueva Constitución.

Sin embargo, la reactivación de este debate en el plano académico y universitario, no consiguió en ese momento instalar la discusión con el nivel de masividad necesario para lograr que ese ímpetu se traduzca en una nueva Carta Fundamental. Con motivo de las elecciones presidenciales de 2014, se organizó un movimiento ciudadano que pretendía que, a partir de la marca en el voto de la expresión Asamblea Constituyente, se pudiese provocar un resultado similar al movimiento que originó la Constitución colombiana de 1991. Dicha iniciativa fracasó, debido a que la cantidad de votos marcados no fue suficiente para que la demanda alcanzara una cifra significativa que obligue a los órganos políticos a discutir este asunto. En cualquier caso, la mayoría de los candidatos de esa elección presidencial, salvo la abanderada de la UDI y RN Evelyn Matthei, contenían en sus programas de gobierno impulsar la discusión de una nueva Constitución.

Con este propósito, Michelle Bachelet, una vez electa como presidenta en su segundo mandato, anunció el inicio del proceso constituyente en abril de 2016, con una serie de encuentros de participación ciudadana en que, los insumos que se produjeran de esas actividades, serían utilizados para la redacción de una propuesta de nueva Constitución. Al mismo tiempo, se optó por intentar que el proceso se lleve a cabo dentro de las normas de reforma constitucional, incorporando una disposición al capítulo XV de la actual Constitución que permitiese el reemplazo de la Carta actualmente vigente. Los partidos de oposición se mantuvieron al margen durante todo el proceso y evitaron participar de cualquier actividad relacionada con este. El proyecto recién vio la luz en los últimos días del gobierno de la presidenta Bachellet, que finalmente consiguió presentarlo en el Congreso. Las autoridades del nuevo gobierno retiraron el proyecto del Congreso apenas asumieron, afirmando que esta materia carece de urgencia frente a los problemas reales del país.

Capítulo Séptimo
Las declaraciones axiológicas de la Constitución de 1980

1. EL PAPEL DE LAS DECLARACIONES AXIOLÓGICAS EN EL DERECHO CONSTITUCIONAL

Como gran parte de las Constituciones del mundo, la Carta de 1980 contiene entre sus primeras disposiciones una especie de declaración de principios, en la que se expresa la filosofía que la inspira. En términos históricos, este tipo de disposiciones han sido tradicionalmente consideradas por el constitucionalismo comparado como una manifestación del carácter extrajurídico de las normas de la Constitución dogmática, por ende, no vinculantes para los poderes públicos. De este modo, en Europa se entendió hasta mediados del siglo XX que estas cumplían un papel meramente orientador, pero en la actualidad, esa visión ha ido cambiado y las declaraciones de principios cumplen un importante rol como insumos en la interpretación constitucional.

Sin embargo, a pesar de que contemporáneamente ya no se cuestione que estas normas cumplan una función plena como parte del ordenamiento constitucional, su aplicación sigue generando debate. Kelsen, por ejemplo, recomendaba no incluir en el texto conceptos como justicia, libertad o igualdad, asimismo, aconsejaba una redacción precisa en todas aquellas cláusulas relativas a los derechos fundamentales. En este orden de cosas, este tipo de enunciados ha recibido por la doctrina el nombre de "conceptos esencialmente controvertidos". Al respecto, Iglesias destaca que estos conceptos poseen cuatro características: a) son conceptos evaluativos, b) son complejos c) tienen un carácter argumentativo, y d) desempeñan una función dialéctica (Iglesias, 2000). En síntesis, se trata de conceptos respecto de las cuales existen distintas visiones alternativas que compiten por dotarlos de contenido, lo que dificulta considerablemente su empleo. Si esto es efectivo, entonces, su aplicación práctica requiere un esfuerzo de especificación, o incluso, de desarrollo que está ligado a una postura ideológica concreta

En el caso de la Constitución chilena existe una dificultad adicional, pues en la génesis de la Carta de 1980 confluyen circunstancias históricas que añaden una complejidad distinta a esta materia. Si se observan otras disposiciones análogas en diferentes Constituciones, el contenido axiológico normalmente está asociado a un compromiso con los valores del Estado de Derecho, lo que no se puede aplicar exactamente al caso chileno.

Por ejemplo, el art. 1° de la Constitución alemana de 1949 establece:

> *(1) La dignidad humana es intangible. Respetarla y protegerla es obligación de todo poder público.*
> *(2) El pueblo alemán, por ello, reconoce los derechos humanos inviolables e inalienables como fundamento de toda comunidad humana, de la paz y de la justicia en el mundo.*
> *(3) Los siguientes derechos fundamentales vinculan a los poderes legislativo, ejecutivo y judicial como derecho directamente aplicable*

De manera muy parecida, la Constitución francesa de 1958 proclama en su artículo 1°.

> *Francia es una República indivisible, laica, democrática y social que garantiza la igualdad ante la ley de todos los ciudadanos sin distinción de origen, raza o religión y que respeta todas las creencias. Su organización es descentralizada.*
> *La ley favorecerá el igual acceso de las mujeres y los hombres a los mandatos electorales y cargos electivos, así como a las responsabilidades profesionales y sociales*

A pesar de que se ha discutido intensamente acerca de los contornos de la noción de Estado de Derecho, la invocación de dichos principios alude a la idea de un sistema constitucional, que expresa un reconocimiento a las distintas concepciones acerca de lo justo como medida de lo que resulta admisible en una sociedad decente. Esta manera de entender los valores constitucionales garantiza cierta coherencia, aunque también ha suscitado críticas debido a su generalidad y ambigüedad. En definitiva, el cuestionamiento que se ha formulado al respecto es que, solo premunidos de estas disposiciones, casi cualquier resultado interpretativo puede ser justificado. A pesar de lo anterior, numerosos tribunales constitucionales del mundo han formulado declaraciones en el sentido de afirmar la vinculatoriedad de los valores propios del Estado de Derecho.

En este sentido, la complejidad añadida en el caso chileno se debe a que los valores reconocidos por la Constitución de 1980 parecen tener una visión más sesgada que la mirada más amplia que contienen los principios del Estado de Derecho consagrados en otras Constituciones. Pero incluso, si lo anterior no fuera suficiente, no siempre es fácil observar coherencia ideológica en las declaraciones axiológicas del capítulo primero. En este punto, podemos citar el artículo de Bassa y Viera, que muestra que en la

Constitución chilena no es fácil encontrar coherencia en esta materia, sino más bien es posible advertir un sincretismo teórico de carácter ideológico. En efecto, no es posible explicar su contenido a partir de una sola ideología, sino más bien existe una diversidad de doctrinas que la informan (iusnaturalismo, anarcoliberalismo, democracia instrumental), que incluso en ocasiones entran en tensión entre ellas (Bassa & Viera, 2008). Todo esto muestra lo incorrecto que resulta interpretar la Constitución a partir de un enfoque originalista, a pesar de la insistencia en ello de la jurisprudencia y parte importante de la doctrina.

Sin perjuicio de todo lo anterior, nuestro Tribunal Constitucional se ha pronunciado en similar sentido que la jurisprudencia comparada, reivindicando el papel de las declaraciones axiológicas, al declarar que: *"Los principios y valores establecidos en la Constitución no configuran meras declaraciones programáticas, sino que constituyen mandatos expresos para gobernantes y gobernados, dada la fuerza obligatoria de los preceptos constitucionales en virtud de lo dispuesto en el artículo 6º (STC 46 c. 21, STC 280 c. 12, STC 1185 cons. 11 y 12, STC 2410 cons. 11 y 12, STC 2747 c. 12, STC 2801 c. 12, STC 2860 c. 14, STC 2887 c. 19)"*.

2. EL ARTÍCULO 1º DE LA CONSTITUCIÓN Y SU COMPROMISO AXIOLÓGICO

En lo que sigue se analizará el contenido del artículo 1º CPR, el que se cita a continuación, para inmediatamente comentar sus disposiciones en detalle. Esta dispone:

> *"Artículo 1. Las personas nacen libres e iguales en dignidad y derechos.*
> *La familia es el núcleo fundamental de la sociedad.*
> *El Estado reconoce y ampara a los grupos intermedios a través de los cuales se organiza y estructura la sociedad y les garantiza la adecuada autonomía para cumplir sus propios fines específicos.*
> *El Estado está al servicio de la persona humana y su finalidad es promover el bien común, para lo cual debe contribuir a crear las condiciones sociales que permitan a todos y a cada uno de los integrantes de la comunidad nacional su mayor realización espiritual y material posible, con pleno respeto a los derechos y garantías que esta Constitución establece.*
> *Es deber del Estado resguardar la seguridad nacional, dar protección a la población y a la familia, propender al fortalecimiento de ésta, promover la integración armónica de todos los sectores de la Nación y asegurar el derecho de las personas a participar con igualdad de oportunidades en la vida nacional".*

2.1. Las personas nacen libres e iguales en dignidad y derechos

La protección de la libertad, la igualdad y la dignidad de la persona representan valores que bien pueden considerarse una buena síntesis del constitucionalismo clásico. Desde la óptica de nuestra dogmática se asume que, a partir de su proclamación en el artículo 1° CPR, estos valores representan el fundamento del sistema constitucional chileno. El Tribunal Constitucional se ha referido a esta cláusula, tanto de manera genérica como específica. En el primer caso ha señalado que: *"La dignidad, a la cual se alude en el art. 1°, inc. 1°, CPR, principio capital de nuestra Constitución, es la cualidad del ser humano que lo hace acreedor siempre a un trato de respeto, porque ella es la fuente de los derechos esenciales y de las garantías destinadas a obtener que sean resguardados"* (STC 389 c. 17) (En el mismo sentido, STC 433 c. 24 y 25, STC 521 c. 18, STC 2921 c. 4, STC 3028 c. 4). Complementariamente se ha resuelto que: *"La dignidad de la persona dice relación con la naturaleza del ser humano, que la Constitución entiende como un ser corpóreo espiritual con un sentido trascendente, que lo hace superior y anterior al Estado y a toda sociedad, constituyéndose así en el principio rector de todo el ordenamiento jurídico. Dicha dignidad lo diferencia de las demás realidades existentes* (STC 3364 c. 17).

Desde una perspectiva más específica se ha asociado la protección de la dignidad con: la privacidad (STC 1894, c. 20), derecho a la seguridad social (STC 1710, c. 85), identidad personal (STC 1340, c. 10, 25 y 27), presunción de inocencia (STC 2936 c. 9), protección del embrión desde su concepción (STC 740, c. 45 y ss.), principio *non bis in ídem* (STC 3029, c. 9), etc. Todo esto muestra que el uso que se le puede dar a esta cláusula es bastante amplio.

A pesar de la amplitud con que la jurisprudencia trata este valor, se puede afirmar que en toda esta jurisprudencia subyace una concepción kantiana de la dignidad humana, pero, aun así, el asunto no es de fácil comprensión. Si se pudiera poner en palabras sencillas, diríamos que la dignidad humana es aquello que nos hace humanos, que permite distinguirnos de otros seres vivos y que nos hace acreedores de igual respeto. Al respecto, para comprender su función en el Derecho constitucional contemporáneo, es útil recurrir a planteamientos provenientes directamente del ámbito de la filosofía. Para Habermas el concepto de dignidad humana no es una expresión clasificatoria vacía, por el contrario, es la fuente de la que derivan todos los derechos básicos, además de ser la clave para entender todo su proceso de construcción histórica. El mismo autor destaca que, la dignidad humana, como concepto filosófico ya existía en la Antigüedad, pero que adquirió su expresión canónica actual con Kant (Habermas J., 2010). Según Cofré en Kant la dignidad humana queda vinculada a las ideas de libertad, persona humana y reino de los fines (Cofré, 2004). En concreto, Kant intenta construir una auténtica antroponomía, una imagen normativa del hombre, extraída desde los principios del deber. El ser humano, por tanto, como sujeto de deberes, responsable y libre, es persona moral. Y una persona moral está obligada a aceptar y acatar los preceptos morales. Kant busca, pues, un mandato que, no dependiendo de condición alguna, dependa de sí y se baste a sí mismo. Desde este punto de vista, la inmoralidad consiste, entonces, en dejarse llevar por la causalidad natural; en no imponer a la causalidad la causalidad no causada, con la cual la persona moral reafirma su libertad (Cofré, 2004).

Igualmente difícil de aprehender, pero incluso más polémicas, han resultado las nociones de libertad e igualdad. Respecto de esta primera, algunos autores creen ver en estas disposiciones del título preliminar la expresión de un Estado libertario y abstencionista. Por ejemplo, Cerda opina en este sentido que: *"nuestra organización estatal toma posición entre los Estados liberales, es decir, entre aquellos que aprecian la libertad de los individuos como un postulado esencial que no admite otras limitaciones que no sean las destinadas a preservar la misma libertad a los demás individuos"* (Cerda, 1985).

Esta interpretación, a nuestro juicio, supone un error por dos motivos. El primero de ellos implica relevar que, aun cuando fuere correcto que el constituyente de 1980 presenta un enfoque eminentemente liberal, la verdad es que entender el liberalismo exclusivamente de esta manera parece un reduccionismo, puesto que aquella es solo una de las posibilidades dentro de la inmensa familia de doctrinas liberales. Es equivocado identificar Estado mínimo con liberalismo sin más, pues también es necesario recordar que existen otras versiones de esta teoría que poseen una mayor sensibilidad con la justicia social y la posibilidad de establecer con dicho fin restricciones a la libertad, como sucede por ejemplo en el liberalismo de John Rawls (1986). Para este autor, la libertad puede ser legítimamente restringida también por causa de la justicia social, cuando en una sociedad se producen diferencias más allá de lo tolerable.

Pero, sin perjuicio de lo anterior, igual es importante aclarar que no necesariamente la proclamación de la libertad significa asumir las tesis liberales. Es verdad que el liberalismo siempre ha defendido un concepto negativo de libertad, basado únicamente en la ausencia de obstáculos y que aboga primordialmente por un Estado mínimo, pero no es esta la única interpretación posible de este valor. Para el republicanismo, la libertad posee una dimensión eminentemente positiva. Para explicar esta concepción de libertad se han utilizado distintas metáforas, por ejemplo, Taylor habla de libertad como reconocimiento (Taylor, 1992), Hannah Arendt de no dominación (2015). Para Petit una relación de dominación se configura sobre la base de tres elementos: 1. Capacidad para interferir en las decisiones de una persona o institución, 2. de un modo arbitrario, 3. en determinadas elecciones que esa persona o institución pueda realizar. Según este último autor, la cuestión esencial es cómo minimizar el riesgo de que el Estado cobre una forma dominadora y para ello los instrumentos empleados por el Estado republicano deberían ser, en lo posible no manipulables (Petit, 1999). En síntesis, en el liberalismo la libertad consiste en eliminar los obstáculos que limitan el actuar, en el republicanismo la libertad solo puede ser entendida en el marco de un conjunto de reglas que la orienten a la formación de la decisión colectiva.

En relación con el valor de la igualdad se puede decir algo similar. Se trata un valor tremendamente controvertido, que recibe distintas interpretaciones según la doctrina política de que se trate. A pesar de que esta informa varios de los derechos fundamentales consagrados en el art. 19 de la CPR, en tanto valor la igualdad ha sido escasamente desarrollada por la doctrina nacional. Al respecto, es obvio que la igualdad como valor posee un tremendo potencial transformador, siendo por ejemplo en Europa el verdadero motor del Estado social. No obstante, la jurisprudencia chilena ha preferido mantener una concepción formal de la igualdad (Díaz de Valdés, 2015). En este sentido, el Tribunal Constitucional se ha manifestado, señalando que: "*La igualdad ante la ley consiste en que las normas jurídicas deben ser iguales para todas las personas que se encuentren en las mismas circunstancias y, consecuencialmente, diversas para aquellas que se encuentren en situaciones diferentes. No se trata, por consiguiente, de una igualdad absoluta sino que ha de aplicarse la ley en cada caso conforme a las diferencias constitutivas del mismo. La igualdad supone, por lo tanto, la distinción razonable entre quienes no se encuentren en la misma condición. Así, se ha concluido que la razonabilidad es el cartabón o standard de acuerdo con el cual debe apreciarse la medida de igualdad o la desigualdad*" (STC 784 c. 19).

Interpretada de esta manera, casi siempre como una igualdad formal, este valor ha sido puesto al servicio de una concepción liberal clásica, que desconfía profundamente de las diferencias existentes en una sociedad como la chilena en la actualidad. Esta interpretación de la igualdad ha sido criticada más recientemente, planteándose por diversos autores la necesidad de formularla como una igualdad sustantiva, es decir, la igualdad bajo esta última concepción vendría siendo más bien un derecho a la diferencia razonada. Este enfoque acerca del derecho a la igualdad es el antecedente más próximo del Estado social de Derecho. En Chile solo una parte minoritaria de la doctrina cree ver posible reconstruir la igualdad sustantiva y el Estado social de Derecho a partir de la proclamación de los valores constitucionales (Solari, 1993).

2.2. La familia como núcleo fundamental de la sociedad

Llama la atención que a continuación de una disposición que tiene una impronta enmarcada dentro del constitucionalismo clásico como la anteriormente analizada, la Constitución contenga otra que proviene de una tradición de pensamiento completamente distinta. Se podría decir, en cierto sentido, que la familia como base fundamental de la sociedad es una idea premoderna, que se remonta a Aristóteles. Igualmente, ha sido el pensamiento cristiano quien ha tomado esta tesis como propia, siendo esta última versión la que ha ejercido mayor influencia en la Carta de 1980. La importancia que tiene la familia se ve también reflejada en el inciso final de este artículo, en el sentido de que se señala que es deber del Estado dar protección a la familia y propender al fortalecimiento de esta. Aparentemente, en la concepción del constituyente de 1980, o al menos para un grupo de los juristas de la dictadura, la familia poseía una gran relevancia, ya que adicionalmente esta se encontraba presente en el derogado artículo octavo, el que se señalaba que eran inconstitucionales los movimientos y partidos políticos que atentaren contra la familia. Del mismo modo, en el artículo 19 N° 4 se protege la vida privada y la honra de la familia.

Como ya se señaló, los tratadistas cercanos al régimen de la dictadura creían ver en esta referencia a la familia una influencia del pensamiento católico. Así lo expresan autores como Sergio Díez (1999) o Eduardo Soto Kloss (1994). De ser correcta esta tesis, la cláusula relativa a la familia recibiría un contenido bien concreto que sería el propugnado por la doctrina del Iglesia Católica, traducido en la idea de la familia tradicional, es decir la unión entre un hombre y una mujer, unida por vínculo matrimonial y con la finalidad esencial de la procreación.

No obstante, también es posible encontrar más recientemente una opinión distinta que disiente de esta tesis. Al respecto resulta interesante el trabajo de las profesoras Turner y Zúñiga, que muestran cómo en las Constituciones latinoamericanas la referencia a la familia es bastante frecuente, pero ello no necesariamente supone una correlación con un modelo determinado de familia, sino más bien las tendencias van en el sentido opuesto es decir, desvinculando familia y matrimonio. De la misma manera, también se observa una asociación más directa entre familia y derechos sociales, protección de la infancia, de la ancianidad, de la discapacidad y de los derechos sociales y reproductivos de la mujer. Como se puede comprobar a la luz de este trabajo, es perfectamente posible que esta cláusula reciba una interpretación diversa de la tradicional (Zúñiga & Turner, 2013). Una mirada similar es posible de encontrar en la jurisprudencia de la Corte Interamericana de Derechos Humanos (Corte IDH), la que ha señalado en varios pronunciamientos que no existe un concepto cerrado de familia, ni mucho menos se protege solo un modelo de esta. Por la misma razón, la referencia que hacen los tratados a la familia debe entenderse de forma tal que comprenda a todas las personas vinculadas por un parentesco cercano, ni tampoco está reducida únicamente al matrimonio, sino también a otras formas de vida en común.

Sobre esto último, solo a modo de ejemplo se puede citar la Sentencia Fornerón e Hijas v. Argentina, caso que se trató sobre la decisión judicial de privar a un padre soltero de la posibilidad de hacerse cargo de su hija, otorgada en adopción a otra familia a través de un proceso irregular. La Corte IDH resolvió en dicha sentencia que "*no hay nada que indique que las familias monoparentales no puedan brindar cuidado, sustento y cariño a los niños*" y que "*[l]a realidad demuestra cotidianamente que no en toda familia existe una figura materna o una paterna, sin que ello obste a que ésta pueda brindar el bienestar necesario para el desarrollo de niños y niñas*"[5]. Sin perjuicio de lo anterior, en una sociedad democrática, lo óptimo pareciera ser que el contenido de las relaciones familiares quede entregado a la determinación del legislador y no que sea abordado constitucionalmente, ya que se trata de un ámbito que pertenece a esfera de la vida privada de las personas.

Resulta interesante constatar que La Ley N° 21.150, publicada en abril de 2019, que crea el Ministerio de Desarrollo Social y Familia, parece avanzar en el reconocimiento de un concepto más amplio de familia, al definirla en los siguientes términos: "*Familia: núcleo fundamental de la sociedad, compuesto por personas unidas por vínculos afectivos, de parentesco o de pareja, en que existen relaciones de apoyo mutuo, que generalmente comparten un mismo hogar y tienen lazos de protección, cuidado y sustento en-*

---

[5]   Corte IDH, Caso Fornerón e hija vs. Argentina (fondo, reparaciones y costas), 27 de abril de 2012, párrafo 98.

tre ellos". En cualquier caso, habrá que ver qué papel cumple esta definición legal y cómo es interpretada por los tribunales de justicia.

2.3. *La protección de los grupos intermedios y el principio de subsidiariedad*

Continúa el artículo 1° en su inciso tercero con una disposición que ha generado un enorme debate: *"El Estado reconoce y ampara a los grupos intermedios a través de los cuales se organiza y estructura la sociedad y les garantiza la adecuada autonomía para cumplir sus propios fines específicos"*. Se trata, en consecuencia, del principio de subsidiariedad, que según la doctrina más autorizada debe ser complementado con el numeral 21 del artículo 19. Se dice que el principio de subsidiaridad es uno de los elementos centrales en la ideología de la Constitución de 1980. Por lo mismo, también una de las cuestiones más polémicas de todo su texto.

La interpretación más común es entender este principio relacionado con el papel del Estado en la actividad económica. En estos términos, la subsidiariedad significa entender al mercado como el principal mecanismo que permite a las personas satisfacer sus necesidades esenciales. Por esta razón, el Estado debe conceder un amplio margen de libertad a la iniciativa de los particulares para perseguir el progreso económico y social. Si se quiere, desde la vereda contraria, el Estado no debe interferir ni en los fines ni en los medios que los particulares deciden que son los más adecuados para satisfacer sus necesidades. Lo subsidiario viene dado, porque al Estado, solo se le permite actuar en reemplazo de los particulares, es decir, si estos no desean realizar una actividad, o si no existe manera posible de que estos la realicen de forma adecuada. De esta forma, el principio de subsidiariedad encarna una concepción del Estado mínimo, asociado comúnmente al liberalismo libertario, esencialmente en su vertiente económica.

Sin ánimo de agotar un tema que ha generado bastante literatura y múltiples pronunciamientos jurisprudenciales, existen tres aspectos que es necesario destacar.

2.3.1. Concepto de grupos intermedios

A pesar de que se entiende que el principio de subsidiariedad está ligado al liberalismo, la Constitución contiene una singular mención a los grupos intermedios, lo cual resulta curiosa desde este punto de vista, pues el liberalismo es una ideología que se centra en el individuo y no en colectivos de personas. Esto hace necesario revisar brevemente qué se ha entendido por grupos intermedios en Chile. Se suele decir al respecto, que los grupos intermedios son los conglomerados de personas que se sitúan entre el individuo y el Estado, y que representan la manera natural a partir de la cual se organiza la sociedad. Entre estos podemos mencionar: empresas, instituciones educativas, sociales, culturales deportivas, gremios, sindicatos, etc.

Estas agrupaciones, acuerdo con la normativa constitucional, son los verdaderos destinatarios del principio de subsidiariedad, evidenciándose un resabio de corporativismo fascista en su formulación, puesto que el fascismo como modelo de organización social de organización social concibe al Estado como una suerte de cuerpo social y en los grupos intermedios como sus órganos. De hecho, la doctrina política que alumbra este principio en Chile es el gremialismo, movimiento nacido en el seno de la Universidad Católica, que sigue muy de cerca los pasos del corporativismo italiano y español.

El Tribunal Constitucional se ha pronunciado sobre el particular, señalando: *"Estos son "agrupaciones voluntariamente creadas por la persona humana, ubicadas entre el individuo y el Estado, para que cumplan sus fines específicos a través de los medios de que dispongan, con autonomía frente al aparato público". Grupo intermedio es "todo ente colectivo no integrante del aparato oficial del Estado, goce o no de personalidad jurídica, que en determinada situación actúe tras ciertos objetivos"* (STC 1295, c. 55).

2.3.2. La idea de autonomía

La Constitución señala que a los grupos intermedios se les reconoce la adecuada autonomía para el cumplimiento de sus fines. Es obvio que esa autonomía deber ser entendida respecto del Estado. Existen dos manifestaciones principales de dicha autonomía. La primera de ellas tiene que ver con su organización interna. En este sentido, el Tribunal Constitucional ha precisado que: *"La autonomía de los cuerpos asociativos se configura, entre otros rasgos esenciales, por el hecho de regirse por sí mismos; esto es, por la necesaria e indispensable libertad para organizarse del modo más conveniente según lo dispongan sus estatutos, decidir sus propios actos, la forma de administrarse y fijar los objetivos o fines que deseen alcanzar, por sí mismos y sin injerencia de personas o autoridades ajenas a la asociación, entidad o grupo de que se trata"* (STC 184, c. 7).

Pero existe un segundo ámbito en que también se puede plantear la existencia de esta autonomía, relativo a la existencia de una serie de derechos fundamentales, concebidos para garantizar la actuación de los grupos intermedios en materias económicas. Al respecto se pueden citar varias disposiciones, como por ejemplo el artículo 19 N° 20, que reconoce la igualdad tributaria; el 19 N° 21, que consagra el derecho a la libertad de empresa; 19 N° 22 que asegura el derecho a no ser discriminado en materia económica; el denominado estatuto de la propiedad, que en los numerales 23, 24 y 25, del artículo 19 establece una serie de garantías de la propiedad privada, etc. Todos estos derechos están diseñados como libertades negativas frente al Estado y se ha resuelto sistemáticamente que su titularidad corresponde no solo a los individuos, sino también a las agrupaciones, gocen o no de personalidad jurídica.

2.3.3. La subsidiariedad más allá del plano estrictamente económico

la importancia que se le ha asignado al principio de subsidiariedad ya es debatible si se lo circunscribe netamente al terreno económico. Es obvio que los partidos políticos de izquierda lo identifican como el paradigma de un Estado egoísta, que no se hace responsable por las desigualdades estructurales de sus habitantes. Sin embargo, en Chile el principio de subsidiariedad ha tenido una importancia bastante más allá de lo económico, o si se quiere, pareciera ser que la comprensión de lo económico ha sido extraordinariamente amplia, invadiendo otras esferas de la vida en sociedad diferentes del mero hecho de obtener lucro a través de una actividad empresarial.

Es así como en la praxis, el principio subsidiariedad ha vertebrado también la forma de abordar problemas sociales que implican valores como la solidaridad, la dignidad o la justicia social, y que en otros países entienden que forman parte de las funciones esenciales del Estado, a través de la noción de servicio público. Por ejemplo, ámbitos como la educación, la salud y la seguridad social, han quedado entregados al mercado y con una presencia muy escasa por parte del Estado. A esto se suma una tendencia conocida como la "propietarización de los derechos", que entiende al derecho de propiedad desde una perspectiva muy amplia, considerando como objetos susceptibles de apropiación a cada uno de estos bienes básicos que antes mencionábamos, o incluso a los intereses difusos o a los bienes que naturalmente deberían pertenecer a la comunidad en su totalidad.

Solo para mostrar lo contraintuitivo que puede resultar este enfoque, donde la noción de lo público casi no existe, se puede traer a colación la STC rol 1295 que intenta explicar con evidentes dificultades, cómo es posible que, en un esquema dominado por la noción de Estado no interventor, se financie públicamente una pequeña parte del presupuesto del Cuerpo de

Bomberos de Chile con fondos públicos. Al respecto señala el considerando 72 de esa sentencia: *"Debido a que los bomberos son voluntarios se explica que la sociedad, a través del legislador, ha repartido el costo del Cuerpo de Bomberos entre todos sus miembros. Ahora bien, es cierto que la ley grava a algunas empresas con ciertas obligaciones específicas en relación a los bomberos, pero esto ocurre porque si la sociedad contribuye a bomberos vía Ley de Presupuestos o de exenciones, con mayor razón deben hacerlo quienes, en cierto sentido, se ven beneficiados con la labor de los bomberos, esto es, las compañías de seguros"*.

2.4. El fin y los deberes del Estado

Por último, en los dos incisos finales del artículo 1° se hace referencia a los fines y deberes del Estado. Respecto a lo primero, la citada disposición reza: *"El Estado está al servicio de la persona humana y su finalidad es promover el bien común, para lo cual debe contribuir a crear las condiciones sociales que permitan a todos y a cada uno de los integrantes de la comunidad nacional su mayor realización espiritual y material posible, con pleno respeto a los derechos y garantías que esta Constitución establece"*. Más allá del poco peso específico que ha tenido esta cláusula en la praxis constitucional, se puede mencionar que su filiación pertenece claramente a la tradición de pensamiento aristotélico tomista, lo que en sí mismo resulta cuestionable en un Estado democrático, en el que todas las visiones acerca del bien deben ser merecedoras de igual consideración, por tanto, el Estado debe mantener la neutralidad respecto de todas ellas.

Más concretamente, la idea del bien común está asociada a una concepción premoderna de la organización social, mecanicista, estamental, organicista y perfeccionista. Esta misma noción es recogida por el pensamiento social de la Iglesia, que es una de las fuentes ideológicas de donde se nutre la Constitución de 1980. Así, por ejemplo, en la constitución pastoral *Gaudium et Spes* se define el bien común como: *"el conjunto de condiciones de la vida social que hacen posible a las asociaciones y a cada uno de sus miembros el logro más plena y más fácil de la propia perfección"*. Ahora bien, algunos autores han planteado que la noción de bien común puede ser rehabilitada en su utilización en una sociedad democrática plural y contemporánea, sin embargo, ninguno de esos intentos ha arrojado luces concretas acerca del significado de esta idea (Michelini, 2007). En cualquier caso, parece discutible que la Constitución debiese contener declaraciones de este tipo, teniendo en cuenta que en la actualidad la noción de bien resulta controvertida. Por ende, su determinación no es posible hacerla de forma sustantiva, sino que, por el contrario, el camino que han adoptado las sociedades contemporáneas es implementar acuerdos procedimentales a través de la idea de democracia.

A su vez, en el último inciso, en el que se expresan: *"Es deber del Estado resguardar la seguridad nacional, dar protección a la población y a la familia, propender al fortalecimiento de ésta, promover la integración armónica de todos los sectores de la Nación y asegurar el derecho de las personas a participar con igualdad de oportunidades en la vida nacional".* Llegados a este punto, se puede constatar que este inciso ofrece una síntesis del sincretismo ideológico que presenta la Carta de 1980. Con el propósito de no ser reiterativos se abordarán solo dos de las cuestiones que surgen de este inciso: la nación chilena y la defensa de la seguridad nacional.

Asume el Constituyente de 1980 una idea de Estado nacional. En cualquier caso, esta mirada no es patrimonio exclusivo del Constituyente de 1980, ni incluso de las Constituciones chilenas. En toda Latinoamérica, luego de obtenida la independencia, la construcción de los nuevos Estados se llevó a cabo sobre la base del Estado-nación. Esta asociación había gozado de gran difusión durante la Revolución Francesa, y posteriormente, terminó por consolidarse como un binomio inseparable. Sin perjuicio de todos los problemas que ocasiona el concepto de Estado nación, en Latinoamérica había uno adicional: ninguno de los nacientes Estados poseía en su origen una homogeneidad cultural, lo que trajo como consecuencia que esta se trató de conseguir artificialmente. La manera de hacerlo fue forzar, a través de un poder centralizado, una política de identidad nacional (Álvarez, 2005). En Chile las cosas no fueron muy distintas. Al respecto, Peralta ha dado cuenta del intento inicial fallido de incorporar al pueblo Mapuche a la construcción de la identidad nacional exclusivamente sobre la lógica de los deberes y no de los derechos políticos (Peralta, 2009). Ante el fracaso de esta estrategia, el Estado chileno terminó recurriendo directamente a la violencia, subyugando por las armas a los pueblos originarios llevando a cabo una política de opresión que eufemísticamente se ha denominado "pacificación de la Araucanía" (Tokichen, 2007). Esta forma de entender las relaciones entre culturas ha permanecido hasta el día de hoy, desembocando en un conflicto cultural y territorial con nuestros pueblos originarios, en cuya solución, un primer paso sería el reconocimiento de nuestro país como un crisol de culturas que se relacionen entre ellas en un plano de igualdad, todas ellas con vocación de asumir el estatus de nación dentro del Estado chileno (Paredes, 2013).

Otra cuestión relevante en este inciso final tiene que ver con la alusión a la seguridad nacional, que puede ser interpretada como la función natural de las fuerzas armadas, esto es, asegurar las fronteras del Estado ante la agresión de una potencia extranjera. En realidad, una declaración de este tipo no es necesaria que sea consignada constitucionalmente. Sin embargo, en el espíritu de la Constitución subyace una explicación diferente de esta cláusula, sobre todo si la relaciona con los capítulos XI y XII, relativos a esta materia, los que no obstante haber sido modificados sustantivamente en el año 2005 conservan aún algo de su esencia original. A pesar de que es un hecho que ha sido silenciado por la doctrina, estas proclamaciones parecen tener origen en la doctrina de la seguridad nacional, política desarrollada por los EE. UU. durante la época de la Guerra Fría, que postulaba, justamente, que las fuerzas armadas de los países latinoamericanos debían modificar su misión de resguardar las fronteras y abocarse a combatir al enemigo interno. Todo ello suponía, por cierto, tanto actividades de represión como intervención directa en política contingente (Schoultz, 2014).

La doctrina de la seguridad nacional sería también un elemento determinante en el modelo de la Carta de 1980, en lo que se refiere a restricciones a la democracia, al pluralismo ideológico y al papel de las FF.AA. como garantes de la institucionalidad. Lamentablemente, los estudios específicos sobre este punto son escasos. En cualquier caso, en el año 2003 el Comandante en Jefe de la época, Juan Emilio Cheyre, abandonó expresamente la doctrina de seguridad nacional como doctrina oficial del Ejército. Este acto marca el precedente para que, en la reforma constitucional de 2005, se acordaran en el Congreso importantes modificaciones en lo relativo a las Fuerzas Armadas y de orden.

Capítulo Octavo

La República Democrática como forma política del Estado

1. CONCEPCIONES DE LA DEMOCRACIA EN EL PENSAMIENTO POLÍTICO CONTEMPORÁNEO

El artículo 4° de la CPR proclama que: "*Chile es una república democrática*". Esta parece una declaración simple, pero la verdad es que hablar de democracia es un tema tremendamente complejo, que nos remite a una serie de debates que están lejos de solucionarse. En definitiva, la democracia es otro de los tantos conceptos esencialmente controvertidos de la teoría constitucional.

La democracia posee una importancia fundamental en el Derecho constitucional de los Estados contemporáneos. En esta oportunidad se pueden destacar dos aspectos en los que esta adquiere dicho carácter esencial. En primer lugar, es un importante criterio para evaluar la legitimidad del sistema en su totalidad. En los términos señalados por Habermas, esta se ha convertido en la actualidad, en la principal manera de justificar la autoridad (Habermas J., 2017). Sin más, en la actualidad parece haber consenso en que la democracia, a pesar de las críticas que se pueden dirigir en su contra y los debates existentes sobre sus contornos, tiene la carrera ganada frente a cualquier forma de gobierno autocrática o totalitaria. En otras palabras, parece una verdad incuestionable que la gran mayoría de las personas preferirían una democracia defectuosa a cualquier otro tipo de régimen político. Desde esta perspectiva, la democracia es un valor de general aceptación que posibilita un escrutinio de la arquitectura estatal. Por esta razón se puede afirmar con tranquilidad que la legitimidad de los regímenes contemporáneos se mide, entre otros factores, por la calidad de su democracia.

Derivado de lo anterior, la democracia cumple la importante función de representar uno de los principios básicos de la organización estatal, a partir del cual se informan el Derecho y la estructura orgánica del Estado. En este sentido, todos los órganos del Estado deben necesariamente tener una relación con este principio básico. Por ejemplo, desde esta óptica se entiende que los órganos que poseen mayor relevancia en el sistema deben estar diseñados con el objeto de servir como instrumentos democráticos, así como las principales fuentes del Derecho deben provenir de órganos que cuentan con una legitimidad democrática directa.

1.1. ¿Es posible una definición de la democracia?

Anteriormente se ha señalado que la democracia es el principal criterio para evaluar la legitimidad de los sistemas políticos, al mismo tiempo que es un principio que informa de toda la arquitectura estatal. Todo ello parece tener mucho sentido, pero afirmaciones como estas enfrentan un obstáculo muy difícil de salvar, que es que la democracia es un concepto tremendamente controvertido, respecto del cual no existe una única, debatiéndose intensamente cuáles son sus contornos. En esta sección se desarrollará parte de esta discusión.

Para comenzar, un dato muy importante merece ser destacado: la valoración altamente positiva que recibe la democracia es muy reciente en la historia del pensamiento y solo data de fines del siglo XIX. Desde Platón y Aristóteles hasta Kant, esta fue considerada por regla general una forma no deseable de gobierno. Por ejemplo, en Aristóteles la expresión democracia representa una forma corrompida del gobierno de muchos. En la antigüedad el criterio para definir a la democracia era el numérico. Platón (1985) fue el primero que planteó esa cuestión, al clasificar las formas de gobierno según el número de gobernantes. Desde esta perspectiva, si el gobierno de uno es la monarquía, el de pocos lleva por nombre aristocracia, el de todos o al de la mayoría se le denomina democracia. Este criterio, parece repetirse en prácticamente todos los autores hasta bien entrado el siglo XVIII. En este mismo sentido, se ha apelado al origen etimológico del término (*demos* = pueblo; *Kratos* = poder) el que igualmente denota que se trata una la forma de gobierno, en la que la totalidad del cuerpo político tiene la posibilidad de intervenir en la adopción de las decisiones políticas en una comunidad.

Otro elemento clave en la comprensión de este fenómeno, es la distinción entre democracia antigua y democracia moderna. Como señala Constant (1978), la democracia moderna tiene por propósito último la protección de las libertades individuales, lo que es muy diferente de la manera como los antiguos griegos concibieron la democracia, más bien centrada en la protección y el fortalecimiento de la comunidad. Esto permite entender que, para los autores modernos, el fundamento filosófico de la democracia se relaciona con la idea de autogobierno como proyección del respeto de la autonomía moral de las personas. Por ello la democracia es una forma de gobierno en que los ciudadanos participan de la decisión política a través de su asentimiento (Michelman, 1998). En palabras de Adam Przeworski, solo cuando ciudadanos libres e iguales determinan las leyes bajo las cuales viven se puede hablar de democracia (Przeworski, 2009).

Pero, suponiendo que damos por buena la idea del autogobierno del pueblo, eso no significa que se acaben los problemas en torno a la democracia, ya que la democracia no puede sino ser considerada solo una metáfora de la idea de autogobierno. Esto se explica porque el ideal de autogobierno es más sencillo de explicar en términos individuales, pero las cosas se complican enormemente cuando se quiere pasar del plano individual al colectivo. Según Nino, la única regla que permitiría conservar la noción de autodeterminación individual en términos plenos sería la unanimidad, pero esto convertiría en impracticable cualquier sistema de gobierno (Nino, 1989). Para resolver este problema, las democracias, tanto antiguas y modernas, han adoptado como criterio de solución algún sucedáneo.

Es precisamente en la búsqueda de este mejor sucedáneo donde la teoría democrática se divide, dando origen a una serie de diferentes concepciones acerca de la democracia. Ello explica el origen de muchos de los desacuerdos teóricos en torno a las instituciones democráticas y que el término se haya utilizado para designar arreglos institucionales muy diferentes entre sí (Held, 2006). Por lo mismo, los autores han recurrido a la estrategia de designar a la democracia con adjetivos, por ejemplo: democracia representativa (Kateb, 1981), democracia delegativa (O'Donell, 1994), democracia deliberativa (1994), etc.

1.2. La discusión normativa acerca de la democracia

Dado que, en todo sucedáneo del ideal de autogobierno, necesariamente existen personas que no consienten en la decisión, se hace necesario justificar que un sector de la comunidad, aunque sea la mayoría, imponga su decisión a otros pretendiendo estar realizando los valores de la democracia (Dworkin R., 1998). Existen múltiples teorías que buscan dar respuesta a este interrogante, no obstante, casi incurriendo en un reduccionismo, se puede señalar que existen dos grandes familias de teorías: las que sostienen que la democracia está ligada a la realización de ciertos valores sustantivos, como la libertad, la justicia, la igualdad, etc. y aquellas que plantean que no existe tal vínculo y que la democracia solo es una forma para resolver pacíficamente nuestros desacuerdos como comunidad, sin recurrir al uso de la fuerza.

A estas dos posiciones les denominaremos: teorías sustantivas de la democracia y teorías procedimentales de la democracia. Desde luego, las consecuencias de adoptar una y otra son diferentes. Las primeras depositan toda su confianza en la democracia, mientras que las segundas, ven a la democracia como un principio que debe ser adoptado con cautela y ponderación, también tomando en cuenta otros intereses.

1.2.1. Teorías sustantivas de la democracia

En términos sencillos, la democracia es valiosa porque genera o tiende a generar respuestas correctas frente a los problemas que se le plantean. La manera más común de justificar esta afirmación es argüir que la democracia es una forma de gobierno que está ligada a la consecución de ciertos valores, de modo tal que, ante la inexistencia de democracia, dichos valores resultan con toda seguridad vulnerados. Así por ejemplo se ha señalado que la democracia está ligada a la igualdad, al respeto por los derechos humanos, las libertades individuales, el Estado de Derecho, etc.

Una teoría que destaca en este sentido es la republicana, la que defiende que la libertad está vinculada conceptualmente a la democracia. Se considera que esta teoría nace entre los autores renacentistas como Maquiavelo, quien señala que para que las personas sean libres es necesario que el cuerpo político lo sea, el individuo es libre solo cuando la sociedad lo es. A pesar de que Maquiavelo no utiliza la expresión democracia, señala que la mayor amenaza para la libertad republicana proviene de que los poderosos pongan sus intereses por sobre los del pueblo. Otro antecedente importante de esta idea es el pensamiento política de Spinoza, para quien la democracia es el régimen en el que los ciudadanos pueden alcanzar el nivel máximo de libertad, pues se funda en el consenso de todos, nadie obedece a otro y en beneficio de otro, sino a sí mismo y en beneficio propio (Spinoza, 1984). En efecto, es tal la confianza de Spinoza en la democracia, que la concibe como una forma absoluta de gobierno, prácticamente sin límites.

Otro gran defensor de una teoría que vincula la democracia a un resultado éticamente correcto es Rousseau. Para Rousseau el gran problema de la política está en encontrar una forma de gobierno justa, que sitúe a la ley por encima de los hombres y que preserve la dignidad y la libertad (Hurtado, 2008). Por esta razón democracia no puede equivaler al gobierno representativo, si no solamente a la democracia directa. Esto explica por qué en el modelo de Rousseau se prohíbe la representación, pues solo el propio ciudadano puede descubrir por sí mismo los dictámenes de la razón. El lugar donde ocurrirá este descubrimiento será la asamblea, pues ese proceso de alumbramiento únicamente puede tener lugar de forma colectiva. Por ello, la asamblea legislativa es el lugar en el que todos deliberarán conforme a las reglas de la razón. Como señala Rubio, de ahí el papel prioritario que otorga a la confección de las leyes, ya que, si estas han sido elaboradas en la asamblea pública, viene a coincidir con el papel antes atribuido a la conciencia (Rubio, 2016). En otras palabras, lo que propone Rousseau es que, si la asamblea delibera genuinamente conforme a las reglas de la razón, los intereses particulares, deberán necesariamente confluir en el interés general, en lo que él denomina *voluntad general*.

Más contemporáneamente también es posible encontrar varios autores que disuelven la línea entre procedimiento y justicia. Uno de ellos es Ronald Dworkin, quien sostuvo que la democracia meramente estadística carece de valor, pues una genuina democracia debe ser considerada como un caso de acción colectiva, pero uno bien particular, que se caracteriza porque es capaz de que sus miembros tengan participación igualitaria en las decisiones, que el grupo se preocupe por todos sus miembros, y que estos sean capaces de mantener su individualidad dentro del colectivo. Esta cuestión Dworkin la explica a través de las nociones de responsabilidad y juicio. En las decisiones democráticas la primera siempre es colectiva, mientras que el segundo siempre es individual (Dworkin R., 1990). De esta manera, en la democracia manda la regla de la mayoría, pero esta regla no posee competencia para traspasar ciertos límites, que tienen que ver con la posibilidad de todas las personas de ser considerados agentes morales en términos individuales.

Las teorías sustantivas presentan la ventaja de que valorizan el aspecto colectivo del proceso decisional, mostrando cómo cuando las personas razonan en conjunto son capaces de enriquecer sus ideas. No obstante, presentan el problema de depositar demasiada confianza en los procesos democráticos, revistiendo a la decisión de la mayoría de un halo de sacralidad. Al respecto, la historia ha sido elocuente al mostrar cómo muchas veces las mayorías se han equivocado, vulnerando los derechos más básicos de la minoría.

1.2.2. Teorías procedimentales de la democracia

El punto de partida de las teorías procedimentales es la desconfianza de que la democracia proporcione siempre respuestas correctas o justas, por tanto, renuncian derechamente a esta posibilidad. En ellas la justificación de la democracia es más modesta, por lo mismo, también las instituciones democráticas ocupan un papel más marginal en la articulación de la vida en sociedad. Estas teorías surgen en el ámbito de la filosofía política anglosa-jona durante el siglo XX y se inspiran fundamentalmente en los presupues-tos del liberalismo libertario y del mercado. Las teorías procedimentales plantean que solo se puede esperar de la democracia que esta sirva como un método para seleccionar a los gobernantes en condiciones pacíficas y de legítima competencia.

Por ejemplo, Schumpeter cree ver en la democracia un símil con el mer-cado. Los electores, al igual como los consumidores deciden preferir a un oferente sobre otro, seleccionan a uno de los competidores, los que normal-mente pertenecerán a las elites más preparadas del país. Entonces, el méto-do democrático consiste principalmente en elecciones, respecto de las cuales se debe garantizar condiciones de competencia perfecta. Similar visión es la de Roberth Dahl, para quien la democracia recibe el nombre de poliarquía, resaltando el hecho de que en las democracias representativas actuales las decisiones relevantes están en manos de políticos profesionales agrupados en partidos políticos.

Estas teorías presentan el mérito de resultar más sencillas de comprender y justificar. A pesar de que son más modestas, no se debe menospreciar en lo absoluto la posibilidad de que la democracia permita resolver pacíficamente nuestras diferencias. Sin embargo, es criticable que se trata de teorías que conciben a la democracia como un proceso egoísta y meramente agregati-vo. En ellas, el pueblo no es visto como una integridad, y su participación se reduce a la selección de los gobernantes. Esto puede generar dos efectos nocivos: se trata de un tipo de democracia que genera las condiciones para que se forme una élite de políticos profesionales, que en definitiva poco tengan que ver con los electores. Pero también, se trata de una democracia poco dialogante, centrada exclusivamente en los intereses egoístas de los electores y que no concibe a la democracia como un proyecto en común que debe regir los destinos de una sociedad.

1.2.3. Teorías deliberativas de la democracia

Estas teorías se sitúan en una posición intermedia entre las teorías sus-tantivas y las procedimentales. Las teorías deliberativas no son teorías sus-tantivas, porque reconocen los problemas y los desacuerdos radicales que existen entre personas razonables en materia moral, por lo tanto, renuncian al ideal de que la democracia posea un contenido ético único e indiscutible. Pero al mismo tiempo, se rehúsan a aceptar que el único criterio válido sea el interés individual de una mayoría contingente que puede cercenar completamente los derechos de la minoría. Desde este punto de vista, su principal preocupación radica en cómo mejorar la calidad de la discusión y deliberación democrática, en el sentido de que estas deben estar sometidas a los principios de la racionalidad práctica

Existen muchas teorías de la democracia deliberativa, pero todas ellas confían en la racionalidad del discurso práctico, o sea, a pesar de que en el ámbito de la moral no es posible encontrar siempre respuestas correctas, sí existen algunos resultados que son plausibles, mientras que otros son difícilmente justificables. La manera de arribar a esos resultados plausibles es a través de la deliberación racional. Según Joshua Cohen en una democracia deliberativa, a pesar de la existencia de divergencias, los miembros de una comunidad en sentido moral, necesariamente se deben reconocer unos a otros como personas que tienen capacidades racionales, es decir, las capacidades requeridas para ingresar en un intercambio de razones y para actuar sobre el resultado de tal razonamiento público (Cohen, 1997). Similar es la concepción que defiende Habermas a través de su teoría de la acción comunicativa.

En cierto sentido, la teoría de la democracia deliberativa se declara heredera de Rousseau, ya que el concepto de deliberación se centra en el debate racional acerca del bienestar general, partiendo de la base de que un proyecto de vida en comunidad no puede formarse solo a partir de intereses y preferencias individuales. Por lo mismo, los partidarios de la democracia deliberativa no se centran tanto en la mayoría entendida como un factor meramente numérico, sino que más bien en la manera como esta se forma. Según Adela Cortina, la esencia de la democracia deliberativa podría entenderse del siguiente modo: la legitimidad de la democracia estriba en la capacidad o la oportunidad que tienen los sujetos de las decisiones colectivas de participar en deliberaciones efectivas; las exigencias tienen que justificarse de modo que la gente, reflexionando sobre ellas, pueda aceptarlas. A lo cual se añade un elemento clave, y es la convicción de que las preferencias de los individuos o de los grupos pueden transformarse a lo largo del proceso de deliberación, en el que las gentes emplean la persuasión, más que la manipulación o la coerción (Cortina, 2011).

Otro destacado exponente de esta teoría ha sido Carlos Nino. Para él, incluso es posible afirmar que, si la discusión democrática está organizada acuerdo a las reglas del discurso racional, la democracia posee cierto valor epistémico para la determinación de soluciones válidas en materia de preferencias interpersonales. De esta manera, el procedimiento democrático de discusión y decisión puede verse como un sustituto imperfecto e institucionalizado del discurso moral informal. Un sucedáneo, porque la discusión democrática en algún momento tiene que terminar y hay que adoptar una decisión votando si es que no se ha podido alcanzar un acuerdo, pero que hasta eso no ocurra, todos los participantes de una discusión deben poseer la posibilidad y capacidad de ofrecer buenas razones en su favor (Nino, 2014).

2. LA DEMOCRACIA COMO PRINCIPIO CONSTITUCIONAL

Vinculado a lo anterior, se sitúa la discusión acerca de cuáles son las mejores instituciones que encarnan el ideal democrático. Nuevamente, en este punto existen dos posiciones claramente encontradas: la democracia directa y la democracia representativa.

2.1. La democracia directa

Se caracteriza por la plena identidad que existe entre los gobernantes y el cuerpo político. Esto significa que no existe una separación clara entre gobernantes y gobernados. En efecto, se suele señalar que en la democracia directa es la comunidad en su totalidad la que delibera y decide las cuestiones intersubjetivas, sin la necesidad de intermediarios. Se suele denominar *asamblea*, tanto al lugar físico como al acto, en el que el conjunto de ciudadanos se reúne a resolver las cuestiones de importancia para su comunidad.

La teoría política suele identificar este modelo con el existente en la ciudad de Atenas en el siglo IV A.C. En dicho sistema la asamblea (*Ekklesía*) era integrada por todos los ciudadanos, lo que por cierto excluía a las mujeres, metecos y esclavos. En realidad, quienes eran considerados ciudadanos eran solo una pequeña parte de la población. Sin perjuicio de ello, la asamblea estaba integrada por la totalidad de los ciudadanos. Pero la ciudadanía también conllevaba cargas, que justamente es el origen de la palabra cargo, los que eran obligatorios. De esta forma, las magistraturas se integraban por sorteo; tanto el Consejo de los Quinientos (*Boulé*), que sería actualmente considerado una especie de órgano ejecutivo, como los tribunales de justicia (*Dikasteria*).

En la época actual se ha discutido bastante acerca de este modelo, recibiendo diversas valoraciones de parte de los autores. De un lado, se ha insistido en las dificultades logísticas de su implementación, pues sería prácticamente imposible que un sistema de estas características pudiese funcionar en sociedades masivas y sumamente complejas como las actuales, en las que existen asuntos que requieren conocimientos específicos de naturaleza profesional. Pero hay más, la democracia griega está construida sobre premisas muy distintas de las que la mayoría de nuestros contemporáneos estarían dispuestos a admitir. En efecto, hay que convenir que los griegos desconocían la noción de derechos individuales, por lo que hay que entender que su modelo sería difícilmente practicable en el liberalismo de nuestros días, como señala Arendt, para el hombre antiguo ser libre y vivir en una *polis* eran la misma cosa (Arendt, 2015).

Para explicarlo en términos sencillos, en la democracia antigua todos podían decidir sobre todos los asuntos. Al respecto, ya se ha mencionado anteriormente una famosa obra que explica esta idea: la conferencia de Constant, titulada *De la libertad de los antiguos comparada con la de los modernos,* pronunciada en el Ateneo Real de París en 1819 (Constant B., 1978). El discurso apela a evitar la confusión en el sentido de que la libertad como la entendían los antiguos significaba simplemente participar de las decisiones políticas, pero al mismo tiempo, no existía ninguna manera de evitar que esta no se transformara en una tiranía insoportable. En definitiva, afirma Constant, eso que los antiguos denominaban libertad, aceptaba la subordinación absoluta del individuo a la autoridad del todo.

Estas consideraciones han sido relevantes para que hoy la democracia directa, salvo excepciones muy calificadas, sea prácticamente inexistente en el panorama comparado. Para Bobbio es materialmente imposible que todos decidan todo en sociedades cada vez más complejas como las sociedades industriales modernas; y es, desde el punto de vista del desarrollo ético e intelectual de la humanidad, indeseable. Pero también existe una segunda crítica, que se refiere a que una sociedad, en la que todo se resuelve de forma asamblearia, se encuentra altamente politizada. Al respecto señala: *"el ciudadano total y el Estado total son dos caras de la misma moneda, porque tienen en común, aunque considerada la una desde el punto de vista del pueblo, y la otra desde el punto de vista del príncipe, el mismo principio: "todo es política", es decir, la reducción de todos los intereses humanos a los intereses de la polis, la politización integral del hombre, la resolución del hombre en el ciudadano, la eliminación completa de la esfera privada en la esfera pública"* (Bobbio, 1986).

2.2. La democracia representativa

Las democracias modernas, de forma prácticamente unánime han tomado partido por la democracia representativa. El mismo Bobbio explica que, en términos generales la expresión "democracia representativa" quiere decir que las deliberaciones colectivas, es decir, las decisiones que involucran a toda la colectividad no son tomadas directamente por todas las personas quienes forman parte de ella, sino por personas elegidas para este fin (Bobbio, 1986). De esta manera, las elecciones se convierten en el principal elemento del diseño institucional de toda democracia representativa. Se abordará este punto en detalle en el capítulo siguiente.

Las democracias representativas constituyen la regla general en la actualidad. No obstante, entre ellas también hay diferencias notables, puesto que existen hondas discrepancias sobre cómo concebir la idea de representación. Es obvio que una idea absolutamente central en las democracias contemporáneas será objeto de enconados debates. En los últimos años la discusión sobre el concepto de representación ha tomado nuevos rumbos. No obstante, en esta oportunidad se presentará una visión más clásica sobre el asunto.

Para entender qué es lo que se ha dicho tradicionalmente sobre la representación, es preciso considerar que esta tiene su origen en el Derecho privado. Allí se dice que la representación es la capacidad de una persona (representante) de actuar a nombre y por cuenta de otro (representado), produciéndose los efectos de dicha actuación en la esfera jurídica del segundo. Una figura que explica paradigmáticamente esta circunstancia es el contrato de mandato. Consideremos la definición que el artículo 2116 del Código Civil estipula para este contrato: *"El mandato es un contrato en que una persona confía la gestión de uno o más negocios a otra, que se hace cargo de ellos por cuenta y riesgo de la primera"*. Más allá de que es concebible un mandato sin representación, esta figura se puede usar como analogía para entender la discusión en el Derecho público. En síntesis, la pregunta es: ¿se parece la representación política a esta figura? Al respecto existen dos teorías: la que contesta negativamente a la pregunta, que se denomina teoría del mandato representativo y la que contesta afirmativamente, que recibe el nombre de teoría del mandato imperativo.

2.2.1. La teoría del mandato representativo

Esta teoría sostiene que la representación política no se parece en nada a la representación civil. El representante político no es mandatario del elector, sino de la comunidad política en su totalidad, algunos dirían de la nación, por lo que el representado únicamente posee poder para elegir quiénes son los representantes de la nación, nada más. Por esta razón, la participación ciudadana se circunscribe las elecciones y una vez que estas tienen lugar, el vínculo entre representante y representado desaparece hasta el momento de la próxima elección, que es cuando se produce el comienzo del próximo ciclo político. En dicha oportunidad el elector puede evaluar la gestión de su representante en términos globales, reeligiéndolo o sustituyéndolo por otro.

Detrás de esta teoría existe una visión elitista de la democracia, que desconfía de la democracia de masas. Contemporáneamente se suele señalar como justificación que no todas las personas están instruidas en los conocimientos que se requieren para la conducción del Estado, por lo tanto, las elecciones se pueden entender como un procedimiento de selección de personas idóneas dentro de un grupo que ejerce la política profesionalmente. Sobre el origen de esta teoría no hay que olvidar que la teoría del mandato representativo surge en el marco de la Revolución Francesa, buscando detener el impulso reformista de las facciones más radicales, quienes afirmaban como principio fundamental, la soberanía popular.

2.2.2. La teoría del mandato imperativo

Obviamente, la teoría del mandato imperativo plantea una tesis contraria a la anterior, señalando que el mandato político es muy similar al mandato privado, figura que se caracteriza por tres elementos: 1) el mandante puede dar instrucciones en todo momento a su mandatario, 2) El mandatario responde ante el mandante de la ejecución del negocio, y 3) El mandante puede revocar en todo momento el mandato. Como se puede ver, la teoría del mandato imperativo, si bien acepta el principio de representación, intenta configurarlo para que el representado posea una incidencia directa en la gestión del representante, acercándolo lo más posible al ideal de la democracia directa.

Si se debe involucrar o no a los ciudadanos en el gobierno es una vieja discusión que se remonta a Platón, quien arguye que el Estado debería ser gobernado por reyes filósofos. Este filósofo desconfiaba de la ignorancia del pueblo, ya que gobernar exige *episteme,* es decir, verdadero saber, y no meras opiniones infundadas, *doxa* en idioma griego, que son las que normalmente puede exhibir el pueblo. En los mismos términos platónicos, la teoría del mandato imperativo considera que para intervenir en el gobierno basta la *doxa,* siendo suficiente que el público tenga opinión sobre los asuntos del Estado, pero no se requiere que sean, ni especialistas, ni políticos profesionales, para participar en los procedimientos de adopción de decisiones políticas (Sartori, 2009).

La defensa del mandato imperativo se ha traducido, en términos institucionales, en un modelo de democracia que se denomina democracia semidirecta. La democracia semidirecta, a pesar de mantener la distinción entre gobernantes y gobernados, introduce correctivos que hacen mucho más difusa dicha dicotomía. Esto se traduce en una batería de instrumentos que permiten aumentar la incidencia y el control del ciudadano en la actividad de los representantes. Entre estos se puede mencionar:

a. Referéndums o plebiscitos, por ejemplo, los plebiscitos abrogatorios de ley.

b. Participación de los ciudadanos en el procedimiento legislativo, a través de la iniciativa legislativa ciudadana.

c. Mecanismos de control en la gestión de los representantes, por ejemplo, los referéndums revocatorios (*recall*), en virtud del cual la ciudadanía se pronuncia, cumplida una parte del período de ejercicio del cargo de una autoridad, acerca de su permanencia por el período restante.

2.3. La democracia chilena

Las coordenadas antes detalladas permiten comprender la forma de la democracia chilena que ha consagrado la Constitución de 1980. Obviando la incompatibilidad de los conceptos de democracia y dictadura, el artículo 4° proclama abiertamente que Chile es una república democrática, aunque no detalla qué significa tal declaración. En efecto, esa pregunta es la que da inicio al presente capítulo. Teniendo en cuenta toda la información que se ha puesto sobre la mesa, este artículo debe ser leído en relación con el artículo 5° inciso primero, que afirma que *"La soberanía reside esencialmente en la Nación"*, para luego agregar: *"su ejercicio se realiza por el pueblo a través del plebiscito y de elecciones periódicas y, también, por las autoridades que esta Constitución establece"*. Adicionalmente, es conveniente recordar la prohibición del artículo 15 inciso 2°, que señala: *Solo podrá convocarse a votación popular para las elecciones y plebiscitos expresamente previstos en esta Constitución"*.

Estas disposiciones sugieren que la democracia chilena se sitúa en el marco de una teoría del mandato representativo, en la que se observa una profunda desconfianza respecto de la ciudadanía. Así, por ejemplo, la única herramienta de democracia semidirecta es el plebiscito, que se establece aisladamente solo para dos materias: en caso de reforma constitucional y en materia municipal, con supuestos bastante restringidos, lo que dificulta considerablemente su puesta en práctica. Más allá de eso, el único vínculo que existe entre los ciudadanos y las instituciones está dado exclusivamente por las elecciones y plebiscitos que la Constitución establece, que son las siguientes: elecciones presidenciales, parlamentarias, regionales y municipales, plebiscito en materia de reforma constitucional y plebiscito en materia municipal[6].

Sin perjuicio de lo anterior, la legislación de los últimos años ha ido creando algunos mecanismos de participación ciudadana, principalmente en los procedimientos administrativos. En este sentido, destaca especialmente la Ley N° 20.500 que establece un conjunto de estos procedimientos de general aplicación en los órganos del Estado, por ejemplo, audiencias públicas, diálogos participativos, cabildos, cuentas públicas participativas, etc. Lamentablemente, de todos estos mecanismos de participación ninguno posee carácter vinculante, teniendo todos ellos un carácter meramente consultivo, no estando la autoridad obligad a seguir el dictamen de la ciudadanía.

3. EL DEBATE SOBRE EL CARÁCTER CONTRAMAYORITARIO DEL CONSTITUCIONALISMO

Uno de los debates clásicos de la teoría constitucional es el de la discusión en torno a la legitimidad democrática del control de constitucionalidad. Si bien se trata de una cuestión que se remonta a los albores del constitucionalismo, en los últimos años ha alcanzado nuevos bríos. En términos generales se suele denominar objeción contramayoritaria a la crítica que se formula al control de constitucionalidad desde el punto de vista de la democracia, puesto que esta institución supone que funcionarios no electos posean la capacidad de revocar o anular las decisiones de los representantes de la ciudadanía. En efecto, la expresión es atribuida a Bickel, quien la acuñó en su obra *The Least Dangerous Branch* (Bickel, 1986), al señalar que la justicia constitucional padece de una dificultad contramayoritaria, lo que la convierte en ilegítima, pues permite que jueces impongan su decisión a las disposiciones aprobadas por los representantes elegidos por el pueblo, socavando así la voluntad de la mayoría.

Esta es una crítica que se puede plantear con carácter general a todas las instituciones del constitucionalismo, aunque desde luego, el blanco más fácil es la justicia constitucional. Al mismo tiempo, es importante destacar

---

[6]   Véase el epílogo de este libro, en el que se explican reformas recientes al plebiscito en materia de reforma constitucional producto del proceso constituyente iniciado a fines del año 2019.

que el problema puede ser más o menos intenso, según sea la configuración institucional que exista. Así, por ejemplo, a mayor rigidez constitucional el argumento contramayoritario será más intenso, puesto que, en dicho caso, reforma constitucional normalmente será la única vía para romper la discrepancia entre los jueces y el Parlamento. Veremos más adelante que las disposiciones que reconocen derechos fundamentales tienden a producir importantes problemas en este sentido, especialmente si se trata de declaraciones de derechos demasiado extensas. Por otra parte, si los tribunales poseen mayores atribuciones, es lógico que ello significará mayores oportunidades para intervenir la ley.

En la cultura jurídica europea esta discusión ha irrumpido solo recientemente. Las razones de ello son que el advenimiento del Estado constitucional de Derecho es un fenómeno que data de mediados del siglo XX, en los casos más antiguos. Durante la época conocida como Estado legal de Derecho, el problema era inexistente, pues el legislador es completamente soberano para adoptar cualquier regulación y con cualquier contenido. Pero con posterioridad a la Segunda Guerra Mundial la posición del legislador ha cambiado, ya que sobre este se ha cernido un manto de sospecha que se explica por el hecho de que los totalitarismos en Europa Occidental alcanzaron el poder por vías democráticas. Esto permite entender que autores que gozan de una gran reputación en el continente no son capaces de visualizar la tensión entre democracia y constitucionalismo y usualmente minimizan la importancia de este debate. Un buen ejemplo es Ferrajoli, quien señala que la tensión entre democracia y constitucionalismo es un falso dilema, puesto que la única democracia valiosa es aquella en que se respetan los derechos fundamentales de las personas, es decir, una democracia sustantiva.

A continuación, expondremos algunos de los principales argumentos que se han argüido en el marco de este debate, principalmente en EE. UU.:

3.1. La fidelidad a la Constitución

Se trata del viejo argumento expresado en El Federalista #78 relativo a que, la cuestión verdaderamente importante no es si los jueces o el parlamento deben primar uno por sobre el otro, sino más bien lo relevante es guardar fidelidad al poder constituyente: "Esta conclusión no supone de ningún modo la superioridad del poder judicial sobre el legislativo. Sólo significa que el poder del pueblo es superior a ambos y que donde la voluntad de la legislatura, declarada en sus leyes, se halla en oposición con la del pueblo, declarada en la Constitución, los jueces deberán gobernarse por la última de preferencia a las primeras. Deberán regular sus decisiones por las normas fundamentales antes que por las que no lo son".

El problema de este argumento para justificar el control de constitucionalidad es que, generalmente, no es fácil guardar fidelidad a la Constitución, debido a que su interpretación no es sencilla y en sus enunciados lingüísticos caben distintas posibilidades interpretativas. En la práctica, al interpretar la Constitución, muchas veces el debate acerca del significado de sus disposiciones se termina resolviendo invocando elementos externos a su texto, por ejemplo, la intención del Constituyente o el contexto histórico en el que esta fue aprobada.

3.2. La estrategia Ulises

Este tipo de argumentación es complementaria de la anterior, puesto que concibe a las Constituciones como limitaciones, que las comunidades se autoimponen en momentos en que existen óptimas condiciones deliberativas de cara al futuro, para poder hacer frente a situaciones en las que, justamente, no existen las condiciones necesarias para decidir racionalmente un determinado asunto. Se denominan estrategias Ulises porque recuerdan el célebre pasaje de La Odisea, en que Ulises se amarra al mástil del barco para evitar ser seducido por las sirenas (Elster, 1989).

Estos argumentos han sido criticados desde diversos puntos de vista, por ejemplo, porque presentan una inadecuada' analogía del plano individual con el plano colectivo, o porque en realidad no representan autolimitaciones, sino más bien limitaciones que son administradas, no por la comunidad, sino por los jueces (Bayón, 2000). Incluso más, bajo estas estrategias se puede sostener que una solución al problema de la fidelidad sería redactar el precompromiso con un mayor nivel de detalle, pero esa solución supone un problema que se analizará a continuación.

3.3. El argumento intergeneracional

Entonces, frente al problema de las dificultades interpretativas, la pregunta que puede resultar pertinente es, por qué no escribir las Constituciones con un mayor nivel de detalle. En una de las formulaciones más conocidas, que se atribuye a Thomas Paine se señala: "*Nunca existió, jamás existirá ni podrá existir un Parlamento o algún tipo de hombres, en cualquier país, que posea el derecho o el poder de mediatizar y controlar a la posteridad hasta el "fin de los tiempos", o de mandar para siempre cómo se deberá gobernar el mundo, o quién deberá gobernarlo, y, por tanto, todas esas cláusulas, actas o declaraciones por las cuales sus creadores intentan hacer lo que no tienen derecho ni poder de hacer, ni el poder de ejecutar, son nulas e inválidas"* (Elster & Slagstad, 2001).

En otras palabras, lo que el argumento intergeneracional cuestiona, es que una Constitución de detalle, a medida que va pasando el tiempo se va convirtiendo en el gobierno de una generación, la constituyente, por sobre todas las futuras. En términos poéticos, en el gobierno de los muertos por sobre los vivos.

3.4. *Las constituciones como síntesis intergeneracional*

Bruce Ackerman diseñó una inteligente respuesta al argumento intergeneracional, que propone concebir a las Constituciones como un producto del trabajo conjunto de varias generaciones, en otras palabras, una síntesis intergeneracional. Para estos efectos, acuña la distinción entre *momentos constitucionales* y *momentos de política ordinaria,* la que permite describir un sistema político y dar cuenta de su historia. Los momentos constitucionales son aquellos en los que el pueblo actúa movilizado como un todo, en los que existe un hondo y genuino interés por las cuestiones políticas, y que, como consecuencia de lo anterior, suponen un cambio de rumbo en la sustancia de la Constitución. Hay que tener presente que, no necesariamente, ello supone una reforma constitucional. Por ejemplo, analizando la historia constitucional estadounidense él identifica tres de estos momentos: la fundación del país, la guerra civil y la revolución de los derechos civiles. Por el contrario, los momentos de política ordinaria, son aquellos en los que los ciudadanos delegan el ejercicio del poder a los poderes constituidos (Ackerman, 1989).

No cabe duda de que la teoría dualista que propone Ackerman es una inteligente salida al problema, aunque igualmente ha sido criticada. Al respecto, Sager señala que, si bien este tipo de teorías responden mejor al problema del paso del tiempo, igualmente no solucionan las dificultades interpretativas que requiere el deber de fidelidad a la Constitución. Del mismo modo, son incapaces de percibir que muchas veces la interpretación de las Constituciones simplemente requieren juicios normativos independientes (Sager, 2007). En realidad, si determinar una única intención del constituyente ya es difícil, hacerlo teniendo en cuenta tres momentos históricos distintos, es un ejercicio aún mucho más complicado.

3.5. Derecho y desacuerdos

Jeremy Waldrom, uno de los principales críticos del control de constitucionalidad, parte de la base de la premisa anterior para formular su aguda teoría. En materias de Derecho constitucional es sumamente difícil, y en ocasiones claramente imposible, presentar la actividad jurisdiccional solamente como una agencia. En realidad, al dotar de contenido a las cláusulas relativas a derechos fundamentales, el juez a menudo realiza juicios morales independientes. Para que se entienda en su integridad el argumento de Waldrom hay que añadir que él sostiene que en materia moral muchas veces es imposible llegar a consensos en sociedades plurales como las nuestras, por lo que es perfectamente posible que personas sensatas y razonables suscriban opiniones distintas en materias controvertidas, tales como aborto, matrimonio igualitario, eutanasia, etc. (Waldrom, 2005).

Pues bien, si lo anterior es efectivo, el control de constitucionalidad atenta contra el principio democrático, puesto que, si no es posible determinar lo que señala la Constitución, ni tampoco son posibles las respuestas correctas en temas morales, finalmente esta actividad termina en la imposición de la opinión subjetiva de los jueces frente a las decisiones de los representantes del pueblo. Es verdad, que los parlamentos tampoco pueden garantizar que van a adoptar la decisión correcta, ni siquiera que se equivocarán menos, pero la decisión democrática posee una dignidad que la decisión judicial carece, pues al menos considera la participación de todos los obligados por ella.

La verdad de las cosas, la tesis de Waldrom es demoledora en el sentido que desnuda la tensión existente entre el control de constitucionalidad y el principio de autogobierno. Analizado el tema *ceteris paribus,* la conclusión sería que el legislador debería tener siempre primacía al resolver una cuestión de interés general para la comunidad. Sin embargo, las cosas tampoco son sencillas a este respecto y esa conclusión no es tan obvia. Veamos el porqué. En primer lugar, porque no es nada sencillo determinar lo que la democracia es. Como ya analizamos, existen múltiples teorías acerca de su contenido y justificación. Es obvio que esta cuestión afecta cualquier discusión de este tipo. Pero supongamos que logramos determinar un contenido mínimo de democracia común a todas estas teorías, todavía sigue existiendo un problema prácticamente insoluble: la denominada paradoja de las precondiciones de la democracia.

Lo anterior supone que para que una democracia funcione se requiere el cumplimiento de ciertos requisitos, por ejemplo, el principio de igualdad, la autonomía de las personas, su libertad de expresión, su libertad para formar parte o no de un partido político, etc. (Holmes, 1999). Usualmente, estas pre-condiciones están establecidas en la forma de derechos fundamentales, por lo que el problema presenta dimensiones aporéticas. En esta circunstancia parece ampararse Ely, quien plantea que el control de constitucionalidad estaría justificado cuando se trata de defender aquellos derechos fundamentales estrechamente relacionados con el proceso político, sobre todo para asegurar que las minorías que carecen de acceso a los canales institucionales de representación puedan ejercer efectivamente sus derechos políticos (Ely, 1997).

En cualquier caso, en nuestra opinión, a pesar de que Ely permite avanzar en la justificación de parte importante del trabajo que realizan los tribunales constitucionales, eso no soluciona todos los problemas. En primer lugar, las dificultades interpretativas de estos derechos son similares que los de cualquier otro, pero en segundo lugar, esta respuesta deja fuera buena parte de los derechos fundamentales respecto de los cuales no es posible establecer un vínculo tan directo con la democracia, como por ejemplo, el derecho a la vida o los derechos sociales.

En cualquier caso, y para concluir, el desafío del argumento contramayoritario exige tomárselo en serio. Esto supone, a nuestro juicio prestar atención al hecho de que la democracia es valiosa, y que esta debe ser una preocupación que cruce distintos ámbitos del Derecho público, como por ejemplo el diseño institucional, los métodos de interpretación constitucional y las actitudes de los jueces. En definitiva, estas variables no son indiferentes y contribuyen a que la objeción contramayoritaria se haga más intensa o disminuya a un nivel que pueda resultar tolerable y compatible con otros principios considerados valiosos, por ejemplo, la protección de los derechos fundamentales o el Estado de Derecho.

Capítulo Noveno

Instituciones básicas del sistema democrático

Dado que, como hemos visto en el capítulo anterior, todas las democracias contemporáneas son, al menos, democracias representativas, es necesario revisar cuáles son sus principales instituciones y cómo aquellas están reguladas en nuestra Constitución. En este orden, estudiaremos el sufragio, los sistemas electorales y los partidos políticos, piezas esenciales en cualquier democracia representativa.

1. SUFRAGIO

El sufragio está concebido en las democracias como un derecho público subjetivo que permite al ciudadano contribuir a la formación de la decisión colectiva. En términos sencillos, el sufragio es la principal herramienta de participación en una democracia, probablemente la única que tiene una capacidad definitoria de la noción de ciudadanía. Es decir, si definimos la ciudadanía como la titularidad plena de derechos políticos, lo que sea que el concepto de derechos políticos signifique, ningún modelo de democracia representativa puede prescindir del sufragio universal (Scruggs, 1903).

El sufragio, a pesar de ser un tema crucial para la democracia, se encuentra increíblemente poco tratado en la literatura. No obstante, a estos efectos, se pueden destacar algunas ideas generales:

a. Sufragio y democracia no son sinónimos, a pesar de que ambos conceptos están estrechamente vinculados. El sufragio o voto es una técnica de adopción de decisiones en órganos o entidades colectivas, que consiste en repartir el peso de la decisión entre varias personas, otorgando a cada una de ellas una parte determinada del poder de decidir. Esta idea ha sido planteada por Aragón, para quien "la existencia del derecho de voto es necesaria, allí donde una decisión ha de ser adoptada por un órgano o entidad compuestos por una pluralidad de personas" (Aragón, 2007). De esta manera, queda claro que la técnica del sufragio no necesariamente presupone democracia, pues también se utiliza en órganos o entidades no democráticas como, por ejemplo, tribunales de justicia o directorios de empresas. Ahora bien, desde el punto de vista político, es decir en el contexto del Estado, el sufragio es una institución que permite la adopción de decisiones que son imputables a la voluntad pública estatal.

b. El sufragio existe en cualquier tipo de democracia, pues es un elemento definitorio de esta. Existe sufragio sin democracia, pero no puede existir democracia sin sufragio, pues tanto en las democracias directas, como en las democracias representativas, el mecanismo arquetípico de adopción de decisiones es el sufragio. Esto también muestra que es una institución que puede adoptar diversas formas, como por ejemplo una marca en una papeleta, un sistema electrónico, a viva voz, etc.

c. El sufragio democrático comparte las características relacionadas del régimen democrático, las que aseguran que cada miembro del cuerpo político, sin ningún tipo de cualificación especial, pueda expresarse libremente y con igual capacidad de influencia, su contribución a la generación de la decisión colectiva. Por esta razón, el sufragio democrático está protegido por una serie de garantías: secrecía, universalidad, igualdad (principio de una persona un voto). Esta idea se plasma en el artículo 15 CPR, que establece que: *"En las votaciones populares, el sufragio será personal, igualitario, secreto y voluntario"*. Estas garantías permiten caracterizar el sufragio democrático, sobre todo desde la perspectiva del sufragio activo. Ahora bien, para el caso del sufragio pasivo se han discutido otros criterios, por ejemplo, el financiamiento estatal de las candidaturas o la obligación de exclusión de los conflictos de intereses.

1.1. Clasificación del sufragio

En las democracias representativas el sufragio adopta una doble modalidad, que carece de sentido para las democracias directas. Se habla entonces de sufragio activo y pasivo. El sufragio activo, consiste en el derecho a expresarse a través del voto, del que todo ciudadano es titular. Puede tener lugar en el marco de elecciones de representantes, como en plebiscitos y consultas populares. El sufragio pasivo se refiere al derecho de todo ciudadano de participar como candidato en las elecciones de representantes y eventualmente ser elegido para desempeñar cargos de elección popular.

Sufragio pasivo y activo, son en realidad, dos manifestaciones distintas de la misma idea de ciudadanía en una democracia representativa, pues permiten la universalidad de la participación en la adopción de decisiones políticas. Desde este punto de vista, ciudadanía significa que la participación política, en todos sus niveles, no está circunscrita a ningún criterio especial como puede ser: conocimiento, riqueza, experiencia, etc. Como señala Ranciere, "la democracia es el gobierno de los que carecen de título para mandar" (Rancière, 2006).

1.2. Regulación constitucional del sufragio

La regulación constitucional del derecho de sufragio es coherente con la mirada que la CPR de 1980 posee sobre la democracia. Lo usual en el constitucionalismo comparado, es que los derechos políticos sean considerados derechos fundamentales, por tanto, tutelados por todos aquellos mecanismos privilegiados que son propios de dicha categoría jurídica. En nuestro país se ha interpretado que, del hecho de que no se encuentren consagrados dentro del artículo 19, estos quedarían excluidos del conjunto de los derechos fundamentales reconocidos por el sistema chileno. Algunos autores, incluso consideran que los derechos políticos deben ser comprendidos en la noción de derechos humanos, al estar reconocidos en varios tratados internacionales sobre la materia (Picado, 2007).

En concreto, los derechos políticos se encuentran regulados en el Capítulo II de la Constitución, el que se refiere principalmente al sufragio activo. El artículo 13 inciso segundo define lo que se entiende por ciudadanía, al señalar: "*La calidad de ciudadano otorga los derechos de sufragio, de optar a cargos de elección popular y los demás que la Constitución o la ley confieran*". El mismo artículo en su inciso primero define quiénes son ciudadanos. Al respecto se establecen los siguientes requisitos:

1. Ser chileno. El artículo 10 de la CPR determina quiénes son chilenos y el artículo 11, establece causales de pérdida de la nacionalidad.

2. Ser mayor de edad. El artículo 26 del Código Civil, establece quiénes son mayores de edad.

3. No haber sido condenado a pena aflictiva. El artículo 37 del Código Penal define qué se entiende por pena aflictiva.

Por otra parte, los artículos 16 y 17 CPR, establecen causales de suspensión y pérdida de la ciudadanía, respectivamente. La suspensión supone la incapacidad temporal de ejercicio de los derechos ciudadanos. Al respecto, son tres las causales que establece el artículo 16 CPR: interdictos por demencia, personas sometidas a proceso por delito que merezca pena aflictiva y aquellas sancionadas por infracción a las normas sobre pluralismo político del artículo 19 N° 15 inc. 7° CPR. Los interdictos por demencia recobran la ciudadanía una vez restablecida su plena capacidad en virtud de una sentencia judicial. Las personas sometidas a proceso por delito que merezca pena aflictiva o por delito terrorista la recuperan automáticamente con la sentencia absolutoria o el sobreseimiento definitivo. Las personas sancionadas en conformidad al artículo 19 N° 15, inciso 7°, al cabo del transcurso de los cinco años desde la declaración del Tribunal Constitucional.

A su vez, la pérdida implica, en teoría, la incapacidad permanente de ejercer los derechos ciudadanos, la que requiere un acto posterior de rehabilitación. Así por ejemplo, para el caso de la pérdida de la nacionalidad, esta requiere ser reestablecida, ya sea judicial, administrativa o legalmente. Sin embargo, en el caso de la pérdida de la ciudadanía a causa de una condena penal que merezca pena aflictiva, hay que distinguir entre los supuestos de los numerales 2 y 3 del artículo 17. En estricto rigor, solo el caso del numeral tercero (delitos terroristas) es un supuesto de pérdida *stricto sensu*, ya que requiere la rehabilitación del senado en virtud del artículo 53 N° 4 CPR. Para el caso del numeral segundo, que es la regla general en esta materia basta el cumplimiento de la pena para que opere automáticamente el restablecimiento de la ciudadanía

El artículo 13 inciso 3° regula el sufragio extraterritorial, reconociendo este derecho a los connacionales que viven fuera de las fronteras del país, pero limitándolo a las elecciones primarias presidenciales, a las elecciones presidenciales y a los plebiscitos nacionales. Por lo que debe entenderse, que se les excluye de las elecciones parlamentarias, regionales, municipales y plebiscitos comunales.

El artículo 14 regula el sufragio de extranjeros residentes en nuestro país. Para estos efectos dicho artículo señala: *"Los extranjeros avecindados en Chile por más de cinco años, y que cumplan con los requisitos señalados en el inciso primero del artículo 13, podrán ejercer el derecho de sufragio en los casos y formas que determine la ley"*. En realidad, la ley no establece diferencia entre chilenos y extranjeros en esta materia. Lo que sí resulta relevante determinar es qué significa el término "avecindado", pues esta no se corresponde con ninguna categoría de la legislación migratoria. Dicha expresión se debe entender, en todo caso, como sinónimo de residencia legal. Añade el inciso segundo, que dado que los cargos de elección popular requieren de la nacionalidad chilena, *"Los nacionalizados en conformidad al N° 3° del artículo 10, tendrán opción a cargos públicos de elección popular sólo después de cinco años de estar en posesión de sus cartas de nacionalización"*. A esta norma se debe señalar la excepción respecto del P. de la R. caso en el que los requisitos para desempeñar dicho cargo excluyen expresamente a los extranjeros nacionalizados.

Además de las normas constitucionales ya comentadas, la Ley N° 18.700 Orgánica Constitucional de Votaciones Populares y Escrutinios, regula todos los aspectos restantes de las elecciones, tales como: la presentación de candidaturas, la emisión del voto, el escrutinio, las impugnaciones, etc. Asimismo, no se debe dejar de lado el capítulo IX de la CPR relativo a administración y justicia electoral, que consagra constitucionalmente al Servicio Electoral, al Tribunal Calificador de Elecciones y a los Tribunales Regionales Electorales. Sin perjuicio de lo anterior, la Ley Orgánica de Gobierno y Administración Regional y la Ley Orgánica de Municipalidades, también contienen normas que regulan la elección de los cargos que se eligen a través de sufragio universal en cada uno de estos respectivos ámbitos.

2. LOS SISTEMAS ELECTORALES

2.1. Concepto y clasificación

Un sistema electoral es un conjunto de medios técnicos a través de los cuales la voluntad de los ciudadanos se transforma en órganos de gobierno o de representación política. En palabras simples, se puede decir que los sistemas electorales son procedimientos para transformar votos en escaños.

Sin perjuicio de que la regla de oro de la democracia es que accede al cargo quien obtiene más votos, lo que se denomina principio *First Past the Post* o FPP, no siempre es fácil poner en práctica esta idea, dada la composición compleja de los órganos políticos. En efecto, dicho sistema solo funcionaría de forma correcta en el caso de órganos unipersonales que ejerzan sus atribuciones en el marco de todo el Estado (por ejemplo, el Presidente de la República en el sistema presidencial). Para el caso de órganos colegiados, de inmediato surgen una serie de interrogantes, como por ejemplo: ¿qué candidatos pueden ser votados?; ¿de cuántos votos dispone cada elector?; ¿cuántos representantes se eligen en cada demarcación electoral?; ¿cómo se determinan y delimitan los distritos y secciones electorales?; ¿cómo deben emitirse y contarse los sufragios?, etc. (Nohlen, 1998).

Por otra parte, ni siquiera para el caso de órganos unipersonales es tan sencillo implementar un sistema del tipo FPP, dado que existen otros valores que los sistemas electorales cautelan, como, por ejemplo, la estabilidad y la gobernabilidad. De este modo, optar por un sistema electoral concreto es una de las decisiones institucionales más importantes en una democracia representativa, pues generalmente, estos influyen notablemente en la composición del parlamento y la correlación de fuerzas entre los diferentes grupos parlamentarios.

2.2. Elementos de los sistemas electorales

En términos generales, se componen de tres elementos: circunscripción, estructura del voto y fórmula electoral.

2.2.1. Circunscripción

Son cada una de las divisiones territoriales en virtud de las cuales se organiza la elección de representantes. La circunscripción funciona como unidad de imputación de los escaños, esto significa que a cada una de estas se le atribuye un cierto número de ellos.

Se utiliza la expresión *tamaño de la circunscripción* para hacer referencia al número de escaños que se elige en cada circunscripción, de modo tal, que es posible distinguir entre circunscripciones uninominales (se elige un solo cargo) y circunscripciones plurinominales (se eligen varios cargos). Un caso *sui generis* fue el sistema electoral binominal, aun parcialmente vigente en Chile para las elecciones parlamentarias, en el que las circunscripciones son binominales (se eligen dos cargos por circunscripción)[7].

La operación de construcción de las circunscripciones recibe el nombre de *distritación*, y en ella se utilizan diversos criterios, por ejemplo, se pueden hacer servir unidades político-administrativas ya existentes o subdivisiones de estas, se pueden crear unidades nuevas buscando que haya un equilibrio entre el número de electores de todas ellas, o incluso, se pueden mezclar estos dos criterios. También es muy usual que, en el caso de órganos bicamerales, una de las cámaras se elija sobre la base de un tipo de circunscripción y la otra sobre un sistema totalmente distinto. Un buen supuesto para ilustrar esta situación está dado por las elecciones parlamentarias en los EE. UU., donde para elegir al Senado se utiliza el primer criterio, o sea, cada estado de la federación elige dos cargos, en cambio para la Cámara de

---

[7]   La Ley N° 20.840, de 05 de mayo de 2015, que modifica la Ley Orgánica Constitucional de Votaciones Populares y Escrutinios, sustituyó el sistema electoral binominal por uno de naturaleza proporcional.

Representantes se elige un número variable dependiendo de la población de cada estado[8].

Los diseñadores de distritos tienen en cuenta dos operaciones cuando van a trazar límites, con la población vista desde un mapa:

- Compactación: el distrito debe ser razonablemente compacto desde el punto de vista geográfico, en otras palabras, el distrito debería ser una sola pieza interconectada y no fragmentada, de forma tal de que todo su territorio sea contiguo.

- Cohesión: la atención se pondría en las comunidades de interés, sobre todo respetando cuestiones históricas y culturales.

La delimitación se vuelve un problema mayor cuanto más pequeño sea el número de miembros elegidos en cada distrito. De ahí que no sea extraño que la delimitación de distritos uninominales sea la técnica más politizada. En la literatura especializada el tema de la construcción de las circunscripciones ha sido latamente analizado. Uno de los aspectos que ha recibido mayor atención es el de la manipulación interesada de circunscripciones, supuesto conocido como *gerrymandering*, que es una práctica que consiste en una alteración de las circunscripciones electorales de un territorio, uniéndolas, dividiéndolas o asociándolas, con el objeto de mejorar o empeorar los resultados de una determinada fuerza política. Se puede hacer también, por ejemplo, atribuyendo mayor representación a distritos con menor población[9]. En el caso chileno han sido varias las acusaciones de *gerrymandering* que se han vertido sobre el sistema electoral durante el sistema binominal, dado que no siempre se utilizó el mismo criterio territorial para construir los distritos electorales (Bronfman, 2013).

2.2.2. Estructura del voto

Es la forma establecida para que el elector exprese su voluntad política. En Derecho comparado existen múltiples sistemas, pero la distinción más clásica consiste en diferenciar entre voto único y voto múltiple, según el número de opciones que puede seleccionar el elector. Dentro de las catego-

---

[8]   Así por ejemplo California, que es el estado más poblado, elige 53 Representantes mientras que Alaska, el Estado menos poblado elige solamente 1.

[9]   El origen del término está en la caricatura política elaborado por Gilbert Stuart en 1812. El nombre de la caricatura es *The Gerrymander*, juego de palabras con el apellido del gobernador de Massachusetts, Elbridge *Gerry* y *salamander* (salamandra en inglés), por la caprichosa forma del distrito electoral, creado por este.

rías de voto múltiple, las opciones son también variadas: así por ejemplo, se puede otorgar al ciudadano tantos votos como escaños a elegir o un número menor de ellos, o incluso se puede establecer algún sistema mixto, como el voto alternativo[10] o el voto único transferible[11]. Asimismo, también es posible distinguir en cuanto a la estructura de voto, entre sistemas de votos a título personal y de representación por lista. En el primero, los escaños se atribuyen a los candidatos, en cambio en el segundo, aunque suene tautológico, los escaños se atribuyen a las listas. En este último caso, es posible subdistinguir entre sistemas de lista abierta y sistemas de lista cerrada. El criterio determinante para diferenciar entre unas y otras, está dado en términos de la facultad que le conceden al elector para votar por el candidato o por el partido de su preferencia. En las listas cerradas el orden de los candidatos es determinado por los partidos y los electores no pueden expresar su preferencia por alguno de ellos. En el caso de las listas abiertas, los votantes pueden indicar no sólo su partido, sino también su candidato favorito dentro de ese partido, esto es importante, pues el orden en que los candidatos son electos está determinado por el número de votos individuales que reciben.

2.2.3. Fórmula electoral

La fórmula electoral es el conjunto de operaciones matemáticas que permiten traducir los votos en escaños. Las fórmulas electorales en ningún caso

---

[10]   En lugar de indicar simplemente a su candidato favorito, los electores colocan a los candidatos por orden de preferencias, marcando 1 por su primera elección, 2 por su segunda opción, 3 para su tercera opción, etc. Así, el sistema permite que los votantes expresen sus preferencias entre los candidatos, en lugar de simplemente expresar su primera elección. Por esta razón, con frecuencia se le conoce como "voto preferencial" en los países donde se le utiliza.

[11]   El VUT utiliza distritos plurinominales y los votantes marcan a los candidatos en su orden de preferencias, de la misma forma que en el sistema de voto alternativo. En la mayoría de casos, la indicación de las preferencias es opcional y los votantes no están obligados a ordenar a todos los candidatos; si quieren pueden marcar solo uno. Después de contar el número total de primeras preferencias, se utiliza una operación para establecer "la cuota" de votos requeridos para la elección de un candidato. La primera etapa del conteo de los votos consiste en comprobar el número total de votos de primera preferencia para cada candidato. Cualquier candidato que tenga más primeras preferencias que la cuota es inmediatamente elegido. Si ninguno logra la cuota, el candidato con el menor número de primeras preferencias es eliminado y sus segundas y terceras preferencias son redistribuidas entre los candidatos restantes. Al mismo tiempo, el "excedente" de votos de los candidatos elegidos (en relación a la cuota) es redistribuido de acuerdo a las segundas preferencias de las papeletas.

son neutras, sino que claramente están creadas para que el sistema tienda a producir unos determinados resultados. En este sentido, se suele distinguir, *grosso modo*, entre fórmulas electorales mayoritarias y minoritarias. Desde luego, también existe la posibilidad de mezclar fórmulas de distinta naturaleza para morigerar los efectos de estas, tal es el caso de la elección de los miembros del *Bundestag* en Alemania[12]. La importancia de la fórmula electoral es tan grande, que suele existir identificación entre la fórmula y el sistema en su totalidad. A continuación, realizaremos un análisis más pormenorizado de los principales sistemas electorales existentes en el Derecho comparado, teniendo en cuenta la interacción entre cada uno de sus elementos.

2.3. Clasificación de los sistemas electorales

2.3.1. Mayoritarios

Los sistemas mayoritarios tienen como propósito principal que quien ejerce la dirección de los órganos del Estado, pueda contar con la mayoría necesaria para llevar a cabo su programa político sin dificultades, y sin que la oposición pueda interferir obstaculizando los procesos deliberativos de adopción de decisiones políticas. De este modo, el sistema tiende a sobrerrepresentar a la mayoría, y al mismo tiempo, castigar severamente a la minoría. Un buen ejemplo que ilustra esta situación, es el caso del sistema utilizado en Inglaterra para la elección parlamentaria de la Cámara de los Comunes, que se denomina sistema mayoritario uninominal, en el cual todo el país se divide en 650 circunscripciones, eligiendo cada una de ellas un cargo, de forma tal, que la lista ganadora en cada circunscripción obtiene la totalidad de la representación política y las restantes fuerzas políticas quedan sin representación parlamentaria en ese distrito.

Otro ejemplo de sistema mayoritario es el sistema mayoritario plurinominal, el que para que produzca el efecto deseado debe ser necesariamente configurado como un sistema de lista cerrada. Así sucede en el sistema de elección del Senado en España, en este último caso, cada comunidad autó-

---

[12]   El *Bundestag* es el órgano de representación del pueblo alemán. La representación se adquiere por sufragio universal periódicamente manifestado a través de los comicios. Todo elector tiene dos votos, pues la mitad de los miembros del señalado órgano se eligen en virtud de una fórmula mayoritaria y para la otra mitad se utiliza una de carácter proporcional.

noma elige un número determinado de Senadores y la lista que obtiene más votos se lleva todos los cargos.

La principal ventaja de los sistemas mayoritarios está dada por su tendencia a generar fuerzas políticas poderosas y cohesionadas, lo que indudablemente, contribuye a robustecer al partido o coalición gobernante. Sin embargo, su desventaja más clara es que tienden a perjudicar a los partidos minoritarios, resultando estos normalmente excluidos del parlamento. Otro efecto normalmente descrito en la literatura es la propensión a generar bipartidismo, pues lo usual es que o los partidos pequeños desaparezcan o se integren a una coalición más amplia en la que pierden influencia, por lo que finalmente la lucha política se termina dando entre las dos principales fuerzas políticas (Duverger, 2012).

2.3.2. Proporcionales

Los sistemas proporcionales se encuentran en las antípodas de los mayoritarios, es decir, las ventajas de estos últimos son las ventajas de los primeros y viceversa. En efecto, los sistemas proporcionales buscan que el Congreso pueda integrar de la mejor forma posible a todas las fuerzas políticas que existen en la sociedad, de forma tal que la función del parlamento sea la de reflejar el debate público en toda su riqueza y diversidad. Por el contrario, el principal problema descrito en la literatura es que los sistemas proporcionales tienden a la inestabilidad y a la atomización del sistema de partidos (Duverger, 2012). Por esta razón, a pesar de que el sistema proporcional es un valioso insumo para la democracia representativa, pues contribuye a generar un nexo más directo entre el elector y el representante, es necesario diseñar cuidadosamente un sistema electoral de este tipo a efectos de minimizar sus consecuencias adversas.

Como ya se señaló, la fórmula matemática en el caso de los sistemas mayoritarios es meramente agregativa, es decir consiste en sumar votos e imputarlos a los escaños en función de la modalidad que se establece para expresar el sufragio, por el contrario, para el caso de los sistemas proporcionales la operación matemática típica consiste en obtener un cociente o cifra repartidora, según sea el caso. En Derecho comparado existen distintas fórmulas diseñadas para los sistemas proporcionales, las más utilizadas son el método D'Hondt, y el método Webster, también conocido como Sainte-Lagüe. La diferencia entre ambos está dada por que el primero de ellos busca, dentro de su proporcionalidad, favorecer a los partidos mayoritarios, por el contrario, el segundo pone énfasis en los partidos pequeños. Para entender la lógica de los sistemas proporcionales, nosotros nos detendremos exclusivamente en la fórmula D'Hondt, que a partir del año 2017 se utiliza en nuestro país para las elecciones parlamentarias, luego de la reforma a la Ley N° 18.700 sobre Votaciones Populares y Escrutinios, y es también utilizada para las elecciones regionales y municipales.

En términos generales, una vez escrutados todos los votos, la primera operación matemática que se debe realizar, es calcular una serie de divisores para cada lista. La fórmula de los divisores es: V/N, donde V representa el número total de votos recibidos por la lista, y N cada uno de los números enteros desde 1 hasta el número de cargos a elegir en esa circunscripción. Una vez realizadas las divisiones de los votos de cada candidatura, por cada uno de los divisores desde 1 hasta N, la asignación de cargos electos se hace ordenando los cocientes de las divisiones de mayor a menor y asignando a cada uno un escaño hasta que estos se agoten.

El método D'Hondt, como todo sistema proporcional, se aplica en el marco de un sistema de lista y funciona sobre la base de circunscripciones plurinominales. A mayor tamaño de la circunscripción se produce un mayor efecto de proporcionalidad. Para dotar al sistema de mayor estabilidad, normalmente se suele introducir un umbral mínimo de representación, es decir, un mínimo nivel de votación que requiere una lista para garantizar su viabilidad política, el cual puede ser fijado a través de un porcentaje de los votos válidamente emitidos o través de una cantidad fija.

Probablemente, un ejemplo puede contribuir a una mejor comprensión del conjunto de operaciones que implica la aplicación de la fórmula electoral. Como ya explicábamos, en primer lugar, se ordenan las listas que superan el umbral de representatividad en función del número de votos obtenidos y se dividen sucesivamente por el número de escaños. El resultado es una matriz dentro de la cual se seleccionan las cifras más altas en un número equivalente al total de los escaños. Cada lista que obtiene una de esas cifras obtiene un escaño.

En un ejemplo ficticio y sencillo, para una circunscripción de 5 escaños, el escrutinio de votos arroja los siguientes resultados:

a. Un total de 100.000 votos válidamente emitidos.

b. Los votos obtenidos por cada una de las listas son los siguientes:

    a. Lista A: 40.000 votos

    b. Lista B: 20.000 votos

    c. Lista C: 10.000 votos

    d. Lista D: 5.000 votos

e. Lista E: 25.000 votos

c. El umbral de representatividad es de 10.000 votos

Entonces, el primer paso es ordenar las votaciones de mayor a menor:

Lista A	Lista E	Lista B	Lista C	Lista D
40.000 votos	25.000 votos	20.000 votos	10.000 votos	5.000 votos

La primera operación que se debe realizar es excluir a las listas que no cumplen con el umbral mínimo de representatividad, en este caso el partido D:

Lista A	Lista E	Lista B	Lista C
40.000 votos	25.000 votos	20.000 votos	10.000 votos

El número de escaños funciona a modo de cifra repartidora, debiendo dividirse cada una de las votaciones obtenidas por las listas de forma sucesiva, tantas veces como lo exija dicha cifra. El producto de esta operación se puede graficar en la siguiente matriz:

Lista A	Lista E	Lista B	Lista C
40.000/ 1 = 40.000	25.000/1 = 25.000	20.000/1= 20.000	10.000/1= 10.000
40.000/ 2 = 20.000	25.000/2 = 12.500	20.000/2 = 10.000	10.000/2 = 5.000
40.000/ 3 = 13.333,3	25.000/3 = 8.333,3	20.000/3 =6.666,6	10.000/3 =3.333,3
40.000/ 4 = 10.000	25.000/ 4 = 6.250	20.000/4 = 5.000	10.000/4 = 2.500
40.000/ 5 = 8.000	25.000/5 = 5.000	20.000/5 = 4.000	10.000/5 = 2.000

De esa matriz se deben seleccionar, finalmente, las cifras más altas hasta completar el número de escaños.

Lista A	Lista E	Lista B	Lista C
40.000	25.000	20.000	10.000
20.000	12.500	10.000	5.000
13.333,3	8.333,3	6.666,6	3.333,3
10.000	6.250	5.000	2.500
8.000	5.000	4.000	2.000

Entonces, como resultado de este ejemplo ficticio, con los datos proporcionados, la lista A obtendría tres escaños y las listas B y E, un escaño cada una, respectivamente.

Aunque no se puede apreciar con total claridad en este ejemplo simple, el método D'Hondt dentro de su proporcionalidad, tiende a beneficiar a las listas más votadas. Probablemente, si aplicáramos una fórmula que tiende a atribuir el diferencial a los partidos más pequeños, por ejemplo, el método Webster, con total seguridad la lista A perdería un escaño en favor de la lista B o E[13].

2.4. El sistema electoral chileno: análisis y crítica

Uno de los aspectos más complejos de la democracia chilena ha sido el sistema electoral.

2.4.1. Sistema electoral para las elecciones presidenciales

Para el caso del Presidente de la República, el sistema electoral establecido por la Constitución de 1980 es un sistema mayoritario a dos vueltas sobre la base de una única circunscripción. Esto significa, que para que uno de los candidatos sea electo Presidente de la República, requiere de la mayoría absoluta de sufragios válidamente emitidos. Si ello no sucede, se realiza una segunda vuelta entre las dos primeras mayorías relativas. La regla difiere de la establecida por la Constitución de 1925, que señalaba que en caso de que ningún candidato obtuviere la mayoría absoluta, era el Senado quien decidía entre las dos primeras mayorías relativas. La última vez que se aplicó esta regla fue en la elección presidencial de 1970, que llevó a Salvador Allende a la Moneda.

2.4.2. Sistema electoral para las elecciones parlamentarias

a. El sistema electoral binominal

En materia de elecciones parlamentarias el debate ha sido álgido. La Carta de 1980 reemplazó el sistema proporcional que existió hasta 1970,

---

[13]   La fórmula para el cociente es la siguiente: $V/2S+1$, donde V es el número total de votos que la lista recibió y S es el número de asientos que esta ha obtenido hasta ese momento. Inicialmente, S es cero para todas las listas.

por un sistema bastante *sui generis* denominado sistema binominal. Este se fundaba en el principio básico de que todas las circunscripciones o distritos, según sea el caso, eligen dos representantes sobre un sistema de listas abiertas[14]. Cada lista puede presentar a las elecciones un máximo de dos candidatos. Al momento de traducir los votos en escaños, los votos obtenidos por ambos candidatos se suman a efectos de determinar cuántos cargos corresponden a cada lista. Luego se asignan los escaños al interior de las listas según la votación individual de cada candidato. La lista que alcanza el primer lugar en una circunscripción, únicamente puede obtener ambos escaños, si logra más que el doble del total de sufragios que la lista que obtuvo el segundo lugar. En caso contrario, cada una de las dos listas más votadas consigue solo un escaño, independientemente de la diferencia de votos que exista entre ellas.

El sistema binominal fue el tópico más debatido durante toda la transición. En concreto, solo pudo modificarse luego de más de una decena de intentos. En efecto, contó con férreos partidarios que vieron en él un requisito indispensable para el buen funcionamiento de las instituciones, y en ese sentido, lo consideraban determinante en la estabilidad y gobernabilidad que alcanzó Chile durante las décadas de 1990 y 2000. Sin embargo, a nuestro juicio, se trataba de una estabilidad artificialmente producida, y en realidad, no es muy difícil constatar cómo dicho sistema produjo efectos claramente antidemocráticos, como por ejemplo, excluir del Parlamento a todos los partidos políticos que no se integraron en uno de las dos grandes coaliciones. Por otra parte, existen una serie de estudios que mostraron con claridad cómo los dos bloques mayoritarios se vieron considerablemente sobrerrepresentados.

Estos efectos, a primera vista podrían asimilarse a los que típicamente producen los sistemas mayoritarios, sin embargo, el sistema binominal ocasionaba un curioso efecto que claramente atentaba contra los principios esenciales de la democracia: en un número importante de ocasiones se produjo un empate entre las dos primeras mayorías, es decir, nadie ganaba las elecciones, por lo que algunos autores no tardaron en bautizarlo como "un seguro para los subcampeones electorales". Por lo mismo, el sistema binominal fue considerado el verdadero cerrojo que impedía alterar el *statu quo* de la Constitución de 1980.

---

[14]   La diferencia entre distrito y circunscripción es nada más una cuestión de nomenclatura. Se habla de distrito cuando se hace referencia a la elección de Diputados y circunscripciones en la elección de Senadores. Para el caso de la elección de Diputados existían 120 distritos, para la de senadores 19 circunscripciones.

b. El sistema electoral vigente a partir de 2017

Recientemente, la Ley N° 20.840 de 05 de mayo de 2015, que modifica la Ley N° 18.700 Orgánica Constitucional de Votaciones Populares y Escrutinios, vino a sustituir el sistema binominal por un sistema proporcional. Dicho sistema se aplicó por primera vez en las elecciones parlamentarias de 2017. Sin embargo, hay que tener en cuenta que como el período de los Senadores es de 8 años, y según el artículo 49 CPR, estos se renuevan por parcialidades cada cuatro años, en la propia ley se estableció que, para los efectos de completar la nueva integración del Senado, en las elecciones parlamentarias de noviembre de 2017 se renovaren completamente las circunscripciones que corresponden a regiones impares. En el caso de las circunscripciones que corresponden a las regiones pares y Metropolitana, los parlamentarios elegidos en 2013 seguirán en sus funciones hasta completar su período de ocho años. En las elecciones de 2020, estas circunscripciones elegirán al total de los senadores que les corresponde.

El nuevo sistema electoral para las elecciones parlamentarias funciona sobre la base de las siguientes reglas:

1. Se trata de un sistema de circunscripciones plurinominales de tamaño variable. En el caso de la Cámara de Diputados, esta se compone de 155 miembros, elegidos en 28 distritos de 3, 4, 5, 6, 7 y 8 escaños, respectivamente[15]. En el caso del Senado este se compone de 50 miembros, elegidos en 15 circunscripciones de 2, 3 y 5 escaños, respectivamente.

2. En cuanto a la estructura de voto, se mantiene un sistema de voto único sobre la base de listas abiertas.

3. Respecto a la fórmula electoral, se recurre a una fórmula proporcional del tipo D'Hondt. Así las cosas, el nuevo artículo 121 del citado cuerpo legal establece que:

    "En el caso de elecciones de diputados y senadores, el Tribunal Calificador de Elecciones proclamará elegidos a los candidatos, conforme a las reglas establecidas en el procedimiento que a continuación se detalla:

    1.- El Tribunal Calificador de Elecciones determinará las preferencias emitidas a favor de cada lista y de cada uno de los candidatos que la integran.

---

[15] El Consejo Directivo del Servicio Electoral deberá actualizar cada diez años, la asignación de los 155 escaños de Diputados entre los 28 distritos, de acuerdo con último censo oficial de la población realizado por el Instituto Nacional de Estadísticas. No obstante, la ley establece que ningún distrito podrá elegir menos de 3 ni más de 8 Diputados.

2.- Se aplicará el sistema electoral de coeficiente D'Hondt, para lo cual se procederá de la siguiente manera:

a) Los votos de cada lista se dividirán por uno, dos, tres y así sucesivamente hasta la cantidad de cargos que corresponda elegir.

b) Los números que han resultado de estas divisiones se ordenarán en orden decreciente hasta el número correspondiente a la cantidad de cargos que se eligen en cada distrito electoral o circunscripción senatorial.

c) A cada lista o pacto electoral se le atribuirán tantos escaños como números tenga en la escala descrita en la letra b).

Ahora bien, se debe hacer una importante distinción, según se trate de listas conformadas por un solo partido político o se trate de listas que se originen en virtud de un pacto electoral. Para el primer caso, la regla es simple: el Tribunal Calificador de Elecciones proclamará electos a los candidatos que hayan obtenido las más altas mayorías individuales de cada lista, de acuerdo con número de cargos que le correspondan a cada una de ellas, luego de aplicar las reglas descritas precedentemente. Las reglas para determinar cómo se distribuyen los escaños en el segundo supuesto, responden a la lógica de volver a aplicar la fórmula D'Hondt al interior de la lista. Así, según el numeral 4° del citado artículo 109 *bis*, el procedimiento para determinar qué partidos dentro de listas heterogéneas obtienen los cargos, es el siguiente:

a) Se suman los votos de cada partido político, incluyendo los de las candidaturas independientes asociadas a ese partido.

b) Se divide por uno, dos, tres y así sucesivamente, hasta la cantidad de cargos obtenidos por el pacto electoral por aplicación de la cifra repartidora.

c) A cada partido político o, en su caso, a cada partido y las candidaturas independientes asociadas a este, se le atribuirán tantos escaños como números tenga en la escala descrita en la letra b) precedente.

d) El Tribunal Calificador de Elecciones proclamará elegidos a los candidatos que hayan obtenido las más altas mayorías individuales de cada partido político, incluyendo independientes asociados, de acuerdo con los cupos obtenidos por cada uno de ellos.

Como regla de clausura, si existe empate entre candidatos de una misma lista, o entre candidatos de distintas listas que a su vez estén empatadas, el Tribunal Calificador de Elecciones procederá en audiencia pública a efectuar un sorteo entre ellos, y proclamará elegido al que salga favorecido.

3. LOS PARTIDOS POLÍTICOS

3.1. Concepto, naturaleza y clasificación de los partidos políticos

3.1.1. Concepto

Los partidos políticos son un tipo de organizaciones políticas que poseen un rol fundamental en una democracia representativa. Una de las definiciones más famosas proviene del politólogo estadounidense Anthony Downs, quien señaló que: "un partido político es un grupo de personas que buscan el control del aparato de gobierno a través de obtener puestos en una elección llevada a cabo de forma correcta" (Downs, 1973). Para Allan Ware en un sentido muy similar, "el partido es una institución que busca influencia en el seno de un Estado, a menudo intentando ocupar posiciones en el gobierno" (Ware, 2006).

Nosotros diremos que los partidos políticos presentan las siguientes características:

a. Forman una agrupación permanente de personas, esto es, constituyen una manifestación particular del derecho fundamental de asociación. El derecho de asociación consiste en la facultad que tiene toda persona para unirse y crear organizaciones permanentes para la consecución de fines específicos, a los que el ordenamiento jurídico les reconoce personalidad jurídica, es decir, capacidad jurídica en términos plenos. En el caso de los partidos políticos, estos son creados con el objeto de servir como vehículos de participación política.

b. Sus miembros están unidos por un mismo proyecto político. En efecto, esta idea común se expresa en la forma de una doctrina política, es decir, un conjunto de principios teóricos y prácticos acerca de la conducción del Estado.

c. Su finalidad es influir en el proceso de toma de decisiones políticas a través de su acceso a cargos públicos, particularmente, aquellos de elección popular.

La Ley N° 18.608 Orgánica Constitucional de Partidos Políticos, los define en su artículo 1°, señalando que son: "*Los partidos políticos son asociaciones autónomas y voluntarias organizadas democráticamente, dotadas de personalidad jurídica de derecho público, integradas por personas naturales que comparten unos mismos principios ideológicos y políticos, cuya finalidad es contribuir al funcionamiento del sistema democrático y ejercer influencia en la conducción del Estado, para alcanzar el bien común y servir al interés nacional*".

3.2. Funciones de los partidos políticos

Los partidos políticos son esenciales para el funcionamiento de la democracia representativa, sin su existencia resultaría mucho más complejo su implementación, ya que estos facilitan enormemente la comprensión de la democracia como un sistema, vertebrando la participación electoral. Para entender su relevancia es necesario tener en cuenta todo el ciclo electoral, que va desde los actos preparatorios de la elección, la campaña, la elección propiamente tal, y posteriormente, la implementación de un programa político. Desde esta perspectiva, los partidos políticos cumplen las siguientes funciones en una democracia:

a. Formación de opinión: articulan y unifican los intereses sociales. Los partidos formulan las expectativas públicas y las demandas de los grupos sociales en el sistema político. Al articular sus demandas en base a una ideología, presentan una base conceptual general para la formulación de opiniones en temas específicos de manera relativamente coherente.

b. Selección: reclutan al personal político y promueven la formación de nuevos cuadros. Los partidos seleccionan personas y las presentan en las elecciones para optar a cargos políticos.

c. Integración y articulación de intereses: desarrollan programas políticos, pues los partidos vertebran los diferentes intereses sectoriales en una concepción global de la política y los incluyen en un programa político.

d. Socialización y participación: promueven la socialización política y la participación ciudadana. Los partidos establecen una conexión entre los ciudadanos y el sistema político, permiten la participación política de los individuos y los grupos con perspectivas de éxito.

e. Dominio: organizan el gobierno, dado que los partidos participan en las elecciones para ocupar posiciones de poder; en las democracias partidistas, por lo general, al menos una parte de los miembros más destacados del gobierno proviene de los partidos que han ganado las elecciones.

f. Legitimidad: contribuyen a la legitimidad del sistema político. Como los partidos establecen un vínculo entre los ciudadanos, grupos sociales y el sistema político, contribuyen al afianzamiento del orden político en la conciencia de los ciudadanos y en las fuerzas sociales.

Ahora bien, estas mismas razones suelen motivar críticas en contra de los partidos políticos, pues su influencia puede terminar alejando a los ciudadanos de las instituciones políticas ya que, en la práctica, estos podrían llegar a actuar como estructuras de poder bastante estáticas y burocráticas que realizan de manera interesada el proceso de filtrar y seleccionar a las personas que presentarán sus candidaturas a los cargos de elección popular. Por ejemplo, Michels, critica que los partidos políticos favorecen la formación de una oligarquía, en lo que él denominó "la ley de hierro de las oligarquías" (Michels, 1982). Esta tesis plantea que, como toda organización, los partidos políticos presentan una tendencia inherente hacia el elitismo. Afirma que la complejidad social y las necesidades organizativas llevan incluso a las entidades más democráticas a un estado de dominación perpetua de la élite. Este fenómeno se debe al aumento de élites sociales políticamente sofisticadas dentro de la organización, así como a la necesidad de la organización de mantener un control y un gobierno administrativo uniformes para alcanzar sus objetivos. Por ejemplo, para que un partido político promulgue su programa político o sea competitivo en las elecciones, debe desarrollar una jerarquía interna dirigida por élites políticas que sean expertos en políticas o campañas. Por lo tanto, la membresía masiva dentro del partido político está necesariamente relegada a una posición secundaria definida por el liderazgo de la élite.

3.3. Bases constitucionales de los partidos políticos, regulación y financiamiento

Las fuentes principales de regulación en el ordenamiento jurídico chileno son las siguientes:

- Artículos 19 N° 15, 23 y 93 N° 10 CPR
- Ley N° 18.603, Orgánica Constitucional de Partidos Políticos
- Ley N° 18.700, Orgánica Constitucional de Votaciones Populares y Escrutinios
- Ley N° 19.884, Sobre Transparencia, Control y Límite del Gasto Electoral.

3.1.1. Regulación constitucional

La CPR sitúa a los partidos políticos dentro del derecho de asociación (19 N° 15), por lo que todas las disposiciones generales en la materia son aplicables a los partidos políticos. Por ejemplo, se señala en este artículo que: *"nadie puede ser obligado a pertenecer a una asociación"*, lo que permite concluir que la militancia política también es voluntaria. Asimismo, se establecen límites al derecho de asociación, prohibiéndose las asociaciones contrarias a la moral, al orden público y a la seguridad del Estado. Ahora bien, dado que los partidos políticos son un tipo especial de asociación, creados para llevar a cabo objetivos de naturaleza política, existen también disposiciones especiales que se les aplican. Algunas de estas disposiciones se establecen para ajustar su acción a los principios de la democracia, pero otras se explican únicamente debido a la particular concepción del Constituyente de 1980.

Ahora bien, como ya se señaló, la Constitución no contiene una definición de partidos políticos, sino que esta se encuentra en la Ley Orgánica Constitucional de Partidos Políticos (LOCPP). En concreto, las cuestiones que específicamente aborda la Constitución en relación con esta materia son: funciones y prohibiciones, fuentes de regulación y democracia interna.

a. Funciones y organización de los partidos políticos

La CPR plantea en términos generales cuáles son las funciones de los partidos políticos, señalando: *"Los partidos políticos expresan el pluralismo político, concurren a la formación y expresión de la voluntad popular, son instrumento fundamental para la participación política democrática, contribuyen a la integración de la representación nacional y son mediadores entre las personas y el Estado"*. En este punto la Constitución no se aparta demasiado de lo que ha dicho la doctrina que ha analizado este tema.

Aunque se trata de una disposición legal, no se puede soslayar que la reciente reforma de la ley orgánica atribuye a los partidos políticos personalidad jurídica de Derecho público. Sin perjuicio de que no existe claridad respecto del significado de esta cláusula, pues los partidos políticos no son un órgano público, habría que entender que ello significa que la Constitución los asimila a estos para algunos efectos. Esto es así porque, la doctrina ha entendido con carácter general, que la personalidad jurídica de Derecho público se explica como una técnica de control, que garantiza que los órganos del Estado se someterán por completo al principio de juridicidad (García de Enterría, 2004). Al respecto, se destaca la idea de que los partidos políticos poseen un sistema de control bastante estricto, lo que se justifica a causa del importante rol que cumplen.

Dicho lo anterior, entonces hay que recordar el hecho de que la CPR aborda el tema de los partidos políticos, estableciendo una serie de prohibiciones y restricciones. Así, por ejemplo, señala que: los partidos políticos no podrán intervenir en actividades ajenas a las que les son propias ni tener privilegio alguno o monopolio de la participación ciudadana, la nómina de sus militantes debe registrarse en el Servicio Electoral y su contabilidad deberá ser pública. Con respecto a lo primero, la LOCPP viene a suplir el silencio de la Constitución, precisando qué es lo que debe entenderse por actividades propias de los partidos, al agregar que son actividades propias de estos "*solo las conducentes a obtener para sus candidatos el acceso constitucional a los cargos públicos de elección popular*", lo que necesariamente se debe traducir en realizar todas las acciones que implique la participación en los procesos electorales y plebiscitarios en la forma que determine la ley.

Más concretamente, lo que busca el Constituyente de 1980 con estas reglas es impedir que los partidos políticos invadan el terreno de las organizaciones sociales, de forma de evitar que estas se politicen. Sin perjuicio de que la razón de fondo pueda resultar criticable, esta prohibición es coherente con las establecidas en el artículo 23 CPR a las organizaciones sociales, o grupos intermedios, como prefiere llamarlos la Constitución. En este sentido, se señala que "*son incompatibles los cargos directivos superiores de las organizaciones gremiales con los cargos directivos superiores, nacionales y regionales, de los partidos políticos*". A mayor abundamiento, agrega el inciso final del citado artículo que "*la ley establecerá las sanciones que corresponda aplicar a los dirigentes gremiales que intervengan en actividades político partidistas y a los dirigentes de los partidos políticos, que interfieran en el funcionamiento de las organizaciones gremiales y demás grupos intermedios que la propia ley señale*". Del mismo modo, el art. 57 numeral 7) CPR, establece que no pueden ser candidatos a Diputados y Senadores, "*las personas que desempeñen un cargo de naturaleza gremial o vecinal*". En concordancia con lo anterior, el inciso penúltimo del artículo 60 CPR, dispone que cesará en sus funciones, cualquier parlamentario que incurra en alguna de las inhabilidades del citado artículo 57 CPR.

En cuanto a la organización de los partidos políticos, la Constitución no establece demasiadas reglas, dejando al legislador un amplio margen de configuración normativa. Solamente se limita a establecer una regla competencial, reserva de ley orgánica, para regular las demás materias propias de los partidos políticos, por ejemplo, su constitución, órganos centrales o disolución.

b. Financiamiento de los partidos políticos

Donde sí la Constitución se pronuncia en términos específicos es sobre su financiamiento. Al respecto, señala la Carta Fundamental que "*las fuentes de su financiamiento no podrán provenir de dineros, bienes, donaciones, aportes ni créditos de origen extranjero*". Además, agrega la CPR que su contabilidad deberá ser pública. La LOCPP, complementa en su artículo 33, que las fuentes de financiación ordinarias sólo pueden estar constituidas por:

– Cotizaciones de sus afiliados.

– Donaciones y asignaciones testamentarias que se hagan en su favor.

– Frutos y productos de los bienes de su patrimonio.

Sin perjuicio de lo anterior, la LOCPP posee una escasa densidad normativa en este punto. Por esta razón, y dado que la principal actividad de los partidos políticos es participar de los procesos eleccionarios, se hizo necesario regular el gasto electoral de forma complementaria a la LOCPP. La Ley N° 19.884, Sobre Transparencia, Control y Límite del Gasto Electoral vino a llenar esta laguna. Esta ley regula, entre otras materias, los montos máximos que se pueden gastar en una campaña electoral, las fuentes de financiamiento y los mecanismos de control. El artículo 5° de la citada Ley, señala que: "*El límite de gastos electorales que podrá efectuar cada partido político será el equivalente a un tercio de la suma total de los gastos electorales permitidos a sus candidatos, incluidos los independientes que vayan en pacto o subpacto con él*"[16]. Cabe destacar que esta ley fue reformada en

---

[16] La ley regula los límites al gasto electoral aplicables a los candidatos de la siguiente manera:
– Para candidatos a Senador, 1.500 UF, más aquella que resulte de multiplicar por dos centésimos de UF los primeros doscientos mil electores, por quince milésimos de UF los siguientes doscientos mil electores y por un centésimo de UF los restantes electores en la respectiva circunscripción.
– Para candidatos a Diputado, 700 UF, más aquella que resulte de multiplicar por quince milésimos de UF el número de electores en el respectivo distrito.
– Para candidatos a Alcalde, 120 UF, más aquella que resulte de multiplicar por tres centésimos de UF el número de electores en la respectiva comuna. Cada candidato a concejal podrá gastar una suma no superior a la mitad de aquella que se permita al correspondiente candidato a Alcalde.
– Para los candidatos a Consejeros Regionales, 350 UF, más aquella que resulte de multiplicar por un centésimo de UF los primeros doscientos mil electores, por setenta y cinco diezmilésimos de UF los siguientes doscientos mil y por cinco milésimos de UF los restantes electores de la respectiva circunscripción provincial.

el año 2016, en el marco de las propuestas del Consejo Asesor Presidencial contra los conflictos de interés, el tráfico de influencias y la corrupción.

La ley establece un sistema de financiamiento mixto, en parte financiado con fondos públicos, en parte financiado con fondos privados. El sistema público funciona sobre la base del principio de proporcionalidad y opera siempre *a posteriori*, es decir el Estado reembolsa parte del dinero gastado, siguiendo las reglas establecidas en los artículos 13 y siguientes de la ley. En la parte no cubierta con fondos públicos, la ley autoriza que los particulares puedan concurrir al financiamiento de las campañas, pero con las limitaciones establecidas en el artículo 9 de la ley:

– Ninguna persona podrá aportar a un mismo candidato, y en una misma elección, una suma que exceda, para el caso de candidatos a alcalde y concejales, del 10% del límite del gasto electoral fijado para la respectiva comuna, con un tope máximo de 250 UF; tratándose de candidatos a consejero regional, una suma que exceda de doscientas cincuenta unidades de fomento; en el caso de candidatos a diputado o senador, una suma que exceda de trescientas quince unidades de fomento; tratándose de candidatos presidenciales, una suma que exceda de quinientas unidades de fomento[17]. Además de lo anterior, se limitan los aportes monetarios que los mismos candidatos puedan hacer a sus campañas

– Con todo, ninguna persona podrá efectuar en una misma elección de alcaldes o concejales aportes por una suma superior a mil UF o superior a dos mil UF tratándose de una elección de diputados, una elección de senadores, una elección de consejeros regionales o una elección presidencial.

La reforma de 2016 eliminó los aportes secretos a las candidaturas, además de que incorporó una serie de reglas acerca de la publicidad de los aportes. Estas se resumen del siguiente modo:

– Todos los aportes constarán por escrito, consignarán el nombre completo y número de cédula de identidad del aportante y deberán efec-

---

– En el caso de candidaturas a P. de la R. el límite de gasto será equivalente a la cantidad que resulte de multiplicar por quince milésimos de UF el número de electores en el país. No obstante, tratándose de la situación prevista en el inciso segundo del artículo 26 de la CPR, dicho límite se calculará considerando como factor multiplicador un centésimo de unidad de fomento.

17   Para estos efectos, la elección de segunda vuelta para elegir Presidente de la República, será considerada como otra elección, pudiendo aportar hasta 170 UF en la misma.

tuarse únicamente a través del sistema de recepción de aportes del Servicio Electoral, por medio de transferencia electrónica o depósito bancario y serán públicos.

- Los aportantes podrán solicitar al Servicio Electoral mantener sin publicidad su identidad, tratándose únicamente de aportes cuyo monto no supere los 40 UF para las candidaturas a Presidente de la República; 20 UF para las candidaturas a senador y diputado; 15 UF para las candidaturas a alcalde y a consejero regional; y 10 UF para las candidaturas a concejal. Estos aportes sin publicidad de la identidad del aportante no podrán ser, en total, superiores a 120 UF para un mismo tipo de elección.

- Ningún candidato o partido político, durante el período de campaña electoral, podrá recibir, aportes sin publicidad de la identidad del aportante, mayores al 20% del límite de gastos electorales definido en la ley.

- También serán públicos los aportes mensuales que reciban los partidos políticos que no se consideren gastos electorales.

c. *Partidos políticos y democracia interna*

Dado que la razón de ser de los partidos políticos está íntimamente ligada al funcionamiento de la democracia, estos deben necesariamente contribuir a la formación de la voluntad popular y vertebrar la participación ciudadana. Esto significa que, a pesar de ser jurídicamente asociaciones formadas por particulares, ellos cumplen un innegable rol público. Por lo mismo, su estructura interna y funcionamiento deberían respetar necesariamente los principios del régimen democrático, en lo relativo a sus estructuras de poder y al proceso de formación de las candidaturas. La CPR, contiene un par de disposiciones en tal sentido, estableciendo que los estatutos de los partidos políticos deberán contemplar las normas que aseguren una efectiva democracia interna. Asimismo, una ley orgánica constitucional debe establecer un sistema de elecciones primarias que podrá ser utilizado por dichos partidos para la nominación de candidatos a cargos de elección popular, cuyos resultados serán vinculantes para estas colectividades.

La LOPP durante largo tiempo guardó un riguroso silencio sobre el particular, solo en la reforma del año 2016 se incorporó a la ley un largo artículo 23 bis, que desarrolla el mandato constitucional, en el sentido de que establece que todos los cargos directivos deberán ser electos democráticamente, de acuerdo con una serie de reglas que allí se establecen. Lamentablemente esa exigencia no se extiende a los candidatos que el partido presente a los cargos de elección popular en el marco del Estado.

En cuanto a esto último, existe una ley especial, la Ley N° 20.640 sobre Sistema de Elecciones Primarias. La regulación que establece el citado cuerpo legal, si bien es el primer paso en la democratización del proceso de selección de candidaturas, es aún insuficiente. En términos generales, la ley de marras establece un sistema público, organizado por el Servicio Electoral, para llevar a cabo elecciones primarias en las que se seleccionarán los candidatos a los cargos de Presidente de la República, Parlamentarios y Alcaldes dentro de los partidos políticos y de los pactos electorales. Sin embargo, se presenta el problema que no es obligatorio la realización de elecciones primarias, y dicha decisión, queda totalmente entregada a las autoridades del partido. En la práctica lo que ha sucedido, es que el mecanismo ha funcionado más para dirimir al candidato del pacto electoral, pero internamente dentro de cada partido los candidatos no son electos democráticamente.

De todas formas, hay que destacar que, si los partidos declaran su voluntad de realizar elecciones primarias, los resultados son estas son vinculantes. En este mismo sentido se expresa la misma CPR en su artículo 19 N° 15, inciso 5°, prescribiendo que: *"aquellos que no resulten elegidos en las elecciones primarias no podrán ser candidatos, en esa elección, al respectivo cargo"*. Otro punto que debilita el régimen de la ley está dado por el hecho de que el padrón electoral es determinado por el propio partido político o pacto electoral, de entre alguna de las siguientes alternativas:

a) Sólo los afiliados al partido habilitados para ejercer el derecho a sufragio, en el caso que el partido participe en forma individual.

b) Sólo los afiliados al partido, e independientes sin afiliación política, habilitados para ejercer el derecho a sufragio, en el caso que el partido participe en forma individual.

c) Sólo los afiliados al partido o a los partidos integrantes del pacto habilitados para ejercer el derecho a sufragio, en el caso de un pacto electoral.

d) Sólo los afiliados al partido o a los partidos integrantes del pacto e independientes sin afiliación política habilitados para ejercer el derecho a sufragio, en el caso de un pacto electoral.

e) Todos los electores habilitados para sufragar.

En el caso de elecciones primarias para Presidente de la República en que exista una candidatura independiente, los partidos políticos o pactos electorales participantes del proceso no podrán elegir la primera de las opciones antes listadas.

d. Pluralismo político

Este ha sido otro de los temas polémicos en el marco de la Constitución chilena. En su redacción original la CPR no sólo no protegía el pluralismo político, sino que por el contrario, proscribía determinadas ideologías políticas. De esta manera, el artículo 8° original tenía el siguiente tenor:

> "Todo acto de persona o grupo destinado a propagar doctrinas que atenten contra la familia, propugnen la violencia o una concepción de la sociedad, del Estado o del orden jurídico, de carácter totalitario o fundada en la lucha de clases, es ilícito y contrario al ordenamiento institucional de la República.
>
> Las organizaciones y los movimientos o partidos políticos que por sus fines o por la actividad de sus adherentes tiendan a esos objetivos, son inconstitucionales.
>
> Corresponderá al Tribunal Constitucional conocer de las infracciones a lo dispuesto en los incisos anteriores. Sin perjuicio de las demás sanciones establecidas en la Constitución o en la ley, las personas que incurran o hayan incurrido en las contravenciones señaladas precedentemente no podrán optar a funciones o cargos públicos, sean o no de elección popular, por el término de diez años contado desde la fecha de la resolución del Tribunal. Tampoco podrán ser rectores o directores de establecimientos de educación ni ejercer en ellos funciones de enseñanza, ni explotar un medio de comunicación social o ser directores o administradores del mismo, ni desempeñar en él funciones relacionadas con la emisión o difusión de opiniones o informaciones; ni podrán ser dirigentes de organizaciones políticas o relacionadas con la educación o de carácter vecinal, profesional, empresarial, sindical, estudiantil o gremial en general, durante dicho plazo.
>
> Si las personas referidas anteriormente estuvieren a la fecha de la declaración del Tribunal, en posesión de un empleo o cargo público, sea o no de elección popular, lo perderán, además, de pleno derecho.
>
> Las personas sancionadas en virtud de este precepto, no podrán ser objeto de rehabilitación durante el plazo señalado en el inciso cuarto.
>
> La duración de las inhabilidades contempladas en este artículo se elevará al doble en caso de reincidencia".

La reforma constitucional de 1989 derogó la señalada disposición, incorporando un inciso en el artículo 19 N° 15 que explícitamente declara que la Constitución garantiza el pluralismo político. Sin embargo, la Carta Fundamental no se extiende demasiado en el punto, limitándose a establecer una serie de prohibiciones. Sin embargo, se debe reconocer que la actual cláusula proscribe solamente los partidos políticos que atenten contra la democracia. En efecto, la citada disposición establece:

> "Son inconstitucionales los partidos, movimientos u otras formas de organización cuyos objetivos, actos o conductas no respeten los principios básicos del

régimen democrático y constitucional, procuren el establecimiento de un sistema totalitario, como asimismo aquellos que hagan uso de la violencia, la propugnen o inciten a ella como método de acción política".

La norma ha suscitado un escaso análisis en la doctrina nacional no obstante, limitaciones de este tipo no son extrañas en el Derecho comparado. Sin embargo, en la gran mayoría de los foros donde el problema ha sido planteado, existe consenso en que en una democracia no es posible establecer restricciones a los fines, objetivos políticos, programas o idearios de los partidos, sino que únicamente pueden imponerse controles a la actividad de estos. Una notable excepción es el caso alemán, con la denominada "Democracia Militante". A nuestro juicio, esta aproximación podría ser una alternativa plausible para dotar de contenido a la norma en comento.

Popularizada a partir de la Ley Fundamental de Bonn (LFB), la idea de democracia militante surge, incluso antes de la Segunda Guerra Mundial, para proteger a los ordenamientos europeos inspirados en principios liberales de los ataques furibundos de que en esta época propinaron a la democracia liberal los partidos de inspiración fascista. En términos generales, el concepto de democracia militante implica una serie de medidas destinadas a defender la democracia de sus enemigos que buscan destruirla, incluso utilizando sus mismas reglas. Se trata, en definitiva, de una manera de resolver la vieja cuestión acerca de si la democracia puede ser tolerante con aquellos que son intolerantes. A diferencia de una democracia procedimental, donde todas las posiciones políticas están permitidas, en la LFB se reconoce una suerte de núcleo inmodificable, que viene a coincidir con los principios básicos que la sociedad alemana aspira a proteger, los cuales devienen en intangibles para el legislador.

De esta manera, en su esencia la democracia alemana no constituye una abstracción, sino un corpus de principios concretos. Pero, además, la misma Constitución prevé una serie de mecanismos para defender esta democracia sustantiva del ataque de sus enemigos. Por ejemplo, el artículo 5° LFB limita el derecho a la libertad de expresión en virtud de las *"leyes generales"*. En este mismo sentido, se sitúa la famosa cláusula que estipula que *"la libertad de enseñanza no exime de lealtad a Constitución"*. Pero sin duda, la principal disposición que permite hablar de democracia militante es el parágrafo cuarto del artículo 20, que reconoce el derecho a resistencia del pueblo alemán contra cualquiera que intente eliminar el orden establecido por la Constitución. Por último, dos disposiciones completan el cuadro: el artículo 79 parágrafo tercero LFB, que prohíbe cualquier reforma constitucional que afecte a la organización de la Federación en *Länder*, el principio de la participación de los *Länder* en la legislación, o los principios enunciados en los artículos 1 al 20 (derechos fundamentales) y el artículo 21 parágrafo segundo de la LFB, que permite declarar inconstitucionales a los partidos que por sus fines o el comportamiento de sus adherentes, tiendan a desvirtuar o eliminar el régimen fundamental de libertad y democracia o poner en peligro la existencia de la República Federal de Alemania.

Volviendo al caso chileno, en cuanto a los mecanismos de control, corresponderá al Tribunal Constitucional declarar esta inconstitucionalidad. Sin perjuicio de las demás sanciones establecidas en la Constitución o en la ley, las personas que hubieren tenido participación en los hechos que motiven la declaración de inconstitucionalidad a que se refiere el inciso precedente, no podrán participar en la formación de otros partidos políticos, movimientos u otras formas de organización política, ni optar a cargos públicos de elección popular ni desempeñar los cargos que se mencionan en los números 1) a 6) del artículo 57, CPR por el término de cinco años, contado desde la resolución del Tribunal. Si a esa fecha las personas referidas estuvieren en posesión de las funciones o cargos indicados, los perderán de pleno Derecho.

Capítulo Décimo
Soberanía y derechos fundamentales

1. CONCEPTO; TEORÍAS SOBRE LA SOBERANÍA

La soberanía es un concepto fundamental de la teoría del Estado. Si recordamos los orígenes del concepto, se trata de una idea que representa una metáfora que tenía un doble propósito, por una parte, caracterizar la realidad de los Estado absolutos del Antiguo Régimen, pero también por otra, justificar el hecho de que los Estados modernos debían imponerse a toda otra forma de ejercicio del poder, tanto de vigencia universal, como de vigencia local. En este sentido, siguiendo a Estévez, se puede decir que en el ámbito interno, la dimensión material de la soberanía consiste en que el poder político está por encima de cualquier otro poder social (Estévez, 2006). Señala el mismo autor que la superioridad del poder político sobre cualquier otro poder social radicado en el territorio del Estado tiene un componente real y un componente ficticio. El componente real deriva del "monopolio de la violencia" que los Estados modernos lograron alcanzar en el ámbito de sus respectivos territorios, al punto de que esa concentración monopolística de poder coactivo se manifiesta en que ninguna organización social es capaz de enfrentarse militarmente de forma abierta al ejército estatal.

Ahora bien, el concepto de soberanía no solo describe una realidad, sino también posee un importante componente normativo, en el sentido de que propone un estado de cosas desde el punto de vista de los modelos de organización política. En palabras de un autor, "la idea de soberanía cumplió una función de enorme importancia: fundar un imperio sin restricciones, trazar una línea que separa dentro y afuera, nosotros y ustedes" (Silva-Herzog, 1999). Este concepto sirvió para afirmar el poder del Estado, tanto interna como externamente. A través de él las monarquías contaron con un título para asentar la dominación sobre su territorio, y al mismo tiempo evitar la intervención de las potencias extranjeras. Se habla, entonces, de soberanía interna y externa: la primera consiste en el poder de hacer la ley y gobernar sin limitaciones un Estado, la segunda en concebir el orden internacional como una comunidad de Estados soberanos, por ende iguales, y en excluir la intervención en asuntos internos de parte de cualquiera de los miembros de esta comunidad.

Esto explica por qué cuando los teóricos liberales de los siglos XVII y XVIII buscaban la superación del Antiguo Régimen, el concepto de soberanía supuso un enorme desafío, pues su supresión significaba desprenderse de uno de los pilares básicos sobre los cuales se asentaba toda la estructura del Estado, pero por otro lado, mantenerlo en las mismas condiciones significaba seguir alimentando el fantasma del Estado absoluto. Este dilema fue uno de los debates más arduos dentro del contexto de la Revolución Francesa. La disyuntiva era qué hacer con el concepto de soberanía: deshacerse de él, o reutilizarlo en la fundamentación del orden postrevolucionario eran las alternativas. Lo que sucedió fue que la Revolución Francesa preservó la esencia del concepto, aunque cambiando sus condiciones de ejercicio (De Benoist, 1999). En efecto, los autores franceses de fines del siglo XVIII defendieron la idea que el concepto era perfectamente aprovechable para fundar las bases del Estado liberal de Derecho, y que el pecado original podía ser purgado, simplemente desplazando su titularidad desde el monarca absoluto hacia otra entidad que otorgara legitimidad al sistema político. Es así como nacen las dos grandes teorías sobre la titularidad de la soberanía.

1.1. La teoría de la soberanía popular

La tesis de la soberanía popular era la postura defendida por las facciones más radicales en el marco de la Revolución Francesa, pues hacía depender toda la legitimidad del sistema en el hecho de que las decisiones políticas se adoptasen a través de la regla de la mayoría, lo que se traduce en que la soberanía del Estado recae en el conjunto de sus ciudadanos. El origen de esta teoría se explica porque este modelo de legitimidad permitiría llevar adelante un conjunto de cambios verdaderamente radicales con el propósito de sustituir completamente al régimen monárquico de los Borbones. De esta manera, la soberanía popular hace recaer toda la autoridad del Estado en las personas que poseen derechos políticos, es decir, en el pueblo.

Desde el punto de vista de su paternidad intelectual, se suele señalar que la figura más relevante es la de Rousseau. El soberano absoluto iba a encontrar en sus textos un nuevo titular. Sobre esto último no existe una segunda opinión: la teoría de Rousseau sigue siendo una teoría sobre el poder absoluto, solo que en ella se sustituye el carácter monárquico por uno democrático. De esta manera, para dicho autor afirmó la soberanía como una categoría absoluta, precisando que *"pertenece a la esencia del poder soberano el no poder ser limitado; o lo puede todo o no es nada"*. A partir de la famosa definición de la ley como expresión de la voluntad general, se reconocía al pueblo soberano la capacidad para cambiar en cualquier momento las leyes o los gobernantes (Fernández A., 2002).

1.2. La teoría de la soberanía nacional

Esta tesis se opone a la anterior, ya que es planteada con un propósito claramente contramayoritario, que buscaba minimizar el proceso de reformas que estaba teniendo lugar en el marco de la Revolución Francesa. Para esto se recurre a la idea de nación como fuente de legitimidad de las decisiones políticas. Como hemos visto antes, es posible concebir a la nación como una especie de comunidad de valores que actúa como receptáculo de una cultura común, transmitida de generación en generación, y que es imperativo conservar y transmitir a las generaciones venideras. De este modo, si el poder del Estado debe ejercerse acorde con los intereses de la nación, concepto que tiene claramente un alcance intergeneracional, ello conlleva un límite importante a la regla de la mayoría, pues el concepto de ciudadano equivale sólo a las personas que existen en un momento histórico determinado. En definitiva, el argumento central de esta teoría es que la generación presente no es la dueña absoluta del destino de la comunidad política, pues tienen la obligación de ser respetuosa con lo que han construido sus ancestros, y al mismo tiempo, de ser responsable por el legado que dejará a sus descendientes.

Evidentemente, ambas concepciones tienen sus pros y sus contras. La soberanía popular, si se entiende en términos absolutos, puede llevar a excesos en los que las mayorías simplemente opriman los derechos de las minorías. Bien lo supieron los mismos franceses durante la etapa más álgida de la revolución conocida como *Le Terreur*, en la que según las fuentes, hubo entre 20.000 a 40.000 guillotinados. En suma, la misma historia (y no sólo la francesa) ha sido elocuente en poner de relieve la necesidad de algún control a las mayorías contingentes. Sin embargo, poner ese límite en la voluntad y los intereses de la nación es sumamente complejo. La nación, en tanto concepto abstracto, carece de voluntad expresa, por lo que requiere de la mediación de órganos e instituciones que generen una voluntad previamente inexistente. Tomarse en serio esta idea puede significar volver a los tiempos donde unos pocos, los auténticos intérpretes de los designios de la nación, decidían sobre la vida y los derechos de muchos. Por otra parte, en la actualidad los conceptos de Estado y nación se encuentran claramente desligados, por lo que es perfectamente posible la existencia de Estados plurinacionales: si ya determinar la voluntad de una única nación es complicado, tratar de hacer compatible los intereses de varias de ellas, sólo confirma lo impracticable de este arreglo teórico.

Ambas tesis fundamentaron cada una de las posiciones políticas que existieron durante la *Révolution,* y se proyectan incluso hasta nuestros días. Explica Raymond Carré de Malberg que sería de la mano de Sieyès que la Asamblea Nacional consagraría la tesis de la soberanía nacional en la Constitución de 1791, con el objeto de conservar parte de la institucionalidad del Antiguo Régimen, particularmente la figura del rey. A su vez, el concepto de soberanía popular llegaría a los textos con la Constitución de 1793, a través del discurso de Robespierre y los Jacobinos. Como es obvio, esta discusión no era para nada inocente, pues detrás de ella hay visiones muy diferentes acerca de las instituciones democráticas: en la primera modalidad primarían los procedimientos representativos y una fuerte tendencia hacia el sufragio censitario, mientras que en la segunda favoreció muy importantemente el sufragio universal y la implantación de mecanismos de democracia semidirecta (Carré de Malberg, 1998).

Hoy en día esta discusión se encuentra prácticamente resuelta, ello como consecuencia de que la democracia representativa, pero universal, ha devenido en una fuente de legitimidad insustituible en la construcción del Estado de Derecho. Adicionalmente es posible observar una propensión cada vez mayor hacia mecanismos de democracia semidirecta. Así las cosas, la mayoría de los ordenamientos constitucionales contemporáneos adoptan la tesis de la soberanía popular. Sin embargo, esto no significa que en ellos las actuaciones de los órganos estatales se fundamenten exclusivamente sobre la base de una concepción meramente agregativa e ilimitada de la democracia. Por el contrario, con posterioridad a la Segunda Guerra Mundial, los derechos fundamentales como límites a la soberanía popular se convierten en la regla general, sustituyendo el papel que pretendía desarrollar la tesis de la soberanía nacional en tanto concepción contramayoritaria.

2. LA SOBERANÍA EN LA CONSTITUCIÓN DE 1980: DIMENSIONES, NATURALEZA, LÍMITES, TITULARES Y EJERCICIO

El artículo 5° CPR aborda el tema de la soberanía. Esta disposición contiene dos incisos claramente diferenciados por su contenido. En el primero de ellos se trata la cuestión de la titularidad y ejercicio de la soberanía, en el segundo, sus límites. Como es muy fácil comprobar de la lectura de cualquier libro de consulta general sobre el Derecho constitucional chileno, este precepto ha sido fuente de enconados debates en la doctrina nacional.

En la primera parte del inciso primero del citado artículo, se señala que: *"La soberanía reside esencialmente en la Nación"*. Ello permite afirmar, sin lugar a dudas, que la Constitución chilena suscribe la tesis de la soberanía nacional, lo que es coherente con muchas instituciones, que en su texto original, configuran limitaciones a la autonomía del cuerpo político. Al respecto, recuérdese aquí todo lo dicho sobre el concepto de democracia protegida. Sin perjuicio de esto último, la opción que adopta el constituyente de 1980 presenta una serie de problemas que históricamente han estado ligados a esta tesis. Solo por poner dos ejemplos: en la CPR se parte de la base de la existencia de una única nación chilena, lo que recientemente ha sido puesto en entredicho, y en segundo lugar, resurge aquí el eterno problema acerca de quiénes deben ser los intérpretes de la voluntad de la nación. Algunas luces sobre esta última cuestión se entregan en la segunda parte de la disposición citada.

A continuación, el inciso primero del artículo 5° se refiere al ejercicio de la soberanía, es decir, a todas aquellas manifestaciones de poder político que son susceptibles de ser imputadas al Estado. Al respecto, señala esta disposición que: *"su ejercicio se realiza por el pueblo a través del plebiscito y de elecciones periódicas y, también, por las autoridades que esta Constitución establece"*. En este sentido, se distinguen dos hipótesis diferentes que encarnan manifestaciones del ejercicio de la soberanía. En primer lugar, el ejercicio de esta que se lleva a cabo por el pueblo, es decir, por el conjunto de ciudadanos a través de los procedimientos de votación popular establecidos constitucionalmente. De cualquier modo, el artículo 5° guarda silencio sobre cuál es el verdadero papel del pueblo en la determinación de la voluntad estatal y la respuesta a esta pregunta, solamente, la podemos encontrar examinando cuáles son dichos actos de votación popular. En nuestro ordenamiento jurídico podemos encontrar los siguientes:

- Elecciones presidenciales
- Elecciones parlamentarias
- Elecciones regionales
- Elecciones municipales

Ahora bien, para el caso del plebiscito, en la Constitución solo existe el caso aislado del artículo 128 CPR, situado en materia de reforma constitucional[18]. Adicionalmente, se puede añadir a la lista otra figura aún más restringida, los plebiscitos comunales contemplados en la Ley Orgánica de Municipalidades (LOCM), que se entiende se derivan del artículo 118 inciso 5° CPR. Todo ello nos lleva a pensar que, en la concepción del constituyente de 1980, el ciudadano solo tiene un papel secundario y siempre (o casi siempre) mediado por sus representantes. En efecto, al respecto vale la pena recordar la prohibición establecida por el artículo 15 inciso 2°, que establece que: "*Sólo podrá convocarse a votación popular para las elecciones y plebiscitos expresamente previstos en esta Constitución*". En cualquier caso, nada de esto es extraño, sino más bien es coherente con la gran cercanía que ha existido siempre entre la tesis de la soberanía nacional y la teoría del mandato representativo.

La segunda posibilidad de ejercicio de la soberanía está dada por la actividad, sobre la base de sus competencias, de las autoridades que la CPR establece. En efecto, cualquier uso de atribuciones que impliquen potestades públicas, cumpliendo con los requisitos del artículo 7° CPR, supone ejercicio de la soberanía. Esta idea es reforzada por la parte final del inciso primero, que dispone que "*ningún sector del pueblo ni individuo alguno puede atribuirse su ejercicio*". Igualmente, es importante destacar que esta cláusula representa una reafirmación del principio clásico de que la soberanía es indivisible, ya que supone un poder de carácter monopólico que no puede ser disociado de su fuente de origen.

El inciso segundo se refiere a los límites al ejercicio de la soberanía. Al respecto es ya clásica entre nosotros la célebre formula que utiliza la CPR, que sitúa el límite al ejercicio de la soberanía en "*los derechos esenciales que emanan de la naturaleza humana*", garantizados por la Constitución o en los tratados internacionales ratificados por Chile. Este precepto ha suscitado una serie de debates en relación con cuál es el sentido de la expresión de marras.

Una primera fuente de controversia se ha planteado en el plano del fundamento de los derechos constitucionales. Así las cosas, algunos autores han creído ver en esta cláusula una invocación al iusnaturalismo como fundamento de dichos derechos. Sin perjuicio de que el debate teórico, sigue abierto e incluso existen sentencias del tribunal Constitucional que

---

[18] Ello sin perjuicio de los actos electorales contenidos en las disposiciones constitucionales aprobadas con posterioridad a la crisis política de 2019, con el propósito de inicial un nuevo constituyente.

se adhieren a la tesis iusnaturalista[19], pareciera ser que entre nosotros, se ha terminado por imponer la tesis positivista sobre el fundamento de los derechos públicos subjetivos reconocidos en la Constitución, lo que se refleja en el hecho de que la denominación "derechos fundamentales" es pacífica en Chile. Incluso más recientemente esta nomenclatura he sido consagrada expresamente en los textos. Sólo considerando el articulado de la Constitución, es necesario recordar al efecto el artículo 93 CPR, que luego de la reforma de 2005 utiliza por primera vez esta expresión.

Una arista específica de este debate es el relativo a la taxatividad del catálogo de derechos fundamentales, es decir, si aquellos derechos esenciales que emanan de la naturaleza humana solo se pueden encontrar en la Constitución y en los tratados internacionales ratificados por Chile, o si por el contrario, es posible concebir algún otro derecho que no esté expresamente consagrado en dichas normas jurídicas, principalmente a través de la interpretación extensiva del concepto de dignidad humana[20]. En esta discusión reaparece nuevamente con fuerza el debate entre positivismo e iusnaturalismo. En una tesis iusnaturalista la lista de derechos esenciales que emanan de la naturaleza humana no se agota en los consagrados en los textos, pudiendo crearse por vía interpretativa, nuevos derechos que no se encuentren reconocidos expresamente en ellos. Por el contrario, en una tesis positivista, sin perjuicio de la discusión sobre la cláusula de apertura al Derecho internacional, la lista de derechos se debería agotar en aquellos consagrados directamente por los aludidos documentos normativos.

Un segundo foco de debate, y quizás uno de los más espinosos de nuestra literatura, tiene que ver con el significado de la referencia a los tratados internacionales que realiza la norma en comento. Dicha cláusula fue incorporada con la reforma constitucional de 1989, por lo que obviamente no existía en la redacción original de la CPR. En este sentido, son dos las cuestiones que han sido profusamente discutidas a propósito de la interpretación de la última parte del inciso segundo del artículo 5, inciso 2° CPR. La primera dice relación con la pregunta de si allí encontramos una cláusula de apertura al Derecho internacional. La segunda tiene que ver con el valor en

---

[19] Por ejemplo, STC rol 740 c. 47. En el mismo sentido y más recientemente, STC rol 2747 cc. 11 y 12; y STC rol 2801 cc. 11 y 12.

[20] Piénsese, por ejemplo, en los derechos humanos de los pueblos indígenas. A pesar de los esfuerzos de los tribunales internacionales, no existe aún ningún instrumento internacional vinculante, reconozca derechos tales como: el reconocimiento y preservación de sus manifestaciones culturales o de sus formas tradicionales de propiedad.

el sistema de fuentes de los tratados internacionales, en la medida que estos son la manifestación más importante del Derecho Internacional Público.

2.1. ¿Existe en la CPR una cláusula de apertura al Derecho internacional?

Hoy tenemos meridiana claridad en que el Derecho Internacional no solamente genera obligaciones para con la comunidad internacional, sino también que sus normas vinculan en el plano interno, y como tal, son directamente aplicables por los Tribunales de Justicia. Por esta razón, lo usual es que las Constituciones de más reciente data establezcan algún mecanismo, a partir del cual las normas de Derecho internacional se convierten en normas de Derecho interno. Así, por ejemplo, el artículo 9° de la Constitución austriaca considera integrados en esta a los tratados internacionales. A este dispositivo se le denomina cláusula de apertura al Derecho internacional. Lamentablemente, la Constitución chilena carece, al menos en términos explícitos, de una herramienta de estas características. Dicho problema no es exclusivo del sistema chileno, aunque en otras latitudes este sido solucionado por vía interpretativa.

En concordancia con esto último, la doctrina mayoritaria suele sostener que los tratados internacionales generan deberes jurídicos que se incorporan plenamente en el Derecho interno y se pueden invocar frente al Estado o incluso en las relaciones entre particulares. Así lo muestra Fernández, quien analiza una serie de sentencias de tribunales nacionales en los que se apela directamente al Derecho internacional para resolver las respectivas controversias (Fernández M., 2010). Esto puede ser indicio suficiente de que en Chile el Derecho internacional se encuentra plenamente integrado con el Derecho interno, pero otros autores han mostrado que, a pesar de la importancia creciente que ha adquirido el Derecho internacional y, en particular, el Derecho internacional de los derechos humanos, ni la doctrina ni la jurisprudencia de los más altos órganos jurisdiccionales (el Tribunal Constitucional y la Corte Suprema) han clarificado satisfactoriamente las relaciones entre estos órdenes normativos Esta falta de certeza jurídica se extiende a la forma en que se deben implementar las sentencias y otras decisiones de la Corte IDH y de la CIDH, especialmente en lo que respecta al Poder Legislativo y a la judicatura (Schönsteiner & Couso, 2015).

Este estado de cosas representa un problema serio para el Derecho chileno. A estas alturas, no es plausible sostener que los tratados internacionales ratificados por Chile y que se encuentren vigentes, no formen parte del

Derecho interno. Al respecto, es posible mencionar dos razones. La primera es que la ratificación del tratado requiere de un acto formal por parte de los poderes públicos, lo que desde luego es imputable al Estado como una obligación de conducta universal. No tendría sentido que el Estado se obligue solo para con la Comunidad Internacional y no frente a su población; si ello fuera así, el Estado podría ser demandado por incumplimiento ante organismos internacionales, pero no en sede interna. Desde luego, esto último sería un contrasentido, pues lo usual es que los tratados exijan el agotamiento de la vía interna y si el Estado denegase la vía interna, incurriría derechamente en un incumplimiento de las obligaciones que emanan de los tratados. Pero, en segundo lugar, el artículo 54 N° 1, inciso 6°, a partir de la reforma de 2005 reconoce explícitamente que el tratado produce efectos en lo interno, al señalar: "*Las disposiciones de un tratado sólo podrán ser derogadas, modificadas o suspendidas en la forma prevista en los propios tratados o de acuerdo a las normas generales de derecho internacional*".

2.2. ¿Cuál es el valor de los tratados internacionales el sistema de fuentes?

Una vez respondida positivamente la primera cuestión queda pendiente una segunda, respecto de la cual la discusión ha sido todavía mucho más ardua, al punto de que aún siguen existiendo fuertes discrepancias. Reconociendo que el tratado internacional es una norma válida para el Derecho interno, no queda claro cuál es su posición en el sistema de fuentes desde el punto de vista de su jerarquía. La respuesta a esta pregunta es sumamente relevante, pues la jerarquía es uno de los principales criterios para resolver conflictos entre normas jurídicas. Nuevamente, la CPR no contiene ninguna solución expresa a este problema, por lo que la doctrina y la jurisprudencia han ido construyendo distintas interpretaciones de las normas que expresan posturas radicalmente diversas. La discusión es compleja y requiere hacer una serie de distinciones y precisiones.

Primero, es necesario distinguir tres diferentes períodos en la vigencia de la CPR: 1980 a 1989, 1989 a 2005 y 2005 a la actualidad. A pesar de que no existen muchos referentes doctrinales ni jurisprudenciales que ahonden en la materia, se puede concluir que en el período 1980-1989, predominó, entre nosotros, la postura de que todos los tratados internacionales poseían un rango jerárquico similar al de una ley. El argumento más poderoso en apoyo de esta tesis se apoyaba en el texto del antiguo artículo 50 N° 1 CPR (actual 54 N° 1 CPR), el que establece que el procedimiento de ratificación de los tratados internacionales es idéntico al de una ley, por lo que si el procedimiento es el mismo, ergo, el rango jerárquico no puede ser diferente.

La discusión se complejiza a partir de la reforma constitucional de 1989, que, modifica la última parte del artículo 5 inc. 2° CPR, haciendo referencia a que los tratados internacionales sobre derechos humanos constituyen un límite al ejercicio de la soberanía. A partir de aquí se introduce la distinción, ya clásica entre nosotros, que diferencia entre tratados internacionales sobre derechos humanos y otros tratados internacionales, pues con posterioridad a dicha reforma fue surgiendo, cada vez con más fuerza, un sector de la doctrina que opinaba que los primeros tenían, al menos, rango constitucional. Hay que tener presente que esta es una discusión de Derecho interno, porque desde la perspectiva del Derecho Internacional Público, siempre se ha considerado que los tratados poseen supremacía respecto de todas las normas estatales. En suma, en el periodo comprendido entre los años 1989 y 2005, la polémica se bifurca en estas dos aristas: la que tiene que ver con el rango jerárquico de los tratados sobre derechos humanos, que se agudiza al dividirse la doctrina, y la relativa al resto de los tratados, donde se ha seguido sosteniendo que tienen un rango jerárquico similar al de una ley, siendo muy minoritaria la tesis que discrepa sobre este punto.

En el marco de las discusiones que llevaron a la reforma constitucional de 2005, había fundadas expectativas de que se pudiera adoptar en el texto constitucional una solución a este debate. Ello estuvo lejos de suceder. La única modificación que se acordó con respecto a los tratados internacionales es la norma del actual artículo 54 N° 1 inciso 5° CPR, que señala que: *"las disposiciones de un tratado solo podrán ser derogadas, modificadas o suspendidas en la forma prevista en los propios tratados o de acuerdo a las normas generales de Derecho internacional"*. De todas formas, esta enmienda es importante, pues consagra parcialmente las normas sobre observancia de los tratados recogidas por los artículos 26 y 27 de la Convención de Viena sobre el Derecho de los Tratados, no obstante ello ha sido insuficiente para solucionar el problema. De todos modos, el principal efecto de la reforma de 2005 es que parece haber alineado a los autores en la tesis de que todos los tratados internacionales poseen un rango superior al de una ley, pero no fue suficiente para generar un consenso en torno a la relación existente entre tratados y Constitución.

La doctrina ha ido asumiendo mayoritariamente la tesis de que los tratados internacionales sobre derechos humanos, poseen un rango al menos superior al de la ley, e incluso no pocos autores se atreven a plantear su rango constitucional. Sin embargo, dicha opinión no ha tenido recepción en el Tribunal Constitucional, quien sigue sosteniendo que los tratados internacionales poseen un rango inferior al de la Constitución. Al respecto existen dos célebres pronunciamientos que expresan la jurisprudencia en la materia, la que sistemáticamente ha situado a los tratados internacionales por debajo de la Constitución en la estructura jerárquica del sistema de fuentes del Derecho[21]. Así las cosas, el caso más representativo está dado por la sentencia rol 346-2002, que declara inconstitucional la ratificación del Estatuto del Tribunal Penal Internacional, lo que obligó posteriormente una reforma constitucional (disposición transitoria N° 24 CPR) para permitir la ratificación de dicho tratado. Ahora bien, afortunadamente el debate no está todavía cerrado. Ya más recientemente el Tribunal Constitucional ha pronunciado una serie de sentencias que declaran inaplicables preceptos que infringen lo dispuesto por la Convención Interamericana de Derechos Humanos. El caso paradigmático son las inaplicabilidades de determinados artículos del Código de Justicia Militar, que invocan la sentencia de la Corte Interamericana en el caso Palamara vs. Chile[22]. Esta última jurisprudencia parece ser una buena señal, de que lentamente, nuestros tribunales se han comenzado a alinear en una tendencia más acorde con el Derecho comparado, en el sentido de utilizar abiertamente el Derecho internacional de los derechos humanos para controlar la constitucionalidad de las normas legales y reglamentarias.

3. LOS DERECHOS FUNDAMENTALES COMO LÍMITES A LA SOBERANÍA

Otro de los puntos importantes del artículo 5° CPR, es la cláusula del inciso segundo que sitúa el límite del ejercicio de la soberanía en los "derechos esenciales que emanan de la naturaleza humana". La traducción más común de esta expresión ha sido su identificación con el concepto de derechos fundamentales, los que a su vez representan una de las nociones más importantes del Derecho constitucional contemporáneo, por lo que un tratamiento con creces requeriría de mucho mayor tiempo y espacio. Por los que las siguientes líneas valgan únicamente como una breve introducción al tema.

---

[21] SCT rol 346-2002 y SCT rol 1288-2009.
[22] Corte Interamericana de Derechos Humanos, caso Palamara Iribarne Vs. Chile Sentencia de 22 de noviembre de 2005 (Fondo Reparaciones y Costas).

3.1. ¿Qué son los derechos fundamentales?

La pregunta acerca del concepto está íntimamente relacionada con su justificación. Como se ha insinuado antes, existen dos visiones antagónicas que pretenden explicar qué son los derechos fundamentales: el iusnaturalismo y el positivismo jurídico. En la historia del pensamiento jurídico, el concepto iusnaturalista de derechos fundamentales se origina en la cristalización de la noción de derechos naturales en el liberalismo temprano. Es en el Segundo Tratado sobre el Gobierno Civil de John Locke, publicado en 1689, donde se puede encontrar la defensa de la existencia de derechos que son inherentes a la condición humana. Según esta perspectiva los derechos fundamentales, son aquellos cuya titularidad se otorga a las personas por el solo hecho de nacer, pues permiten proteger aquello que constituye la esencia de la naturaleza humana, por lo que incluso no es determinante que sean consagrados en una norma jurídica. En el modelo iusnaturalista de derechos se conjugan crónicamente los planos ético y jurídico, tal como en la actualidad ocurre con la idea de *derechos humanos*. A este respecto, estos poseen una irrenunciable dimensión prescriptiva o deontológica; implican exigencias éticas de "deber ser", que legitiman su reivindicación allí donde no han sido reconocidas. Pero al propio tiempo constituyen categorías que no pueden desvincularse de los ordenamientos jurídicos: su propia razón de ser se cifra en ser modelo y límite crítico a las estructuras normativas e institucionales positivas (Pérez Luño, 1993).

A este enfoque se opone claramente la visión positivista, que plantea que la fuente de dichos derechos es la convención, y por tanto los derechos fundamentales, son aquellos que tutelan los bienes jurídicos que la comunidad política considera de primer orden. Esto último no excluye *a priori* que los derechos fundamentales pueden cautelar intereses de naturaleza moral, pero para esta postura ello no significa que estos tengan una validez anterior al ordenamiento jurídico, sino que es justamente el reconocimiento explícito que hace el Derecho lo que le da a esta pretensión un contenido jurídico. Por esta razón, desde la óptica del positivismo, los derechos fundamentales representan el intento por transformar los derechos humanos en Derecho positivo (Borowsky, 2003). Ello explica que, a partir de esta premisa, los derechos fundamentales son aquellos dotados de una posición privilegiada desde el punto de vista del sistema de fuentes, consagrados constitucionalmente dotados de garantías privilegiadas y que representar prescripciones desde el punto de vista de sus contenidos a los órganos de producción del derecho.

Si bien el debate sigue abierto, dada la perspectiva disciplinar del Derecho constitucional, en la actualidad la mayoría de la doctrina suele abrazar un enfoque positivista, pues resulta tremendamente difícil adoptar un concepto de derechos fundamentales basado en los intereses morales que estos cautelan. A pesar de lo anterior, no se puede desconocer que en la raíz del concepto de derechos fundamentales hay un componente de moralidad positivizada. La mejor prueba de esto, es que la mayoría de las Constituciones de occidente, expresan la idea de que estos contienen manifestaciones específicas de la idea de dignidad humana. Sin embargo, el iusnaturalismo es una postura hoy en día muy minoritaria, a raíz de la insuficiencia de este enfoque para dar cuenta del componente jurídico, la otra cara de la moneda de dichos derechos. Más sencillo es construir un concepto desde el punto de vista formal o externo, es decir, a partir de las características arquitectónicas que usualmente adoptan estos derechos en los ordenamientos jurídicos. Dicho esto, podemos señalar que los derechos fundamentales poseen los siguientes rasgos distintivos.

3.1.1. Son derechos públicos subjetivos

Los derechos fundamentales son derechos subjetivos porque confieren a su titular posiciones jurídicas favorables, que son susceptibles de ser llevadas a efecto compulsivamente. Se dice que un sujeto se encuentra en una posición jurídica favorable respecto de otro, cuando puede determinar su comportamiento imponiéndole una obligación de hacer o no hacer algo. Adicionalmente, en este caso se suele añadir el calificativo de "público", lo que significa que en la relación jurídica *iusfundamental* el sujeto pasivo de la obligación es normalmente el Estado. Hay que tener presente que en Derecho comparado se ha discutido profusamente si los derechos fundamentales, pueden también por excepción, influir en las relaciones jurídicas entre particulares. En este contexto, se han formulado algunos enfoques alternativos, como la teoría del efecto horizontal (*dritwirkung)* en Alemania, que busca expandir la vigencia de dichos derechos al Derecho privado.

3.1.2. Reconocidos constitucionalmente

Los derechos fundamentales han gozado tradicionalmente de reconocimiento constitucional, lo que es importante no solo en términos simbólicos, también ello significa que se benefician de las garantías generales de la Constitución, tales como la supremacía y rigidez constitucional. En efecto, del hecho de su reconocimiento constitucional, se sigue que las normas de derecho fundamental proyectan sus contenidos en los niveles infraconstitucionales, siendo vinculantes para el legislador y la administración, los principales órganos encargados de la producción de normas jurídicas en el sistema. Este fenómeno se denomina "efecto de irradiación de los derechos fundamentales" (Aldunate E., 2003).

3.1.3. Cuya titularidad se asigna universalmente

Los derechos privados se caracterizan por su contenido patrimonial directo, lo que tiene como consecuencia que el ordenamiento jurídico garantiza exclusividad a las personas que pueden adquirirlos a través del mercado. Los derechos fundamentales, por el contrario, son derechos cuya titularidad se asigna por regla general a todas las personas, independientes de su capacidad adquisitiva patrimonial o de cualquier otra circunstancia accidental, como por ejemplo, ser trabajador dependiente, consumidor o funcionario público. Quizás la única gran excepción a este principio está dada por los derechos fundamentales de contenido político, los que en casi todos los países se confieren solamente a los nacionales o residentes permanentes mayores de edad. Por otra parte, este principio se ve morigerado en las nuevas generaciones de derechos fundamentales. En este contexto es importante destacar que los denominados derechos de tercera generación suelen consagrarse bajo la forma de derechos colectivos, es decir, se otorgan en función a la pertenencia a un determinado grupo, por ejemplo, los derechos de los pueblos indígenas o de las minorías étnicas. Esta es justamente la razón por la que este tipo de derechos han sido tan resistidos por un sector importante de la doctrina, en función de que romperían el paradigma liberal de que los derechos fundamentales son derechos que se establecen en favor de todos los individuos de la especie humana.

3.1.4. Usualmente garantizados a través de mecanismos privilegiados

Además de las garantías generales que el ordenamiento jurídico establece para todos los derechos, es bastante frecuente que los derechos fundamentales estén protegidos por mecanismos especiales, que ofrecen condiciones más ventajosas que las ordinarias para restablecer el imperio del Derecho, en caso de una vulneración. Esto se explica a causa de que estos cautelan bienes jurídicos de primer orden, por lo que es muy frecuente que los ordenamientos jurídicos contemplen procesos jurisdiccionales que persiguen que el acceso al tribunal se produzca de la manera más expedita, y que el tiempo de respuesta del órgano jurisdiccional sea el más breve posible. Todo esto se consigue simplificando la estructura procesal y estableciendo fórmulas procesales de cognición limitadas. El ejemplo clásico en este sentido es el *habeas corpus,* conocido entre nosotros como recurso de amparo y consagrado en el artículo 21 CPR.

3.2. ¿Qué tipos de derechos fundamentales existen?

Antes señalábamos que los derechos fundamentales protegen intereses que tienen un innegable contenido moral, aglutinados bajos la idea de la protección de la dignidad humana. Si bien existe cierto consenso general de que, en términos generales, su núcleo duro consistiría en que todos los seres humanos poseen igual valor, en la práctica no siempre es sencillo especificar cuáles son las exigencias que emanan del respeto de la dignidad humana. En realidad, existen diversas maneras de entender estas exigencias, lo que resulta en un conjunto muy diverso de bienes jurídicos, que, con la finalidad de proteger la dignidad humana de forma integral, adoptan la forma de demandas que se refieren a distintos aspectos de la vida de las personas. Por ejemplo, entre los distintos tipos de derechos fundamentales encontramos aquellos que protegen los elementos constitutivos de la personalidad, las relaciones sociales, las condiciones materiales que aseguran la satisfacción de necesidades básicas, etc.

Así las cosas, los derechos fundamentales pueden ser clasificados desde múltiples perspectivas. En esta oportunidad utilizaremos uno de los criterios más frecuentes, basados en el proceso de formulación de dichos derechos a lo largo de la historia.

3.2.1. Derechos de primera generación

Normalmente se identifican con los derechos de libertad, pues surgen el contexto de las revoluciones liberales del siglo XVIII y están representados por los derechos civiles y políticos. A pesar de que la identificación no siempre es exacta, se suele sostener que los derechos civiles corresponden a libertades negativas y los derechos políticos a libertades positivas.

La libertad negativa está íntimamente asociada a la limitación del poder político, precisamente, de allí proviene la idea de que los derechos fundamentales representan límites frente al poder político y al ejercicio de la soberanía estatal, pues históricamente se ha asumido que estos derechos fundamentales forman parte del núcleo duro e irreductible de derechos que permite resguardar la dignidad humana. Las libertades negativas, se denominan también derechos de defensa o de no intervención. Estos derechos fundamentales configuran ámbitos de inmunidad en los que se excluye la presencia estatal. Si se quiere, en términos gráficos, esta clase de derechos fundamentales actúa como un escudo protector que salvaguarda determinados aspectos constitutivos de la personalidad. El derecho a la vida, a la integridad física, a la libertad ambulatoria, entre otros, son ejemplos de esta categoría.

Sin embargo, entre los derechos de primera generación también encontramos una idea distinta de derechos de libertad, la que se identifica con las libertades positivas. Es difícil dar con la característica común de estos derechos, pues al respecto existen hondas discusiones filosóficas. Quizás resulte útil explicarlos muy generalmente a partir de una metáfora. Si pudiésemos imaginar que las libertades negativas son los derechos del ser humano en tanto individuo aislado, único e irrepetible, podríamos concluir que, incluso, para alguien que decide apartarse absolutamente de la sociedad, por ejemplo, un anacoreta, estos derechos pueden seguir existiendo perfectamente. Pero el pensamiento jurídico ha concebido otros derechos cuya función es posibilitar la vida en sociedad de los individuos, es decir, fomentando el hecho de que la cooperación con otras personas permite que los seres humanos alcancen ciertos objetivos, que de forma individual no son plausibles. Es por esta razón que las personas se asocian, forman familias, se involucran en proyectos religiosos, sociales o políticos. Justamente a esta esfera de la dignidad humana apuntan las libertades positivas, al hecho de que en nuestro mundo nos resulta tan importante la protección de nuestra individualidad, como el reconocimiento de las distintas formas de cooperación y participación social. Volvamos a la metáfora del anacoreta. En su mundo hablar del derecho a fundar medios de comunicación, o el derecho de sufragio pasivo, pierde todo sentido, pues usando la terminología de Hannah Arendt, el locus de dichos derechos tiene lugar *entre-las-personas,* es decir, en las relaciones sociales y no dentro de ellas.

De este modo, las libertades positivas se identifican con los derechos políticos en sentido amplio, pues en ellos subyace la necesidad de interacción social y de reconocimiento jurídico de esa interacción. Por este motivo, se puede señalar que pertenecen a esta categoría derechos como: el derecho de reunión, de asociación, de sindicación, los derechos de sufragio activo y pasivo, etc. También se considera que son libertades positivas las dimensiones institucionales de algunos derechos, como por ejemplo la libertad de fundar y mantener medios de comunicación o la libertad de enseñanza, en la medida que se entiende que esta incluye el derecho de abrir, organizar y mantener establecimientos educacionales.

3.2.2. Derechos de segunda generación

Los derechos de segunda generación tienen origen en el pensamiento socialista y representan una respuesta a la crítica formulada en contra de los derechos de primera generación, en relación con el hecho de que estos últimos para ser ejercidos requieren de la satisfacción de un mínimo existencial. Por esta razón se suelen denominar derechos sociales, económicos y culturales. El ejemplo más paradigmático es el derecho de propiedad, pues todas las grandes declaraciones de derechos proclaman la libertad para ser propietario respecto de toda clase de bienes, pero para una persona que no es capaz de satisfacer sus necesidades básicas, ese derecho representa una mera utopía. Lo mismo sucede con la libertad de contratación, la que muchas veces carece de sentido en contextos en los que las personas se ven forzadas por un estado de necesidad a aceptar un trato injusto, por ejemplo, un contrato de trabajo cercano a la esclavitud, con el objeto de seguir subsistiendo.

En este caso es el Estado quien se encuentra obligado a realizar una determinada acción en favor del titular. Dichas acciones se denominan prestaciones y consisten normalmente en la transferencia de recursos o en la organización de un servicio público dirigido a satisfacer determinadas necesidades básicas. Por esta razón los derechos sociales también se denominan derechos prestacionales, siendo clásicos ejemplos de estos: el derecho a la salud, el derecho a la educación, a la seguridad social, etc. A este respecto se suele señalar que, al contrario de los derechos de primera generación ligados a la libertad, el valor que incardina los derechos de segunda generación es la igualdad, entendida principalmente en su sentido material, es decir, como igualdad de oportunidades.

3.2.3. Derechos de tercera generación

Por último, en las últimas décadas del siglo XX se observó el surgimiento de un nuevo tipo de derechos ligados al valor de la solidaridad, los denominados derechos colectivos. Se afirma que estos derechos surgen en medio de los procesos de descolonización de África y Asia, así como también a las reivindicaciones de los pueblos originarios de América. A lo anterior se han sumado contribuciones de diversa índole, como el ecologismo o el feminismo, las que en general se sitúan en una perspectiva crítica respecto del liberalismo. Esto muestra que detrás de estos derechos no necesariamente existe coherencia ideológica.

La particularidad de estos derechos es que ya no se trata de derechos individuales, como los derechos de primera y segunda generación, sino que son concebidos como derechos establecidos en favor de determinados grupos. Así por ejemplo, si se piensa en un derecho como la protección de las lenguas minoritarias, la afectación del derecho de un miembro de la comunidad lingüística, inmediatamente, configura una vulneración respecto de toda la comunidad. Lo propio sucede con un derecho como el derecho a vivir en un medio ambiente libre de contaminación, reconocido en el artículo 19 N° 8 de nuestra Constitución. Obviamente, desde el punto de vista analítico existen varias tesis que buscan proporcionar una explicación a este fenómeno. En cualquier caso, lo más relevante desde nuestra perspectiva, es que se trata de derechos que no pueden ser adscritos individualmente de forma exclusiva y excluyente a las personas.

Lo anterior permite entender por qué los derechos colectivos han sido duramente resistidos por un sector de la doctrina, habiéndose debatido extensamente desde su existencia hasta la conveniencia y efectividad de su reconocimiento. Obviamente no podemos reproducir aquí toda esa discusión, pero tal vez asumiendo que el concepto de derechos colectivos es polisémico, merezca la pena detenernos en un tipo de derechos de tercera generación que ha generado una enorme controversia: los denominados *derechos de los pueblos*. En realidad, esta expresión ha sido empleada para denotar los derechos de las minorías en el contexto de un Estado nación, donde existe un grupo mayoritario culturalmente homogéneo y una minoría que ha resultado estructuralmente postergada. Desde este punto de vista, las reclamaciones que se encuentran en la base de la consagración de derechos fundamentales de tercera generación, es la demanda por el reconocimiento de que esa expresión cultural en el marco de ese Estado.

Los problemas asociados a estos derechos son principalmente de dos tipos: el pluralismo jurídico y la protección de la disidencia al interior de los grupos. Para entender la primera cuestión propongamos como ejemplo la poligamia según el rito zulú. Esta sería una institución prohibida bajo el ordenamiento jurídico chileno, por lo que de existir una comunidad que culturalmente la considere valiosa, debería crearse un estatuto jurídico particular para esa comunidad. Esta solución representaría un contrasentido para el modelo liberal de derechos, basado en la unidad del sujeto y en la identidad de sus derecho y deberes. Recordemos que el liberalismo nace para romper con la sociedad estamental del Antiguo Régimen, en el que los derechos y obligaciones estaban atribuidos a las personas en razón de su pertenencia a un grupo social. Supongamos otro ejemplo hipotético, una cultura que estableciese la sumisión de la mujer frente al marido, entonces, la segunda cuestión se plantearía en los siguientes términos: ¿qué pasaría si una persona invocando su libertad de conciencia expresa su disidencia frente a las tradiciones de su grupo y el Derecho consuetudinario sancionase o impidiese tal manifestación? La verdad de las cosas se trata de una cuestión bastante ardua que ni siquiera intentaremos resolver acá, ya que esta reflexión solo tiene por objeto mostrar las dificultades de este tipo de derechos. En cualquier caso, también existen defensores acérrimos de los derechos de los pueblos, pues consideran parte importante de la dignidad humana el derecho a defender la propia cultura, pues parten de la base de que todas las manifestaciones culturales poseen el mismo valor, e incluso algunos autores critican la misma idea de derechos humanos como una manifestación del imperialismo cultural.

Capítulo Undécimo

El Estado de Derecho en la Constitución chilena

1. EL ESTADO DE DERECHO EN LA CONSTITUCIÓN CHILENA

Nuestra Constitución carece de una referencia expresa a la idea de Estado de Derecho como sí la tienen otras Constituciones. Recordemos que en el capítulo tercero hemos revisado la discusión teórica acerca de este concepto, constatando que existe un gran debate al respecto. *Grosso modo*, existen dos grandes concepciones que agrupan a las distintas teorías sobre el Estado de Derecho: la concepción formal, centrada en el paradigma de la seguridad jurídica y la concepción material, que persigue complementar a la anterior añadiendo el requisito de la protección de los derechos fundamentales. En síntesis, la doctrina nacional se ha alineado claramente con las concepciones formales a la hora de determinar cuál es el modelo que recoge la Constitución chilena.

La verdad de las cosas es que, como la Constitución no se refiere expresamente a este asunto, es posible argumentar la presencia de ambas concepciones, reconstruyéndolas a partir de determinadas disposiciones de la Constitución de 1980, sin embargo, la primera respuesta representa de mejor manera la tradición del Derecho público chileno a lo largo de la historia, más centrada en la garantía del principio de juridicidad, que en los derechos fundamentales. Precisamente, el artículo 4° de la CPE de 1925 ya contenía una disposición similar al artículo 7° de la CPR de 1980. Es por esta razón que la doctrina, a partir de determinadas disposiciones constitucionales, opina que la esencia del Estado de Derecho en la Constitución chilena se relaciona con el principio de juridicidad y los principios subordinados a este. En efecto, la gran mayoría de los autores opinan que, entre nosotros, la consagración del Estado de Derecho se encuentra en el artículo 7° CPR. Este precepto, que por su importancia nos permitiremos citar íntegramente, dispone lo siguiente:

> *Artículo 7°. Los órganos del Estado actúan válidamente previa investidura regular de sus integrantes, dentro de su competencia y en la forma que prescriba la ley.*
>
> *Ninguna magistratura, ninguna persona ni grupo de personas pueden atribuirse, ni aun a pretexto de circunstancias extraordinarias, otra autoridad o derechos*

*que los que expresamente se les hayan conferido en virtud de la Constitución o
las leyes.*

*Todo acto en contravención a este artículo es nulo y originará las responsabi-
lidades y sanciones que la ley señale.*

Esta es la disposición básica a partir de la cual se ha reconstruido la
noción de Estado de Derecho, ligada de forma muy estrecha a una serie de
principios implícitos que es posible extraer de este artículo. Sin perjuicio de
lo anterior, también es posible vincular este ejercicio de interpretación cons-
tructiva con otras normas de la Constitución que permiten complementar
el artículo 7° CPR. Eso último es precisamente lo que haremos, de modo tal
que diremos que, a propósito del reconocimiento constitucional del concepto de Estado de Derecho, nuestra Constitución consagra los principios de
juridicidad, control y responsabilidad, los que tienen por objeto la sujeción
a Derecho de la actividad de los órganos del Estado.

2. LA SUJECIÓN A DERECHO DE LOS ÓRGANOS DEL ESTADO

2.1. *El principio de juridicidad*

Si hay una idea que está ligada consustancialmente a la génesis del Estado de Derecho, esa es la del imperio del Derecho. En términos sencillos,
este principio plantea que los órganos del Estado deben estar sometidos al
Derecho, es decir, a la exigencia de regulación de la actuación de los órganos
públicos por medio de normas jurídicas. Desde un punto de vista histórico,
el principio de juridicidad se construyó sobre la base de dos pilares fundamentales: los postulados del liberalismo político francés y británico del siglo XVIII y el racionalismo alemán del siglo XIX. En primer lugar, tanto en
Francia como en Inglaterra se difunde la idea de limitar el ejercicio del poder político a través de normas jurídicas que cuenten con el consentimiento
de los súbditos, premisa que encontramos, por ejemplo, en autores como
Locke y Rousseau. Pero, en segundo lugar, una importante contribución a la
formación del concepto fue la doctrina iuspublicista alemana del siglo XIX,
que somete al Estado a un riguroso proceso de objetivación, con el propósito de garantizar la seguridad jurídica, intentando aumentar los niveles de
predictibilidad en la actuación de los órganos públicos. En síntesis, ambas
ideas funcionan de forma complementaria. Para el liberalismo la actuación
es legítima solo en tanto ha sido autorizada expresamente de forma previa
por los súbditos, en la concepción alemana, es legítima si se lleva a efecto
por unos cauces jurídicos determinados.

En efecto, se puede señalar que la función que cumple actualmente el principio de juridicidad es dotar a los ciudadanos de la capacidad de predecir los casos, las formas y condiciones de la actuación del Estado y las consecuencias jurídicas de dichos actos, lo que sin duda constituye una garantía que es funcional al propósito de reducir la discrecionalidad en el ejercicio del poder. Todo lo anterior está presente en el artículo 7° inciso primero de la CPR, al establecer tres requisitos copulativos para que la actuación de los órganos del Estado sea válida:

2.1.1. Que exista previa investidura regular

Se entiende por investidura regular, el conjunto de formalidades cuya satisfacción produce el efecto de que un funcionario actúe a nombre y por cuenta del Estado, de forma tal, que tenga la capacidad para comprometer jurídicamente la responsabilidad de este último. Esto se traduce en que dicho sujeto deja de actuar en la vida del Derecho a título personal y pasa a hacerlo en calidad de funcionario público. Esto último es sumamente relevante, porque cuando el funcionario celebra un acto jurídico regularmente investido, se entiende que es el Estado quien lo celebra, y por tanto, si dicha actuación genera perjuicios, es la responsabilidad del Estado la que se ve comprometida, sin perjuicio de la posibilidad de repetir contra el funcionario.

El Derecho contempla para cada uno de sus órganos una serie de formalidades, a efectos de investir regularmente a sus funcionarios. Así, por ejemplo, en el caso del Presidente de la República estas están reguladas en los artículos 25 y siguientes de la Constitución, para los jueces dichas formalidades se establecen en el artículo 78 de la Constitución, para los funcionarios de la Administración del Estado en la Ley N° 18.575 Orgánica Constitucional de Bases Generales de la Administración del Estado (LOCB-GAE) y así un largo etcétera.

2.1.2. Qué el órgano actúe dentro del ámbito de su competencia

Podemos definir el término *competencia* como *"la medida de las atribuciones que el ordenamiento jurídico atribuye específicamente a cada órgano"*. Este concepto se asienta sobre la base de dos premisas: primero, ningún órgano posee más atribuciones que las expresamente se le han conferido, y segundo, la determinación de las competencias es una decisión que también se encuentra sometido al Derecho de forma rigurosa. Así las cosas, y de acuerdo con la doctrina mayoritaria, las reglas sobre competencias son siempre de Derecho estricto, en consecuencia, poseen carácter taxativo, deben interpretarse restrictivamente y su aplicación no puede extenderse por analogía. Además, según el artículo en comento, la atribución, modificación o supresión de competencias a un órgano es materia reservada exclusivamente al legislador con la única excepción que sea la misma Constitución la que realice tal asignación de competencias.

Desde un punto de vista substantivo, la definición de las competencias no es un proceso aleatorio, ya que tiene lugar sobre la base de unos determinados criterios. Los más utilizados son el territorio, la materia o una combinación de ambos. De esta forma, además del principio de jerarquía, el principio de competencia es el otro gran pilar que permite configurar las interacciones entre las normas en el Derecho público.

2.1.3. Que la actuación sea el producto de la puesta en marcha del procedimiento establecido al efecto por el ordenamiento jurídico

Hemos comentado anteriormente que el Derecho constitucional es una disciplina que, en una parte importante, regula la producción y reproducción del ordenamiento jurídico. Pues bien, esta idea general se pone en práctica a través de la noción de procedimiento. Es así como en la parte que los autores denominan Derecho constitucional orgánico, nuestro objeto de estudio es lisa y llanamente un conjunto de procedimientos que, mediata o inmediatamente, determinan la forma cómo se crean, modifican o extinguen cada una de las normas y actos jurídicos del ordenamiento jurídico.

Desde esta perspectiva, se puede señalar que un procedimiento, es un conjunto de actos trámite enlazados de forma concatenada, que tiene por objeto producir un acto jurídico terminal. Obviamente, a la hora de diseñar un procedimiento entran en juego una serie de factores, por ejemplo, la contradictoriedad en el caso de los procedimientos judiciales o la existencia de deliberación en los procedimientos parlamentarios. No obstante, en esta ocasión no profundizaremos en los aspectos substantivos de los procedimientos, y solo diremos que, desde la óptica del artículo 7° CPR, la exigencia que de él emana para dar cumplimiento al principio de juridicidad es que estos sean estrictamente observados.

Entonces, así como cada órgano cuenta con formalidades específicas para que sus funcionarios sean regularmente investidos y sus competencias estén rigurosamente determinadas por la ley, también la elaboración de sus productos jurídicos se encuentra minuciosamente regulada con base en una serie de actos trámites, creados con el objeto de cautelar determinados fines que son considerados valiosos para la comunidad política.

Sólo a título ejemplar, y en términos muy generales, podemos distinguir los siguientes casos:

- Para el ejercicio de la potestad reglamentaria del Presidente de la República, las reglas se establecen en los artículos 32 N° 6, 35, 63 N° 20, 99 CPR y 5ª. disposición transitoria CPR.

- Para la aprobación de actos administrativos por parte de la Administración del Estado, el procedimiento se regula en la Ley de Bases de los Procedimientos Administrativos N° 19.880.

- Para la aprobación de una ley, el procedimiento lo encontramos en los artículos 65 y siguientes CPR y también en la Ley Orgánica del Congreso Nacional.

- Respecto de los órganos jurisdiccionales, el procedimiento para la dictación de una sentencia dependerá del ámbito competencial. Más concretamente, cada uno de ellos tiene su procedimiento establecido en una norma de rango legal, siendo buenos ejemplos de ello, el Código de Procedimiento Civil y el Código Procesal Penal.

En síntesis, la concurrencia de estos tres requisitos configura copulativamente la esencia del principio de juridicidad, entendiéndose que ello establece una vinculación de carácter positivo entre el Estado y el Derecho. Es por esta razón que muchos autores sostienen que, a partir de esta disposición, es posible derivar la "regla de oro" del Derecho público chileno, que consiste en que los órganos del Estado pueden *hacer sólo lo expresamente permitido,* a diferencia del principio básico del Derecho privado, donde precisamente se puede *hacer todo aquello que no se encuentre expresamente prohibido.* Como se puede concluir de la lectura de estas líneas, dicho aforismo representa la manera cómo el Derecho chileno entiende el principio de juridicidad.

Excursus: ¿Cuál es la sanción establecida para la falta de concurrencia de los requisitos del artículo 7° CPR?

Todo ello, expresado en un lenguaje algo más técnico, quiere decir que para que la actuación del Estado sea válida, se requiere una habilitación previa y expresa del ordenamiento jurídico, so pena de que dichos actos sean considerados nulos y de ningún valor, según el mencionado artículo 7° CPR. De este modo, la sanción que la Constitución establece para la inobservancia del principio de juridicidad es la nulidad, es decir, la pérdida de los efectos del acto jurídico. Ahora bien, para saber en qué consiste específicamente esta sanción y cuál es la forma para hacerla efectiva, se debe recurrir a otras disposiciones de la Constitución, o incluso normas infra-constitucionales. Así, es necesario distinguir los siguientes ámbitos en los que existe regulación constitucional o legal:

- Leyes: la forma de hacer efectiva dicha sanción es a través de los procedimientos para obtener la declaración de inconstitucionalidad por parte del Tribunal Constitucional (artículo 93 numerales 1, 2, 6 y 7 CPR).

- Actos regulatorios del P. de la R.: la forma de hacer efectiva dicha sanción es a través de los procedimientos para obtener la declaración de inconstitucionalidad por parte del Tribunal Constitucional (artículo 93 N° 16 CPR). También se deben señalar las atribuciones que al respecto tiene la Contraloría General de la República.

- Sentencias de los tribunales de justicia: normas sobre nulidades procesales contempladas en los respectivos códigos de procedimiento, por ejemplo, los artículos 83 y 766 y siguientes del CPC o los artículos 159, 160 y 372 y siguientes del CPP.

Sin perjuicio de lo anterior, existe un vasto campo de actuaciones del Estado respecto del cual no existe regulación sobre los contornos de la nulidad a la que se refiere el artículo 7° CPR, siendo el caso más paradigmático es el de los actos jurídicos de la Administración del Estado. Este vacío ha sido llenado por la doctrina y la jurisprudencia a través de la teoría de la nulidad de Derecho público. Si bien, el origen de esta tesis es anterior a la CPR de 1980, su cénit ha tenido lugar al amparo de la reglamentación vigente. La verdad es que la creación de esta institución se origina en el marco de un proceso complejo, en el que se cruzan cuestiones jurídicas, históricas y económicas.

Sólo a efectos de un breve resumen de esta institución, diremos que su germen se fue incubando en nuestro Derecho desde mediados del siglo XX. En suma, el artículo 87 de la Constitución Política del Estado (CPE) de 1925, establecía la creación de tribunales contencioso administrativos para resolver las reclamaciones que se interpongan contra los actos o disposiciones arbitrarias de las autoridades políticas o administrativas, pero dejó entregada su organización y atribuciones a la ley. Sin embargo, el problema se produjo por la inactividad del legislador, dado que este jamás dictó la señalada ley. La situación alcanzó su momento más álgido durante los periodos presidenciales de Eduardo Frei Montalva y Salvador Allende, debido a que dichas administraciones llevaron a cabo un proceso de profundas reformas sociales, que involucraron actos de expropiaciones y requisiciones, frente a las que un sector de la sociedad se sintió vulnerado en sus derechos de propiedad. Al respecto, la estrategia de los tribunales de justicia frente a los reclamos de los propietarios, para evitar inmiscuirse en un conflicto político, fue declararse sistemáticamente incompetentes, dados los términos del artículo 87 CPE, bajo el argumento de que los tribunales verdaderamente competentes no habían sido creados.

Una vez en vigor la Constitución de 1980, ya solucionado el problema de la competencia de los tribunales, el contencioso anulatorio seguía aún sin ser reglamentado, por lo que la doctrina más proclive a los intereses de los propietarios agrícolas e industriales afectados, diseñó un ingenioso artefacto jurídico para atacar la validez de los actos administrativos subsistentes del período anterior. Nace así la teoría de la nulidad de Derecho público, cuya primera formulación responde al trabajo de conocidos profesores de Derecho público, tales como: Eduardo Soto Kloss, Hugo Caldera y Gustavo Fiamma. Particularmente exitosa en los tribunales resultó la tesis del primero de estos, quien sostuvo el carácter objetivo, imprescriptible e insaneable de este tipo de nulidad. En palabras sencillas, dado que los requisitos del artículo 7° CPR son imperativos, si se omitiese cualquiera de estos el acto no a la vida del Derecho, por lo que en realidad la situación jurídica que se genera es similar a la teoría de la inexistencia en materia civil. Si lo que genera el acto nulo es la nada misma, y como la nada no puede llegar a ser algo por el mero transcurso del tiempo o la voluntad de los afectados, estas actuaciones pueden ser invalidadas en cualquier tiempo, con independencia de las circunstancias de la especie.

Si bien la radical teoría de Soto Kloss se convirtió en ortodoxa durante las décadas de 1980 y 1990 del siglo XX, más recientemente ha sido paulatinamente abandonada y sustituida por otras versiones más moderadas de la nulidad de Derecho público, por ejemplo, que distinguen entre la invalidación del acto propiamente tal y sus efectos patrimoniales, sometiéndose estos últimos a las reglas generales de prescripción del Código Civil. En cuanto a la naturaleza del vicio, con la aprobación de la Ley N° 19.880 se ha estimado que no cualquier vicio daría lugar a la invalidación, ya que por obra del principio de conservación de los actos administrativos consagrado en el artículo 23 de la misma, solo los vicios esenciales provocan la nulidad. Por último, respecto de la titularidad de la acción de nulidad, la jurisprudencia ha resuelto más recientemente, que esta le corresponde a quien se le ha vulnerado al menos un interés legítimo debidamente acreditado en el proceso.

2.2. *El principio de control*

En teoría constitucional se utiliza la expresión *control*, para hacer referencia a todos aquellos mecanismos destinados a verificar que los poderes públicos ejerzan su actividad de acuerdo con los parámetros previamente establecidos. Si bien este principio no se encuentra explícitamente formulado en el artículo 7° CPR, su existencia corresponde a una consecuencia lógica del principio de juridicidad, pues no tendría ningún sentido establecer reglas para someter a los órganos del Estado al Derecho vigente, sin que exista ningún medio para supervigilar el cumplimiento de dichas normas. Por otra parte, este principio proviene del constitucionalismo clásico. Según una difundida interpretación del principio de separación de poderes, la denominada teoría de los *checks and balances,* para que se garantice óptimamente la libertad a los ciudadanos no sólo es necesario que se creen distintos poderes a los que se entreguen de forma exclusiva ciertas funciones, sino que también se requiere que cada uno de estos órganos cuenten con atribuciones de fiscalizar la labor de los otros, de forma tal, que entre ellos se neutralicen mutuamente. Por estas razones, a pesar de no estar explícitamente formulado, el principio de control tiene una presencia transversal, pudiendo encontrarse manifestaciones de este a lo largo de toda la Constitución.

La gran diversidad de opciones existentes, tanto en el Derecho comparado como en el Derecho nacional, pone de manifiesto la obligación de formular, al menos, una breve tipología del control. A estos efectos, se puede distinguir entre:

2.2.1. Controles preventivos y represivos

Esta clasificación se construye sobre la base de la oportunidad en que tiene lugar la actividad contralora. Los controles preventivos se realizan antes de que el acto en cuestión entre en vigor, mientras que los controles represivos se llevan a cabo luego de la entrada en vigor de la norma o acto impugnado. Esta circunstancia también configura los principales efectos de unos y otros, pues los primeros poseen efectos impeditivos, a la vez que los segundos efectos anulatorios. Un ejemplo de control preventivo es la toma de razón por parte de la Contraloría General de la República (artículo 99 CPR), por otra parte, un ejemplo de control represivo es la acción de nulidad de Derecho público, analizada en este mismo capítulo.

2.2.2. Controles intraorgánicos y extraorgánicos

Este criterio dice relación con la ubicación que posee el mecanismo de control dentro de la estructura orgánica del Estado. Desde esta perspectiva, es factible distinguir entre controles intraorgánicos y extraorgánicos. Los controles intraorgánicos son aquellos que se encuentran cobijados dentro del mismo órgano que produce la actuación fiscalizada. A su vez, estos admiten una subdivisión que distingue entre controles jerárquicos y controles autónomos. Los primeros son aquellos que se ejercen por el superior jerárquico del órgano de que se trata, por ejemplo, el recurso jerárquico del artículo 9 de la Ley N° 18.575, en virtud del cual las autoridades y jefaturas podrán revocar los actos de los organismos sometidos a su dependencia. Los segundos, consisten en unidades creadas específicamente para desempeñar una función de control, y que por esta razón, si bien se insertan dentro de la arquitectura del órgano en cuestión, se sitúan al margen de la línea de ordenación jerárquica. A este respecto se puede mencionar a las unidades de control interno del artículo 29 de la Ley Orgánica de Municipalidades, las que entre otras funciones, tienen encomendada realizar la auditoría interna de la municipalidad, con el objeto de fiscalizar la legalidad de su actuación.

Los controles extraorgánicos son todos aquellos mecanismos en los que no existe identidad entre el órgano contralor y el órgano controlado. Como ya se insinuaba al invocar la doctrina de los *checks and balances*, en nuestro ordenamiento jurídico todos los órganos principales del Estado poseen atribuciones de control sobre otros. Sólo a título enunciativo, y de un modo muy general, en el texto de la Constitución encontramos las siguientes manifestaciones de controles extraorgánicos:

- El Presidente de la República controla al Congreso, a través del veto legislativo (artículo 73 CPR) y al Poder Judicial, velando por la conducta ministerial de jueces y funcionarios (artículo 32 N° 13 CPR).

- El Congreso controla al Poder Ejecutivo a través de las facultades de fiscalización de la Cámara de Diputados (artículo 52 numeral 1 CPR) y al Poder Judicial, en virtud de la posibilidad de conocer una acusación constitucional en contra de jueces y fiscales de los Tribunales Superiores de Justicia (artículos 52 numeral 2° y 53 numeral 1° CPR).

- El Poder Judicial controla al Poder Ejecutivo a través, del contencioso administrativo (artículo 7° CPR) y al Poder Legislativo, en uso de su atribución para conocer del desafuero parlamentario (artículo 61 inciso 2° y 3° CPR).

2.2.3. Controles de mérito y juridicidad

Esta clasificación apunta al parámetro de control, es decir, a cuál es el elemento relevante para determinar el deber de comportamiento. El control de juridicidad intenta pesquisar infracciones al ordenamiento jurídico, mientras que el control de mérito está vinculado a la observancia de determinadas pautas de oportunidad o conveniencia. Un ejemplo del primero lo encontramos en el control de la Contraloría General de la República a los actos de la administración a través del trámite de la toma de razón (artículo 99 CPR), a su vez, la manifestación más clara de control de mérito que existe en nuestro ordenamiento jurídico está dada por las facultades de fiscalización de la Cámara de Diputados del (artículo 52 numeral 1° CPR).

2.3. El principio de responsabilidad

El principio de responsabilidad encuentra su consagración en el inciso final del artículo 7° CPR, el que señala que "*todo acto en contravención a este artículo es nulo y originará las responsabilidades y sanciones que la ley señale*". En términos generales, podemos conceptualizar la idea de responsabilidad como "*la consecuencia jurídica que se genera a causa de la infracción de un deber de conducta*". Así expresada, la responsabilidad no es sino el corolario que se deriva de la aplicación de los dos principios anteriores, pues resulta evidente que no solo es necesario que se controle que el cumplimiento de la actuación de los órganos del Estado se ajuste a las exigencias establecidas por el ordenamiento jurídico, sino que además para que todo ello tenga sentido, resulta imperativo que se sancione su falta de observancia.

En cuanto a la regulación constitucional del principio de responsabilidad, hay que partir diciendo que esta no es uniforme, aunque en gran parte, las poco sistematizadas disposiciones que existen en la CPR recogen algunas directrices de las que se pueden derivar principios generales del Derecho. La más esencial de estas directrices es la pluralidad e independencia de los regímenes de responsabilidad, lo que significa que la responsabilidad es susceptible de clasificarse en función de la naturaleza de la sanción, y que en definitiva, un mismo hecho puede dar lugar a distintas clases de responsabilidades. En este sentido, es posible distinguir en el ordenamiento jurídico distintas categorías de responsabilidad:

– **Responsabilidad civil:** se traduce en la necesidad de indemnizar a la víctima de los perjuicios causados por una actuación antijurídica.

- **Responsabilidad penal:** consiste en la imposición de una pena a causa de la comisión de un delito.

- **Responsabilidad funcionarial:** trae causa en la infracción de un deber funcionario y su consecuencia jurídica es la aplicación de una medida disciplinaria.

- **Responsabilidad política:** importa la destitución de un cargo de designación directa, en virtud de la pérdida de confianza ante la autoridad encargada de realizar el nombramiento.

- **Responsabilidad internacional:** se origina en la infracción de una norma de Derecho internacional público.

Es imposible analizar exhaustivamente en este breve comentario el concepto de responsabilidad en el Derecho público chileno. El único objeto de estas líneas es abordar muy someramente las reglas que se pueden derivar de nuestra Constitución a propósito de la actuación de los órganos del Estado.

2.3.1. Responsabilidad civil

La Constitución establece algunas normas sobre responsabilidad civil e insinúa la existencia de otras. El único régimen de responsabilidad expresamente regulado es la responsabilidad por error judicial en el artículo 19 N° 7 letra i) CPR. En efecto, la acción de indemnización por error judicial tiene por objeto hacer efectiva la responsabilidad patrimonial del Estado juzgador, a consecuencia de un error injustificado o de un actuar arbitrario en el ejercicio de la actividad jurisdiccional. Al respecto, expresa la citada disposición: "*Una vez dictado sobreseimiento definitivo o sentencia absolutoria, el que hubiere sido sometido a proceso o condenado en cualquier instancia por resolución que la Corte Suprema declare injustificadamente errónea o arbitraria, tendrá derecho a ser indemnizado por el Estado de los perjuicios patrimoniales y morales que haya sufrido. La indemnización será determinada judicialmente en procedimiento breve y sumario y en él la prueba se apreciará en conciencia*".

De lo anterior, se colige que esta acción procede solamente en materia penal. El argumento más concluyente es el mismo texto del artículo 19 N° 7 letra i) de la Constitución, el que habla de "*sobreseimiento definitivo*" y "*sentencia absolutoria*". En definitiva, como señala Garrido Montt, "*el titular de este derecho es la persona que ha sido sometida a procesamiento penal o aquella que ha sido condenada en cualquier instancia, siempre que con posterioridad haya sido sobreseída definitivamente o se haya dictado sentencia absolutoria a su favor".*

Menos explícita es la norma del artículo 38 inciso 2° CPR, la que establece que: *"cualquier persona que sea lesionada en sus derechos por la Administración del Estado, de sus organismos o de las municipalidades, podrá reclamar ante los tribunales que determine la ley, sin perjuicio de la responsabilidad que pudiere afectar al funcionario que hubiere causado el daño".* De todas formas, como es fácil constatar, el citado artículo consagra la responsabilidad patrimonial de la Administración del Estado. Ahora bien, sin perjuicio de lo anterior, no aclara a qué órganos administrativos se aplica ni tampoco cuál es su régimen jurídico. Por este motivo, la doctrina debatió intensamente hasta la dictación de la Ley N° 18.575, Orgánica Constitucional de Bases Generales de la Administración del Estado (LOCBGAE), la que en su artículo 42 regula la responsabilidad por falta de servicio, una de las instituciones más importantes hoy en día de nuestro Derecho administrativo. No es el objetivo de este texto profundizar en dicho régimen, sino que solamente cabría finalizar señalando, que se trata de una reglamentación especial, a la que solamente se le aplican de forma subsidiaria las normas sobre responsabilidad extracontractual del Código Civil.

2.3.2. Responsabilidad penal

La responsabilidad penal es propia de las personas naturales, por lo que el Estado no podría incurrir en ella[23]. Sin perjuicio de lo anterior, en el Código Penal se establecen determinados delitos funcionarios. En concreto, se trata de los que los profesores de Derecho penal llaman tipos penales de sujeto activo cualificado, es decir, aquellos en que es necesario que, para que la conducta del agente encaje en el tipo se requiere que este último cumpla con una condición específica. Por ejemplo, no cualquier persona puede prevaricar, sino que se requiere que sea juez, funcionario o abogado[24]. Igualmente, hay que mencionar que en todos estos casos la pena asignada al delito implica la inhabilidad para seguir ejerciendo el cargo público respectivo, y en la inmensa mayoría de los casos la inhabilitación para desempeñarlo en el futuro.

---

[23]   Esta es la regla general en nuestro ordenamiento jurídico, muy excepcionalmente la Ley 20.393 establece algunos delitos cuyo sujeto activo pueden ser las personas jurídicas de Derecho privado.

[24]   Véanse los artículos 223, 224 y 225 del Código Penal.

2.3.3. Responsabilidad funcionarial

Es aquella que se origina como consecuencia de la infracción de un deber funcionario y cuya consecuencia jurídica consiste en la imposición de una medida disciplinaria. Como ejemplos de medidas disciplinarias se pueden señalar: la multa, la suspensión de funciones o la destitución. Para poder entender de qué se trata, se debe señalar que el régimen laboral de los funcionarios públicos se encuentra rigurosamente detallado en la ley, a diferencia de los trabajadores del sector privado, cuyas condiciones de trabajo quedan entregadas al acuerdo de las partes y están subsidiariamente reguladas por el Código del Trabajo. De este modo, las obligaciones de las personas que trabajan para el Estado no son negociables y se determinan estatutariamente por el legislador. Por ejemplo, para el caso de los funcionarios de la Administración del Estado, la Ley N° 18.834[25] señala cuáles son las obligaciones que estos deben cumplir, lo mismo sucede con los funcionarios del Poder Judicial, cuyo régimen se encuentra entregado al Código Orgánico de Tribunales o los funcionarios del Congreso, regulado en la ley orgánica constitucional respectiva.

Sin perjuicio de lo anterior, en todos los regímenes ejemplificados, la regulación de la responsabilidad funcionaria se encuentra sometida a idénticos principios:

– Principio de legalidad: tanto los ilícitos como las sanciones deben estar descritos en la ley, de modo tal que no se puede imponer medida disciplinaria alguna, si no existe una norma que establezca qué es lo que debe ser considerado como una falta.

– Principio de debido proceso: las medidas disciplinarias deben ser aplicadas en virtud de un procedimiento disciplinario, que garantice a la persona acusada todas las prerrogativas procesales que le permitan defenderse de la acusación.

– Principio de revisión judicial: la decisión de los órganos disciplinarios siempre es susceptible de recurrirse ante un tribunal de justicia.

---

[25] Esta norma es conocida generalmente como "Estatuto Administrativo General", lo que da a entender que también existen ámbitos regulados especialmente, por ejemplo, los profesores que trabajan en la educación pública (Estatuto Docente —Ley N° 19.070—) o los trabajadores de la salud (Estatuto de Funcionarios de la salud —Ley N° 19.378—).

2.3.4. Responsabilidad política

La responsabilidad política consiste la destitución de un funcionario de designación directa, en virtud de la pérdida de confianza frente la autoridad encargada de realizar el nombramiento. Estos funcionarios a diferencia de los anteriores poseen un carácter político y no están sujetos a la carrera funcionaria, por lo tanto, se mantienen en sus cargos, mientras cuenten con la confianza política del órgano encargado del nombramiento. En nuestro país existen una serie de funcionarios que son de nombramiento directo del Presidente de la República, los que pertenecen al estatus de funcionarios de su exclusiva confianza, siendo nombrados y removidos por este a su entera discreción. Al respecto, podemos encontrar que pertenecen a esta categoría: los Ministros de Estado, Subsecretarios, Directores Nacionales de Servicios Públicos, etc.

Al respecto cabe hacer presente dos precisiones. La primera tiene que ver con la tendencia reciente a la reducción de cargos de confianza dentro de la Administración del Estado. En este contexto cabe destacar la creación del Sistema de Alta Dirección Pública, cuyo objetivo es dotar a las instituciones del gobierno central —a través de concursos públicos y transparentes— de directivos con probada capacidad de gestión y liderazgo para ejecutar de forma eficaz y eficiente las políticas públicas definidas por la autoridad. La segunda exige hacer presente que, en un régimen presidencial, el poder ejecutivo no depende de la confianza del parlamento como en el régimen parlamentario, por lo que la autoridad máxima del Poder Ejecutivo y su gabinete desempeñan su cargo durante un período constitucionalmente establecido, no pudiendo ser objeto de censura por parte del Parlamento.

2.3.5. Responsabilidad internacional

A diferencia de los regímenes anteriormente estudiados, la responsabilidad internacional es exclusiva de los Estados. Se configura a partir de la vulneración de una norma de Derecho internacional público, sea esta convencional o consuetudinaria. Se denomina norma de origen convencional la que se encuentra establecida en virtud de un tratado internacional, del mismo modo, se denomina norma de origen consuetudinario a aquella que se origina a través de la costumbre internacional. Dentro de este segundo grupo existe una categoría especial: las denominadas normas de *ius cogens*, o también llamadas, de Derecho internacional imperativo. La importancia que estas poseen se deriva de su contenido, dado que protegen valores esenciales compartidos por la comunidad internacional. Se puede decir que el *ius cogens* es la encarnación jurídica de la conciencia moral de la sociedad internacional. Es por esto por lo que las normas de *ius cogens* no pueden ser derogadas, salvo por otra norma del mismo rango y cualquier tratado internacional contrario a ellas es nulo.

En términos de sus consecuencias jurídicas, la responsabilidad internacional pone al Estado en la necesidad jurídica de reparar los perjuicios causados por la vulneración del orden internacional. Sin embargo, en esta materia el concepto de reparación adopta un alcance considerablemente más amplio que en el caso de la responsabilidad civil, pues involucra no sólo la posibilidad de indemnización de perjuicios, sino también puede incluir cambios en el ordenamiento jurídico interno, sanciones a determinados funcionarios, prestaciones en favor de las víctimas e incluso reparaciones simbólicas como la construcción de monumentos o declaraciones públicas, etc.

Capítulo Duodécimo

Forma jurídica del Estado

1. FORMAS JURÍDICA DEL ESTADO: EL ESTADO UNITARIO, EL ESTADO FEDERAL Y LAS FORMAS MIXTAS

Tratar el tema de las formas jurídicas del Estado es conjugar dos elementos que la teoría clásicamente ha considerado parte de sus criterios constitutivos: el territorio y el poder. Como esta relación es insoslayable en cualquier teoría del Estado, el Derecho debe hacerse cargo sobre cómo interactúan uno y otro elemento y determinar qué formas concretas se utilizan para el ejercicio de la soberanía estatal a lo largo y ancho del territorio. Desde este punto de vista, la adopción de cualquier forma de constitucionalismo liberal supone adoptar el principio de división de poderes como columna vertebral de la estructura orgánica del Estado. Ello por supuesto, influye en esta relación, ya que la división de poderes no solo puede operar en el plano horizontal, sino que también en el plano vertical.

Tanto en la literatura especializada, como en el Derecho comparado, existen diversos modelos teóricos que permiten relacionar territorio y poder. Sin embargo, la realidad es mucho más elocuente que la capacidad de diseño institucional y en la práctica los modelos tienden a mezclarse y difuminarse. Cualquiera sea el caso, el proceso de construcción de un Estado relativamente simétrico y que asegure la igualdad de oportunidades a su población, no es un ejercicio casual, sino más bien requiere de una profunda reflexión. Más allá de las complejidades para encuadrar la realidad dentro de un modelo teórico, la doctrina suele dar cuenta de dos modelos paradigmáticos sobre organización territorial del poder: el Estado unitario y el Estado federal. Sin embargo, su misma puesta en práctica, así como los desafíos que supone el diseño institucional en países que poseen particularidades desde el punto de su configuración nacional o geográfica, ha dado vida a un variado número de formas mixtas.

1.1. El Estado unitario

Se suele definir el Estado unitario como aquél que posee un único centro de impulsión política. La verdad de las cosas es que la citada definición es algo oscura, generando confusión con una variante específica del Estado unitario, que es el Estado unitario centralizado. En el afán de aclarar este concepto, nosotros diremos que el Estado unitario es la forma jurídica de Estado en la cual sus órganos políticos se relacionan entre ellos, eminentemente, sobre la base del principio de jerarquía.

Desde esta perspectiva, existen diversas versiones del Estado unitario, que van desde el Estado centralizado distintas fórmulas de descentralización administrativa y política. El Estado unitario centralizado puede ser, a su vez, concentrado o desconcentrado. En ambas fórmulas la Administración del Estado es una gran persona jurídica estructurada sobre la base del principio de jerarquía, donde los órganos regionales y locales se encuentran subordinados a los centrales. Se habla de Estado unitario concentrado en el caso de que todos los órganos estatales se sitúen geográficamente en un mismo sitio, usualmente, la capital del Estado. En este último supuesto también pueden existir fórmulas de distribución territorial, pero estas no poseen el carácter de permanentes y son esencialmente revocables. A su vez, el Estado unitario desconcentrado presenta una estructura administrativa más compleja que el anterior, pues a pesar de que este sigue siendo organizado con base en el principio de jerarquía, supone la transferencia de competencias con carácter permanente a unidades especializadas creadas dentro de la misma estructura jerárquica de la Administración del Estado, por lo que, en este caso, el principio de competencia también adquiere un rol relevante.

Por otro lado, el Estado unitario descentralizado supone la creación de personas jurídicas que se sitúan fuera de la estructura jerárquica de la administración central, a las que se trasfieren de forma permanente competencias específicas y exclusivas. En palabras sencillas, el órgano descentralizado carece de superior jerárquico, pero existen herramientas que permiten que la cabeza de la administración pueda influir en su actuación a través de mecanismos indirectos. La desconcentración y la descentralización pueden ser clasificadas en función del criterio utilizado para transferir la competencia específica de que se trate. Este criterio puede ser territorial o funcional, o incluso, una mezcla de ambos. Volveremos sobre estas cuestiones a propósito del modelo chileno.

1.2. El Estado federal

Según *Forum of Federations* existen en el mundo 28 Estados federales, los que engloban al 40% de la población mundial. No obstante, el panorama es bastante heterogéneo desde el punto de vista institucional, incluyendo casos tan disímiles como los EE. UU., Alemania, India, México, Brasil, y un largo etcétera. En este contexto es difícil hablar de un único modelo de Estado federal, pues lo que en realidad existen son diversas manifestaciones de federalismo, con una diversidad de arreglos institucionales e incluso con una nomenclatura que cambia para cada situación particular.

Sin perjuicio de lo anterior, podríamos mencionar las siguientes características comunes, aunque no en todos los casos estas se dan en la misma intensidad:

- Al menos, dos niveles de gobierno. Uno para el país entero y otro para las unidades territoriales subestatales. Cada uno de estos niveles de gobierno tiene una relación electoral directa con sus ciudadanos. Hay que tener presente que las unidades territoriales reciben nombres diferentes en cada país: estados, provincias, *länders*, cantones, etc., nosotros nos referiremos a ellas como las *unidades constituyentes* de la federación.

- Una Constitución escrita que formalmente distribuye el poder legislativo entre ambos niveles de gobierno asegurando cierta autonomía real para cada ámbito competencial. Incluso más, en ocasiones los parlamentos subestatales poseen atribuciones tan importantes como la potestad de crear o modificar tributos. Sin embargo, las federaciones difieren mucho en la manera y el grado hasta el cual definen poderes distintos para ambos niveles.

- Normalmente se establecen algunos acuerdos especiales, generalmente en las cámaras altas, para dar cabida a las unidades constituyentes en las principales instituciones centrales, a menudo dando igual peso a todas las unidades constituyentes, sin importar su tamaño o población.

- Un árbitro para dirimir las disputas constitucionales entre las unidades constituyentes, o entre estos y la federación. A su vez, es usual entregar dicha función al tribunal constitucional o a la corte suprema, aunque a veces dicha tarea se puede asignar a la cámara alta.

En los EE. UU., a partir de la célebre obra intitulada El Federalista, se suele justificar una estructura jurídica del tipo Estado federal, como un sistema de representación de diversos intereses en el marco de un Estado a través de una división de poderes, no solo en el plano horizontal, sino también en el vertical. De este modo, el federalismo opera como un mecanismo adicional para dividir y limitar el poder. En este sentido, la federación es concebida como una creación de las unidades constituyentes a través del gran pacto político que funda al Estado. Por el contrario, en Europa se suele justificar el Estado federal sobre la base de consideraciones más pragmáticas, específicamente como un modelo que permite gestionar de mejor manera la diversidad cultural.

1.3. Modelos mixtos

Los modelos mixtos surgen en Europa en la segunda mitad del siglo XX. Particularmente, se trata de países que, no obstante, siempre han presentado una diversidad cultural o lingüística, sus instituciones se han construido históricamente sobre la base del Estado unitario. En este contexto, no es extraño que los procesos de descentralización hayan sido defendidos y empujados por las minorías lingüísticas y culturales, por lo que es bastante frecuente que estos modelos mixtos hayan sido el resultado de una solución transada entre los distintos actores políticos que conviven en el marco del Estado, que han ido reconociendo mayores ámbitos de autonomía a las comunidades locales y regionales, pero sin abrazar derechamente los principios del federalismo.

Al respecto, los ejemplos paradigmáticos son España e Italia. En estos casos, se habla de Estado autonómico o Estado regional, para dar cuenta de fórmulas que buscan conciliar la concesión de potestades amplias a las entidades territoriales en algunas materias, pero restringirlas en otras, manteniendo en estas la estructura jerárquica típica del Estado unitario. Por ejemplo, en España las comunidades autónomas pueden ejercer funciones legislativas y ejecutivas en aquellas materias que no son competencia del nivel central, pero carecen de la posibilidad de ejercer funciones jurisdiccionales. En concreto, lo que se reconoce en todos estos casos es la capacidad de autodeterminación política limitada, por lo que significa que, a diferencia de la autonomía administrativa, esta necesariamente implica conferir a los entes territoriales atribuciones de naturaleza legislativa y ejecutiva, pero en ningún caso sería posible concluir que estas son entidades soberanas en el marco de la Constitución española.

Sin embargo, en la literatura no existe claridad acerca de cuál es el límite exacto entre un modelo de esta naturaleza y un Estado federal propiamente tal. Normalmente, se sostiene que la clave para entender la diferencia está en el sistema de distribución de competencias: en el federalismo siempre el impulso político emana desde abajo hacia arriba, es decir la federación solo posee competencias por excepción, las que serán siempre taxativas; mientras que en los modelos de descentralización la regla es la contraria, de modo que las competencias emanan siempre del nivel central, y solo excepcionalmente son transferidas desde este a las entidades territoriales federadas. Si bien la metáfora es ilustrativa, la verdad es que en la práctica la frontera se difumina ante la diversidad de arreglos institucionales existentes en Derecho comparado, habiendo modelos considerados clásicamente federales, por ejemplo Alemania, que mantiene un amplio conjunto de competencias que se ejercen conjuntamente entre la federación y las unidades constituyentes, pero por otra parte, también existen Estados políticamente descentralizados, Italia por ejemplo, que regula algunas competencias de similar configuración a las de un Estado federal.

Por lo mismo, algunos autores defienden un criterio más cuantitativo que cualitativo, afirmando que, en cierto modo, las formas mixtas son transiciones inconclusas de un Estado unitario a un modelo federal. Ha sido justamente en Italia, donde esta discusión se ha trasladado al plano de lo concreto a partir de las reformas de 2001, las que en su momento generaron gran polémica acerca de los contornos de la forma jurídica del Estado italiano, incluso con pronunciamientos de la Corte Constitucional de dicho país.

2. FORMA JURÍDICA DEL ESTADO CHILENO. TÉCNICAS DE REPARTO DE POTESTADES: LA DESCENTRALIZACIÓN, DESCONCENTRACIÓN Y AUTONOMÍA CONSTITUCIONAL

Una vez revisados en el apartado anterior los aspectos conceptuales es menester analizar la regulación existente en nuestro país. Las bases constitucionales del modelo chileno de distribución territorial del poder están contenidas en el artículo 3° CPR, el que señala lo siguiente:

> *"El Estado de Chile es unitario.*
> *La administración del Estado será funcional y territorialmente descentralizada, o desconcentrada en su caso, de conformidad a la ley.*
> *Los órganos del Estado promoverán el fortalecimiento de la regionalización del país y el desarrollo equitativo y solidario entre las Regiones, provincias y comunas del territorio nacional".*

De la citada disposición se pueden extraer los siguientes principios:

– El Estado de Chile consagra un Estado unitario. Originalmente este artículo aludía a las regiones como la unidad territorial básica, aunque actualmente esa referencia fue trasladada al artículo 110 CPR. Si bien, la cláusula del Estado unitario es en abstracto compatible con distintos grados de concesión de autonomía a las regiones, se verá a continuación que el mismo artículo a continuación establece límites al respecto.

- Las técnicas para transferir competencias a las regiones son la desconcentración y la descentralización. De acuerdo con el inciso segundo, solamente la Administración del Estado es susceptible de desconcentrarse o descentralizarse, por lo tanto, la función de Gobierno es eminentemente centralizada y concentrada.

- La desconcentración y la descentralización son materias de reserva de ley, lo que permite diferenciarlas de instrumentos netamente administrativos, como, por ejemplo, la delegación, figura que es esencialmente revocable y no supone exclusividad. Si bien el artículo 3 CPR, no establece un tipo específico de reserva de ley, del examen de otras disposiciones constitucionales es forzoso concluir que, en la práctica, para casi todos los casos se requiere ley orgánica constitucional o incluso reforma constitucional.

Para entender a cabalidad lo dispuesto por el artículo 3° CPR es necesario abordar las nociones de desconcentración y descentralización. Antes señalábamos que ambas son técnicas de distribución de competencias concebidas en el marco del Estado unitario. En el primer caso se trata de un fenómeno intraorgánico, ya que la desconcentración supone la creación de una unidad dentro de la misma estructura jerárquica del órgano de que se trata. En consecuencia, los órganos desconcentrados carecerán de personalidad jurídica, no poseen patrimonio propio y estarán ligados al nivel central en virtud de una relación de jerarquía. Por el contrario, en la descentralización, la característica esencial es la creación de nuevas personas jurídicas dotadas de patrimonio propio, lo que tiene como consecuencia que la relación que existe entre el órgano descentralizado y el nivel central es un vínculo de tutela o supervigilancia, en el que el segundo no es el superior jerárquico del primero. Desde luego, el nivel central sigue conservando herramientas para influir en la decisión del órgano descentralizado, aunque sin controlarla totalmente, por ejemplo, a través de atribuciones del nombramiento de los jefes superiores de los servicios o por medio del control presupuestario.

Por otra parte, hay que tener presente que estas técnicas de atribución de competencias, como expresamente señala el artículo 3° CPR, se pueden configurar en términos territoriales o funcionales. En el primero de los casos la unidad de atribución es geográfica política según la estructura de organización regulada por la Constitución (regiones, comunas, provincias, etc.). En el segundo caso la competencia específica se fundamenta en un criterio de carácter material debido a la especialidad técnica del órgano. Ambos criterios se pueden superponer, por ejemplo, un órgano descentralizado desde el punto de vista funcional (por ejemplo, la Dirección del Trabajo) se puede desconcentrar territorialmente en el nivel regional (por ejemplo, a través de la Direcciones Regionales del Trabajo).

3. EL PROCESO DE DESCENTRALIZACIÓN EN CHILE

Históricamente en Chile la preocupación por el desarrollo territorial ha sido más bien escasa, por el contrario, nuestro Estado se ha fundado sobre la base del Estado unitario centralizado. La explicación histórica de este fenómeno está dada porque a partir de la Constitución de 1833, el Estado chileno se construye sobre la base de un modelo de Estado unitario fuertemente centralizado a la usanza del modelo napoleónico. Según Salazar (2009), el hito que marca el punto de partida del centralismo fue la Constitución de 1833. Ello se explica porque la guerra civil de 1829-30, no fue sino la insurrección de la oligarquía santiaguina contra el orden establecido por la Constitución de 1828. Como sabemos, la Constitución de 1828 es el momento de mayor autonomía de las regiones en nuestra historia constitucional. El triunfo del bando pelucón en Lircay en 1830 determinó para siempre un acusado centralismo, a través de la construcción institucional denominada orden portaliano. No en vano, el mismo Portales en una carta a José Manuel Cea, señalaba que: *la democracia podrá venir mucho después, pero el Estado debe ser centralizado*.

Este mismo centralismo queda en evidencia en la manera cómo se va extendiendo la soberanía chilena en el territorio que actualmente constituye nuestras fronteras. Al respecto señala Ortega (2002), que el Estado chileno se fue construyendo en base a sucesivas dominaciones territoriales desde el comienzo de la República: primero Chiloé, luego Magallanes, la Guerra de Arauco, y finalmente, la Guerra del Pacífico con las provincias del Norte. A esto habría que agregar la colonización de los Lagos y la Patagonia. Como se puede observar, la débil democracia chilena aún está lejos de llegar a las regiones. En este contexto y como no podía ser de otra manera, el modelo original de la autoritaria Constitución de 1980 mantiene en lo esencial el señalado orden portaliano. En su texto original, solo permitía la participación popular en la elección del Presidente de la República, la Cámara de Diputados y parte del Senado. Por supuesto, era impensable en dicho momento, concebir que las autoridades regionales, provinciales y comunales fueran electas democráticamente.

A comienzos de la década de 1990 tuvieron lugar los primeros hitos relevantes en la materia, con la elección de alcaldes y concejales en el plano local y la creación de los gobiernos regionales como órganos encargados de la administración superior de la región. En esta configuración la región se bifurca competencialmente en dos funciones: el gobierno y la administración, correspondiendo la primera de ellas al Intendente, un órgano unipersonal territorialmente desconcentrado y de la exclusiva confianza del P. de la R. La administración superior de la región correspondía al Gobierno Regional, un órgano colegiado presidido por el Intendente más un conjunto variable de consejeros regionales.

Recién en el año 2009, en virtud de la reforma constitucional establecida por la Ley N° 20.390, se va a permitir la elección de los consejeros regionales a través de sufragio universal. Posteriormente, en el año 2014, a causa de importantes movimientos ciudadanos que demandaban mayor autonomía de las regiones, la presidenta Bachelet creó la Comisión Asesora Presidencial para la Descentralización y el Desarrollo Regional, con el objetivo de promover el desarrollo regional. Dicha Comisión concluyó su trabajo con un informe que contenía una propuesta de Estado y una agenda para la descentralización efectiva y el desarrollo territorial de Chile, que incluía 90 propuestas, 10 de ellas definidas como esenciales e inmediatas.

En la actualidad, del conjunto de propuestas formuladas por la Comisión, solamente tres de ellas han resultado aprobadas en el Congreso. La primera de ellas es una reforma constitucional que cambia la estructura de los órganos regionales del siguiente modo:

a. El gobierno de la región corresponde a un órgano unipersonal desconcentrado territorialmente del Presidente de la República, denominado Delegado Presidencial Regional. Idéntica estructura se replica en el nivel provincial con el Delegado Presidencial Provincial, órgano unipersonal territorialmente desconcentrado del Delegado Presidencial Regional.

b. La administración superior de la región corresponde al Gobierno Regional, órgano colegiado electo democráticamente a través de sufragio universal. Dicho órgano está encabezado por el Gobernador Regional y compuesto además por el Consejo Regional, integrado por un número variable de consejeros. La primera elección de Gobernadores Regionales está prevista para el año 2020, utilizando un sistema electoral mayoritario sobre la base de una única circunscripción para toda la región. La elección popular de consejeros regionales se realizó por primera vez en el año 2013 y por segunda oportunidad en 2017. El sistema electoral utilizado para las elecciones de consejeros regionales es un sistema proporcional con una fórmula de tipo D'Hondt.

c. Transitoriamente y hasta el año 2020, siguen existiendo los Intendentes como órganos de gobierno la región y el presidente del Consejo Regional es elegido, de entre sus miembros, por mayoría absoluta de sus integrantes en votación pública y a viva voz.

Otra cuestión sumamente importante para la consolidación del proceso de descentralización, tiene que ver con el traspaso de competencias desde el nivel central hacia las regiones. Es evidente que la democratización de las autoridades regionales es un paso importante, pero por muy legítimas que sean estas instituciones, si carecen de competencias efectivas para adoptar decisiones verdaderamente autónomas, cualquier proceso de descentralización resultará infructuoso. Con este propósito, la Ley N° 21.074 estableció el punto de partida para la construcción de Gobiernos Regionales con competencias verdaderamente relevantes. En este sentido, se puede constatar, de la sola lectura de los artículos 16 al 20 de la Ley N° 19.175, que en la actualidad las atribuciones de los Gobiernos Regionales han aumentado de forma notoria. Por ejemplo, a este respecto se puede destacar la consagración de atribuciones de planificación estratégica y de desarrollo de políticas públicas regionales. Entre estas adquiere especial significación el Plan de Ordenamiento Territorial (PROT), que permite coordinar los diferentes usos de que puede ser objeto el territorio (económico, recreación, conservación, etc.) y resolver de forma participativa los eventuales conflictos por el uso del territorio.

Adicionalmente, es necesario relevar las normas del párrafo segundo de la ley, que establecen un procedimiento de traspaso de competencias desde el nivel central. El interés que posee esto último es muy grande, ya que como hemos visto antes, de acuerdo con el artículo 7° las competencias de los órganos del Estado solo pueden establecerse por ley. En este caso, cuando se trate de competencias que pertenezcan a los ministerios, podrán ser transferidas por el P. de la R. a las regiones, en virtud de un decreto supremo, en materias de ordenamiento territorial, fomento de las actividades productivas y desarrollo social y cultural. Ahora bien, aunque resulta obvio que es posible formular una serie de críticas a estas normas, también es posible concebirlas como el punto de partida de un proceso que es necesario seguir profundizado y donde los problemas de implementación se deben ir solucionando paulatinamente.

Capítulo Decimotercero
Publicidad y probidad

1. LOS PRINCIPIOS CONSTITUCIONALES
DE PROBIDAD Y PUBLICIDAD

La consagración constitucional de estos principios deriva de la reforma constitucional de 2005, que incorporó los principios de probidad y publicidad en el espacio que había dejado en el texto constitucional el derogado artículo 8° La disposición constitucional aludida representa la culminación de un largo proceso de reformas, que han tenido por objeto establecer medidas para combatir la corrupción. A pesar de lo extendido que se encuentra y de los perniciosos efectos que provoca en el Estado de Derecho, el fenómeno de la corrupción ha sido poco estudiado. Al respecto, haremos nuestras las ideas de Jorge Malem, el autor en lengua española que se ha dedicado con mayor profundidad a este tema. Según este, habrá corrupción si, en primer lugar, existe intención de un funcionario de obtener un beneficio irregular, no permitido por el ordenamiento jurídico, no importando que ese beneficio sea económico, político, social, sexual, etc. En segundo lugar, la pretensión de conseguir alguna ventaja en la corrupción se manifiesta a través de la infracción de un deber institucional, en este sentido, la corrupción siempre es parasitaria de la vulneración de alguna regla. En tercer lugar, debe haber una relación causal entre la inobservancia del deber que se imputa y la expectativa de obtener un beneficio irregular. En cuarto lugar, la corrupción se muestra como una deslealtad hacia la regla violada, la institución a la cual se pertenece o en la que se presta servicio (Malem, 2014).

Como primera cuestión es necesario aclarar que, si bien ambos principios responden a mecanismos relacionados con la lucha contra la corrupción, son conceptualmente distinguibles entre sí. En segundo lugar, se debe hacer presente que los principios de probidad y publicidad se encuentran consagrados en el artículo 8° de la Constitución, aunque de una manera poco sistemática. El inciso primero comienza con la proclamación general del principio de probidad, al señalar: "*El ejercicio de las funciones públicas obliga a sus titulares a dar estricto cumplimiento al principio de probidad en todas sus actuaciones*". Acto seguido, en su inciso segundo, se refiere detalladamente al principio de publicidad. En sus incisos tercero y cuarto, el artículo vuelve sobre tres instituciones que se consideran típicamente como garantías del principio de probidad: las declaraciones de patrimonio y de interés, el fideicomiso ciego y la obligación de enajenar ciertos bienes. En último término, ambos principios han sido objeto de un completo desarrollo legislativo, con posterioridad a su consagración constitucional. Por esta razón, en esta sección abordaremos ambos conceptos, para luego, en las dos secciones siguientes abordar brevemente el desarrollo legislativo de estos dos conceptos.

1.1. El principio de probidad

Se puede señalar, en términos generales, que la expresión probidad es equivalente a honradez o rectitud en el actuar. Desde esta perspectiva, la Constitución establece en su artículo 8°, inciso primero, la obligación de un comportamiento probo para todos los órganos del Estado. Sin embargo, el artículo 8° no define qué se debe entender por probidad, entregando dicha tarea al legislador. Esta circunstancia ha dado lugar a que históricamente se hayan planteado distintas visiones acerca del contenido de este principio, habiendo dos tradiciones que se han disputado este terreno.

La primera de ellas pone el acento en las virtudes personales de los funcionarios. Desde esta perspectiva, quienes desempeñen funciones a nombre del Estado, deben poseer un comportamiento virtuoso que refleje una superioridad moral sobre los súbditos. Por ejemplo, el modelo de jurisdicción premoderno descansaba en la calidad ética del juez, de allí que a estos se les exigiera poseer determinados rasgos morales muy marcados y comportamientos sociales muy estrictos, en consecuencia, se les prohibía el juego, la bebida y su participación en toda clase de celebraciones sociales. En la vereda del frente, la mirada propia de la ilustración, centrada en la razón y en la fundamentación jurídica de la actividad estatal, puso todo el énfasis en un modelo de ética centrado en las características profesionales del funcionario. Se habla así de una ética objetiva, por contraposición al modelo anterior de raigambre marcadamente subjetiva.

Esta dicotomía, que se traduce en términos simples en la antigua pregunta acerca de si las malas personas pueden ser buenos jueces, políticos o administradores públicos, o para ello se requiere también de virtudes en el plano personal, se ha expresado con fuerza entre nosotros. Como decíamos, la Constitución no define qué es lo que se debe entender por probidad y deja el contenido de dicha noción entregada a la interpretación del legislador. En términos históricos, el texto original de la Ley N° 18.575, en su artículo 7°, establecía que la probidad implica *"una conducta funcionaria moralmente intachable"*. Similar idea recogía el Estatuto Administrativo en su redacción original. En el mismo sentido, también se puede citar el Código Orgánico de Tribunales (COT) a propósito de las obligaciones de conducta exigidas a los jueces. En efecto, el artículo 544 del COT, permite imponer medidas disciplinarias en contra de los funcionarios judiciales: "*cuando por irregularidad de su conducta moral o por vicios que les hicieren desmerecer en el concepto público comprometieren el decoro de su ministerio"*. Cabe recordar, que en el año 2003 se sancionó al juez Daniel Calvo en virtud de esta disposición, quien se encontraba instruyendo una importante causa en contra una red de pedofilia, todo ello a raíz de que un programa de televisión expuso cómo el mencionado juez cometía adulterio en perjuicio de su cónyuge en un sitio de prostitución homosexual. En dicha oportunidad, la Corte de Apelaciones de Santiago, en sentencia confirmada por la Corte Suprema, falló que la conducta del Sr. Calvo afectaba la probidad y comprometía el decoro de su ministerio.

Esta concepción de probidad se opone a la noción que se ha venido imponiendo a partir de la primera década del siglo XXI, al menos para los funcionarios de la Administración del Estado y después, a partir de la Ley N° 20.880, con carácter general para personas que formen parte del Poder Ejecutivo, e incluso para los directores de empresas públicas, en las que el Estado tenga participación o para el caso de administradores de empresas que presten servicios o tengan contratos vigentes con la administración. Se trata este de un modelo de probidad funcionarial o profesional, definido en el artículo 54 de la LOCBGAE, norma que señala: "*el principio de la probidad administrativa consiste en observar una conducta funcionaria intachable y un desempeño honesto y leal de la función o cargo, con preeminencia del interés general sobre el particular"*. La misma disposición se repite en el artículo 1° de la Ley 20.880 sobre Probidad en la Función Pública y prevención de los Conflictos de Intereses.

En síntesis, de acuerdo con la legislación vigente, habría que concluir que, para la gran mayoría de los órganos del Estado, se aplica una versión técnica del principio de probidad, la que se reduce al cumplimiento de sus funciones determinadas legalmente y en la prohibición de servirse del cargo para obtener un provecho personal, pero excluyendo consideraciones de carácter moral en relación con su vida personal. Siguiendo el mismo criterio, también habría que inferir, que para el caso de los jueces, aún es posible plantear que las normas sobre probidad que rigen el desempeño de su función involucran aspectos claramente subjetivos, relativos al tipo de conducta esperable de un juez, no solo en el plano profesional, sino también en el ámbito personal, independientemente de que ello pueda resultar criticable dentro de una noción de Estado secular y profesional.

1.2. El principio de publicidad

Respecto al principio de publicidad de los actos y resoluciones de los órganos del Estado, la Constitución es bastante más explícita. Es importante partir señalando que la redacción de esta disposición se origina en la sentencia Claude Reyes v. Chile, en virtud de la cual la Corte Interamericana de Derechos Humanos condenó al Estado chileno por vulneración de la Convención Americana de Derechos Humanos. Esta sentencia ordenó al Estado de Chile modificar su Derecho interno, con el objeto de consagrar el principio de publicidad y el derecho de acceso de todos los ciudadanos a la información que se encuentre en poder de los organismos públicos.

De este modo, la Constitución establece como principio general la publicidad, que se aplica tanto a los actos y resoluciones de los órganos del Estado, así como a sus fundamentos y a los procedimientos que se utilicen para producirlos. Esta regla general admite excepciones, las que se encuentran consagradas en la propia Constitución en su artículo 8°. En primer lugar, se establece un requisito formal, protegiendo este principio con reserva de ley de quórum calificado, pero adicionalmente, se establecen ciertos criterios materiales en virtud de los cuales se puede configurar una excepción al principio de publicidad. En efecto, se señala que se podrá establecer la reserva o secreto, en cuatro casos: a) cuando la publicidad afectare el debido cumplimiento de las funciones de los órganos del Estado, b) los derechos de las personas, c) la seguridad de la Nación o d) el interés nacional.

2. RÉGIMEN LEGAL DEL DERECHO A ACCESO A LA INFORMACIÓN PÚBLICA Y EL CONSEJO PARA LA TRANSPARENCIA

Adicionalmente a lo dispuesto por el artículo 8° de la CPR, la principal norma de carácter legal que desarrolla el principio de publicidad es la Ley N° 20.285 Sobre Acceso a la Información Pública. Esta normativa, que en principio complementa y regula la obligación de los órganos del Estado de poner a disposición de los ciudadanos toda la información que obra en su poder, posee el problema de que solo se aplica a los órganos de la Administración del Estado. Esta conclusión se desprende del artículo 1°, que establece como objeto de la ley, la *"transparencia de la función pública, el derecho de acceso a la información de los órganos de la Administración del Estado, los procedimientos para el ejercicio del derecho y para su amparo, y las excepciones a la publicidad de la información"*. A mayor abundamiento, el artículo 2° detalla esta regla del siguiente modo:

> *"Las disposiciones de esta ley serán aplicables a los ministerios, las intendencias, las gobernaciones, los gobiernos regionales, las municipalidades, las Fuerzas Armadas, de Orden y Seguridad Pública, y los órganos y servicios públicos creados para el cumplimiento de la función administrativa.*
>
> *La Contraloría General de la República y el Banco Central se ajustarán a las disposiciones de esta ley que expresamente ésta señale, y a las de sus respectivas leyes orgánicas que versen sobre los asuntos a que se refiere el artículo 1° precedente.*
>
> *También se aplicarán las disposiciones que esta ley expresamente señale a las empresas públicas creadas por ley y a las empresas del Estado y sociedades en que éste tenga participación accionaria superior al 50% o mayoría en el directorio.*
>
> *Los demás órganos del Estado se ajustarán a las disposiciones de sus respectivas leyes orgánicas que versen sobre los asuntos a que se refiere el artículo 1° precedente".*

En conclusión, se excluyen genéricamente de la aplicación de la Ley 20.285, los órganos constitucionalmente autónomos, salvo en las disposiciones que expresamente sean mencionados. Del mismo modo, se excluyen completamente los órganos legislativos y jurisdiccionales, lo que en dicha materia se rigen por sus propias leyes orgánicas constitucionales. En el primer caso, la LOCN consagra en términos generales el principio de publicidad en su artículo 5° A., al reconocer que: *"El principio de transparencia consiste en permitir y promover el conocimiento y publicidad de los actos y resoluciones que adopten los diputados y senadores en el ejercicio de sus funciones en la Sala y en las comisiones, así como las Cámaras y sus órganos internos, y de sus fundamentos y de los procedimientos que utilicen"*. Asimismo, se añade más adelante que: *"Las sesiones de las Cámaras, los documentos y registros de las mismas, las actas de sus debates, la asistencia y las votaciones serán públicas"*. Sin embargo, este régimen posee el problema de que carece de una institucionalidad de control verdaderamente independiente y abierta a los ciudadanos. En concreto, el órgano encargado de supervigilar el cumplimiento de esas normas son las Comisiones de Ética y Transparencia de cada cámara, compuestas por íntegramente por parlamentarios electos por la respectiva cámara. Por otro lado, estas comisiones pueden obrar solo de oficio o a petición de un parlamentario, lo que dificulta un control ciudadano de eventuales actos del Congreso que vulneren el principio de publicidad.

Similar es caso del Poder Judicial. El artículo 9° del COT, consagra en términos generales la regla de que los actos de los tribunales son públicos, salvo las excepciones expresamente establecidas en la ley. Sin perjuicio de ello esta disposición carece de desarrollo ulterior en otras normas de carácter legal. El Poder Judicial ha solventado este problema, con todas las dificultades que ello implica, regulando el derecho acceso a la información a través de un auto acordado del Pleno de la Corte Suprema. En concreto, se trata del auto acordado 253-2008, de 30 de octubre de 2008. Sin perjuicio de que se trata de una regulación absolutamente superficial, la solución que adopta al auto acordado es similar a la del Congreso, pues crea una Comisión de Transparencia y Acceso a la Información, que *"tendrá por objeto promover la transparencia dentro de este Poder del Estado, haciendo efectivo el cumplimiento de las normas relativas a la materia que establecen la ley N°20.2 85, el Código Orgánico de Tribunales y los acuerdos que ha adoptado este tribunal y obtener que la información que poseen o generen los tribunales de justicia sea lo más accesible para las personas y, en especial, a los usuarios del sistema judicial"*. Dicha comisión está integrada por dos Ministros de la Corte Suprema y uno de Corte de Apelaciones, todos designados por la Corte Suprema, el Director de la Corporación Administrativa del Poder Judicial y la Directora de la Academia Judicial. Al respecto, la crítica que se puede formular es similar a la del caso anterior. Sus atribuciones son meramente genéricas, carece de la debida independencia, y tampoco permite que los ciudadanos puedan presentar reclamaciones para desvelar actos del Poder Judicial que no sean de conocimiento público.

Volviendo al estatuto aplicable a la Administración del Estado en esta materia, cabe destacar que este ha recibido elogios de parte de la doctrina, la que ha valorado muy positivamente sus instituciones. No es el lugar para un análisis detallado de la Ley 20.285, por lo que solo cabe formular un comentario muy general. En primer lugar, es necesario relevar que todo su régimen jurídico está vertebrado por la distinción estructural entre transparencia activa y pasiva. La primera de ellas consiste en la obligación de mantener a disposición permanente del público, a través de los sitios electrónicos oficiales, una serie de antecedentes enumerados por la ley, por ejemplo: estructura orgánica, personal contratado, remuneraciones, etc. El artículo 7° de la ley en comento, señala con precisión el contenido de la información afecta a la obligación de transparencia activa. A su vez, la ley también contempla una faz pasiva de la obligación de transparencia, que consiste en consagrar el derecho de acceso de toda persona a la información pública, mediante el establecimiento de una serie de procedimientos destinados a hacer efectivo el derecho a solicitar y recibir información de parte de la Administración del Estado.

La distinción anterior resulta clave, pues la vertiente pasiva de la transparencia permite develar información, tanto que los órganos del Estado están obligados a publicar en virtud del principio de transparencia activa, como también aquella que no, salvo que esta información se encuentre entre las excepciones legalmente establecidas. Para comprender la extensión de la obligación de transparencia pasiva resulta clave la disposición del artículo 10 de la ley, que establece, en primer lugar, que: *"toda persona tiene derecho a solicitar y recibir información de cualquier órgano de la Administración del Estado, en la forma y condiciones que establece esta ley"*. Por otra parte, este artículo también presenta la particularidad de que extiende considerablemente la obligación de publicidad, más allá de lo dispuesto por el artículo 8° CPR. Al respecto, no se debe olvidar que la CPR establece que *"son públicos los actos y resoluciones de los órganos del Estado, así como sus fundamentos y los procedimientos que utilice"*, pero el artículo 10 de la Ley N° 20.285, hace extensiva esta obligación a un ámbito mucho mayor: *"El acceso a la información comprende el derecho de acceder a las informaciones contenidas en actos, resoluciones, actas, expedientes, contratos y acuerdos, así como a toda información elaborada con presupuesto público, cualquiera sea el formato o soporte en que se contenga, salvo las excepciones legales"*.

Respecto de las excepciones al principio de publicidad, se debe señalar que la Ley 20.285 en su artículo 21 detalla el contenido de cada una de las excepciones que la Constitución permite, sin embargo, en su numeral 5° permite que el legislador establezca nuevas excepciones, siempre y cuando, estas se creen en virtud de una ley de quórum calificado. Sin perjuicio de esto último, en cualquier caso, habrá que concluir que las excepciones al principio de publicidad son limitadas y están taxativamente formuladas o en la Ley N° 20.285 o en otras leyes de quórum calificado.

En lo que toca al derecho de toda persona a solicitar y recibir información directamente de cualquier órgano de la Administración del Estado, la autoridad requerida deberá pronunciarse en un plazo de veinte días hábiles, contados desde la recepción de la solicitud, prorrogables excepcionalmente por otros diez días hábiles, cuando existan circunstancias que hagan difícil reunir la información solicitada, caso en que el órgano requerido deberá comunicar al solicitante, antes del vencimiento del plazo, la prórroga y sus fundamentos. Vencido ese plazo, o ante la negativa injustificada del órgano en cuestión, el ciudadano puede reclamar ante al Consejo para la Transparencia (CPLT). El CPLT es una corporación autónoma de Derecho público, con personalidad jurídica y patrimonio propio, que tiene por objeto promover la transparencia de la función pública, fiscalizar el cumplimiento de las normas sobre transparencia y publicidad de la información de los órganos de la Administración del Estado, y garantizar el derecho de acceso a la información.

La ley consagra para aquellos casos de negativa injustificada de acceso a la información el denominado *amparo ante el CPLT*, este mecanismo que es vinculante para los órganos de la Administración del Estado, es decir, si el CPLT determina que la información no está comprendida en una de las excepciones legales, esta debe ser entregada al solicitante. Frente a la decisión del CPLT, se puede reclamar ante la Corte de Apelaciones respectiva, en virtud de una acción denominada reclamo de ilegalidad. Dicha reclamación resultará procedente en contra de la resolución del CPLT, establecida tanto a favor del solicitante de información —cuando esta ha sido denegada por el CPLT—, como del órgano requerido o de terceros que podrían verse afectados por la entrega de la información dispuesta por el CPLT. De esta manera, la revisión final de la correcta aplicación de las normas que establecen la publicidad o reserva de la información, que efectúe el CPLT, queda entregada a un órgano jurisdiccional.

3. LA PROBIDAD EN LA FUNCIÓN PÚBLICA Y LA PREVENCIÓN DE LOS CONFLICTOS DE INTERESES

La legislación sobre probidad en Chile data de fines de la década de 1990, con la normativa que se aprobó por aquel entonces, cuando salieron a la luz los primeros problemas de corrupción luego del retorno a la democracia en 1990. Durante la primera década del siglo XXI, se conocieron nuevos episodios que demostraron la necesidad de profundizar en un estatuto mucho más moderno y completo. Ya en la década de 2010 la discusión acerca de los conflictos de interés que tuvo lugar durante el primer período del presidente Piñera, además de las investigaciones sobre financiamiento ilegal de la política, motivaron una reflexión mucho más profunda al respecto. En 2015, la presidenta Bachellet creó el Consejo Asesor Presidencial contra los conflictos de interés, el tráfico de influencias y la corrupción, también conocida como *Comisión Engel*. El Consejo Asesor presentó a la presidenta su informe final con 234 propuestas que tenían por objeto, en su conjunto y de acuerdo con sus propias palabras, "*fortalecer nuestra democracia sobre la base de partidos políticos sólidos, de una nueva regulación del financiamiento de la política y de un fortalecimiento de la transparencia de la función pública y de los mecanismos de control ciudadano, así como de la eficacia de la fiscalización y regulación del sector privado".*

Una de las propuestas más importantes era la regulación de los conflictos de intereses y la discusión que se suscitó a partir de las propuestas del Consejo Asesor, se tradujo en la presentación de un proyecto de ley por parte de la presidenta Bachellet, el que finalmente se transformó en la Ley N° 20.280. Uno de los aspectos más interesantes de esta ley es que se trata de un estatuto jurídico que se aplica al Estado con carácter general. Su estructura básica es que establece una serie de obligaciones a las personas que desempeñen cargos públicos e impone sanciones frente a la inobservancia de dichos deberes. Las tres principales instituciones que regula la ley para prevenir y excluir los conflictos de intereses de la función pública son: las declaraciones de intereses y patrimonio, el fideicomiso ciego y la obligación de enajenar ciertos bienes. De esta manera, el artículo 3° del citado cuerpo legal sitúa el objeto de la ley de la siguiente manera: *"Para el debido cumplimiento del principio de probidad, esta ley determina las autoridades y funcionarios que deberán declarar sus intereses y patrimonio en forma pública, en los casos y condiciones que señala. Así también, esta ley determina los casos y condiciones en que esas autoridades delegarán a terceros la administración de ciertos bienes y establece situaciones calificadas en que deberán proceder a la enajenación de determinados bienes que supongan conflicto de intereses en el ejercicio de su función pública".*

En lo que sigue se explicará brevemente en qué consiste cada una de estas obligaciones

3.1. Declaración de intereses y patrimonio

Se trata de una herramienta que busca dar a conocer públicamente las relaciones económicas y patrimoniales que pueden afectar la imparcialidad del funcionario al momento de la toma de decisiones. Con esto permite, además, transparentar el patrimonio que el funcionario tiene al momento de comenzar el ejercicio de un cargo público, de manera de contrastarlo con el que se declara al momento de la actualización (Hunter, 2015). En el artículo 7° de la ley se regula el contenido de la declaración, que como se puede observar es bastante amplio, incluyendo todos los bienes inmuebles, vehículos, acciones, participación en sociedades e incluso debe comprender los bienes del cónyuge casado en régimen de sociedad conyugal y los bienes del conviviente civil del declarante, si se ha pactado régimen de comunidad de bienes. El régimen de sanciones por el incumplimiento de estas normas, contemplan una serie de medidas, que puede llegar incluso hasta la destitución del cargo público a que se refiere.

3.2. Fideicomiso ciego

Esta es una institución que en el Derecho comparado se suele imponer como una obligación exigible a las más altas autoridades del Estado, ya que estas por su particular posición toman decisiones respecto de un amplio rango de materias, por lo que el riesgo potencial de incurrir en un conflicto de intereses se multiplica. Por esta razón, se suele invocar la necesidad de que entreguen su patrimonio a la administración de un agente profesional, bajo prohibición de intercambio recíproco de información sobre cómo se está administrando el patrimonio o sobre qué inversiones se han realizado o se intenta realizar. Esta institución se denomina *blind trust* en inglés, o fideicomiso ciego en español (Zalaquett, 2011). La Ley N° 20.880 denomina a esta figura mandato especial de administración de cartera de valores y la regula en su título III.

En la legislación chilena el fideicomiso ciego es obligatorio para el Presidente de la República, los ministros de Estado, los subsecretarios, los diputados y senadores, el Contralor General de la República, los intendentes, los gobernadores, los consejeros regionales, los alcaldes y los jefes superiores de las entidades fiscalizadoras. Consiste en otorgar un mandato a una entidad regulada por la SVS o SBIF, a la que se le entrega la facultad de administrar el patrimonio de una de las autoridades señaladas en la ley, a nombre propio y a riesgo de la autoridad, impidiendo que el mandante pueda entregarle información. La ley establece prohibiciones para el mandante, con el objeto de impedir la comunicación entre ellos. Lo único que puede hacer el mandatario es un informe anual sin señalar el destino de las inversiones, área o rubro.

A pesar de que la institución ha sido positivamente valorada, ello no la ha eximido de críticas. Así, por ejemplo, se reprocha que el fideicomiso ciego es obligatorio para personas con un patrimonio superior a las 25.000 U.F., lo que es extraordinariamente alto, ya que en la actualidad equivale a más de $ 684.000.000. También se ha señalado como un hecho negativo que se excluyen las inversiones en el extranjero, lo cual puede resultar peligroso para autoridades con atribuciones en materia internacional, por ejemplo, el P. de la R.

3.3. Obligación de enajenar ciertos bienes

La obligación de observar el principio de probidad, en algunos casos, no se satisface ni aun cuando las autoridades transparenten sus conflictos de intereses, o se desvinculen temporalmente de sus inversiones. Existen casos en que la única forma de impedir la confusión del interés general con los intereses particulares es enajenar parte del patrimonio o renunciar a las sociedades en las que se tiene participación. Ello sucede fundamentalmente cuando estas personas mantienen negocios con el Estado. La Ley N° 20.880, hace extensiva esta obligación al Presidente de la República, los diputados, los senadores y el Contralor General de la República, a los ministros de Estado, los subsecretarios, los delegados presidenciales regionales, los gobernadores regionales, los consejeros regionales, los superintendentes, los intendentes de dichas Superintendencias y los jefes de servicios. El artículo 45 de la ley obliga a enajenar la participación en empresas que presten servicios al Estado y en empresas que presten servicios sujetos a tarifas reguladas o que exploten, a cualquier título, concesiones otorgadas por el Estado.

En suma, independientemente de que la legislación en materia de probidad es susceptible de ser mejorada, no cabe duda de que estas reformas son un paso necesario y un esfuerzo en la defensa del interés general, que toda democracia y todo Estado de Derecho debe cautelar. Después de todo esa es la razón de ser de prácticamente todos los arreglos institucionales que se han estudiado a lo largo de estas páginas, pues, en definitiva, el Derecho constitucional no es sino un intento constante y sistemático por mejorar los niveles de legitimidad y por construir reglas que posibiliten una mejor calidad de vida y el progreso de las personas en el marco de las sociedades contemporáneas.

El restablecimiento del debate constitucional y la crisis política institucional de 2019

1. LA CRISIS POLÍTICO INSTITUCIONAL DE 2019 Y SUS CONSECUENCIAS CONSTITUCIONALES

Este libro nació con el objetivo de servir como un material actualizado para conocer las bases teóricas del Derecho constitucional y los principios básicos sobre los que se sustenta el sistema constitucional chileno. Después de la reforma constitucional de 2005, los textos de referencia que se habían utilizado hasta entonces quedaron desactualizados. Lamentablemente, en su gran mayoría los autores no adaptaron sus obras para incorporar las modificaciones que tuvieron lugar en dicha oportunidad y en los años sucesivos. El punto de partida fue un conjunto de apuntes de clases, redactados para los estudiantes de primer año de la carrera de Derecho en la Universidad Austral de Chile. Esos materiales fueron complementados y enriquecidos con el propósito de que estas páginas, sin perder su propósito original, pudieran servir también como un aporte relevante al debate constitucional.

El primer borrador completo de este libro fue entregado a la editorial el día 18 octubre de 2019. Solo el tiempo dirá si se trató de una coincidencia afortunada o no, pues como es de público conocimiento, ese día marcó el comienzo de la reactivación del debate constitucional en Chile. En el actual contexto este libro también pretende ser un insumo de formación ciudadana. Debido a su carácter reciente, los hechos que han acontecido en el país a partir de ese día aún no han sido estudiados en profundidad. Una rápida cronología debiera considerar los siguientes eventos:

a. El viernes 18 de octubre de 2019 tuvo lugar en el centro de Santiago una serie de masivas protestas ciudadanas en contra del Gobierno. El hecho que detonó el malestar ciudadano fue el alza de los precios del trasporte público en Santiago. Sin embargo, rápidamente la ciudadanía comenzó a reivindicar un conjunto de demandas sociales, que en el sentir de los manifestantes, han sido largamente postergadas durante las últimas décadas.

b. En dicho contexto se produjeron serias alteraciones al orden público, cuyas principales manifestaciones fueron el incendio de varias estaciones de metro, la quema de autobuses y el incendio de un edificio.

Transcurridas pocas horas del inicio de las protestas, a las 19:15 hrs., se realizó la primera conferencia de prensa del gobierno, anunciando la aplicación de la Ley de Seguridad del Estado. Alrededor de la medianoche del día 19 de octubre, el presidente Piñera anunció la declaración de estado de emergencia para las provincias de Santiago y Chacabuco y las comunas de Puente Alto y San Bernardo. En el respectivo decreto supremo, si bien se hace una referencia general a las alteraciones al orden público producidas en las horas previas, no se contenía una fundamentación detallada de por qué dicha situación debía ser enfrentada con poderes extraordinarios.

c. En el transcurso de varios días las protestas se fueron extendiendo a todo el territorio nacional, llegándose a convocar el día 26 de octubre una multitudinaria manifestación que tuvo lugar de manera simultánea, prácticamente en todas las ciudades del país, y que contó solo en Santiago con la participación de 1.200.000 personas, aproximadamente. Cabe señalar que, según lo informado por los medios de comunicación, dichas protestas se llevaron a cabo de forma masiva y mayoritariamente pacífica, aunque paralelamente se registraron en algunas ciudades, importantes hechos de violencia y alteraciones del orden público. La respuesta del gobierno fue la extensión del estado de emergencia a gran parte del territorio nacional, incluyendo todas las capitales regionales con excepción de Coyhaique. Es un hecho público y notorio que las condiciones del orden público eran muy diferentes en las distintas ciudades. Si bien es cierto que, en algunas zonas de Santiago Concepción y Valparaíso, se registraron alteraciones importantes al orden público, en otros lugares como Puerto Montt, Osorno o Arica no existieron actos significativos de quebrantamiento del orden público, que hicieran necesario la utilización de medios extraordinarios para controlar la situación. En todos esos casos se utilizó la misma fórmula del D.S que declaró el estado de emergencia en la Región Metropolitana, sin analizar en concreto la situación en cada uno de esos lugares.

d. Las medidas adoptadas no consiguieron cumplir con su propósito, pues las alteraciones al orden público continuaron produciéndose con posterioridad al levantamiento del estado de emergencia, medida que debió adoptar el gobierno debido a la presión ciudadana. En efecto, dicha política pública contribuyó a agudizar el malestar ciudadano en contra del Gobierno y desde el punto de vista de su eficacia representó un completo fracaso. En los días que siguieron al 18 octubre 2019, los jefes de la Defensa Nacional designados por el Presidente de la

República, en su gran mayoría decretaron toques de queda, es decir la supresión total del derecho a la libertad ambulatoria. Sin embargo, ninguno de los decretos supremos antes referidos delegaba expresamente esta atribución a dichos funcionarios. Esta situación de ilegalidad fue advertida por varios expertos en Derecho público. A pesar de que el día 28 de octubre el ministro del interior Andrés Chadwick presentó su renuncia al presidente Piñera, este fue acusado constitucionalmente en la Cámara de Diputados y condenado por el Senado por su responsabilidad en los hechos.

e. En el mismo período de tiempo, comenzaron a aparecer ante la opinión pública una serie de denuncias sobre la actuación de las Fuerzas Armadas y Carabineros. Los informes oficiales del Instituto Nacional de Derechos Humanos y el Ministerio Público, coinciden con reportes de organismos internacionales en relevar el uso excesivo de la fuerza como política pública, denunciando numerosos casos de muertes, lesiones graves como pérdida total o parcial de la visión, violencia sexual en contra de mujeres y detenciones ilegales.

f. Tras la crisis política y social agudizada por las multitudinarias movilizaciones de octubre y noviembre, la mayoría de los partidos políticos suscribieron el día 19 de noviembre de 2019, en dependencias del Congreso Nacional, un documento titulado *Acuerdo por la Paz Social y la Nueva Constitución*. Dicho documento representó la principal respuesta institucional a la crisis, al establecer un itinerario para la discusión constitucional. Por su importancia se transcribe a continuación íntegramente.

Acuerdo Por la Paz Social y la Nueva Constitución

Ante la grave crisis política y social del país, atendiendo la movilización de la ciudadanía y el llamado formulado por S.E. el Presidente Sebastián Piñera, los partidos abajo firmantes han acordado una salida institucional cuyo objetivo es buscar la paz y la justicia social a través de un procedimiento inobjetablemente democrático.

1. Los partidos que suscriben este acuerdo vienen a garantizar su compromiso con el restablecimiento de la paz y el orden público en Chile y el total respeto de los derechos humanos y la institucionalidad democrática vigente.

2. Se impulsará un Plebiscito en el mes de abril de 2020 que resuelva dos preguntas:

a) ¿Quiere usted una nueva Constitución? Apruebo o Rechazo

b) ¿Qué tipo de órgano debiera redactar la nueva Constitución? Convención Mixta Constitucional o Convención Constitucional.

3. La Convención Mixta Constitucional *será integrada en partes iguales por miembros electos para el efecto, y parlamentarios y parlamentarías en ejercicio.*

4. En el caso de la Convención Constitucional *sus integrantes serán electos íntegramente para este efecto. La elección de los miembros de ambas instancias se realizará en el mes de octubre de 2020 conjuntamente con las elecciones regionales y municipales bajo sufragio universal con el mismo sistema electoral que rige en las elecciones de Diputados en la proporción correspondiente.*

5. El órgano constituyente que en definitiva sea elegido por la ciudadanía, tendrá por único objeto redactar la nueva Constitución, *no afectando las competencias y atribuciones de tos demás órganos y poderes del Estado y se disolverá una vez cumplida la tarea que le fue encomendada. Adicionalmente no podrá alterar los quórum ni procedimientos para su funcionamiento y adopción de acuerdos.*

6. El órgano constituyente deberá aprobar las normas y el reglamento de votación de las mismas por un quórum de dos tercios de sus miembros en ejercicio.

7. La Nueva Constitución regirá en el momento de su promulgación *y publicación derogándose orgánicamente la Constitución actual.*

8. Una vez redactada la nueva Carta Fundamental por el órgano constituyente ésta será sometida a un plebiscito ratificatorio. *Esta votación se realizará mediante sufragio universal obligatorio.*

9. Las personas que actualmente ocupan cargos públicos y de elección popular cesarán en su cargo por el solo ministerio de la ley al momento de ser aceptada su candidatura por el Servicio Electoral al órgano constituyente. *Los miembros del órgano constitucional tendrán una inhabilidad sobreviniente para ser candidatos y candidatas a cargos de elección popular por un año desde que cesen en su mandato.*

10. Los partidos que subscriben el presente acuerdo designarán una Comisión Técnica, *que se abocará a la determinación de todos los aspectos indispensables para materializar lo antes señalado. La designación de los miembros de esta Comisión será paritaria entre la oposición y el oficialismo.*

11. El plazo de funcionamiento del órgano constituyente será de hasta nueve meses, prorrogable una sola vez por tres meses. *Sesenta días posteriores a la devolución del nuevo texto constitucional por parte del órgano constituyente se realizará un* **referéndum ratificatorio con sufragio universal obligatorio.** *En ningún caso éste podrá realizarse sesenta días antes ni después de una votación popular.*

12. El o los proyectos de reforma constitucional y o legal que emanan de este Acuerdo serán sometidos a la aprobación del Congreso Nacional como un todo. *Para dicha votación los partidos abajo firmantes comprometen su aprobación.*

15 de noviembre de 2019

Firman:

Fuad Chahin, Presidente Democracia Cristiana
Catalina Pérez, Presidenta Revolución Democrática
Mario Desbordes, Presidente Renovación Nacional
Javiera Toro, Presidenta Partido Comunes
Álvaro Elizalde, Presidente Partido Socialista
Heraldo Muñoz, Partido Por la Democracia
Luis Felipe Ramos, Partido Liberal
Carlos Maldonado, Presidente Partido Radical
Jacqueline Van Rysselberghe, Presidenta Unión Demócrata Independiente
Hernán Larraín Matte, Presidente Evópoli
Gabriel Boric Font

2. EL *ACUERDO POR LA PAZ Y LA NUEVA CONSTITUCIÓN* Y EL ITINERARIO CONSTITUYENTE

El *Acuerdo por la Paz y la Nueva Constitución* produjo el efecto de descomprimir el complejo escenario que vivía el país a mediados de noviembre de 2019, demostrando que la discusión constitucional había regresado con fuerza, al mismo tiempo de que la CPR de 1980 seguía siendo percibida por la ciudadanía como un obstáculo para el desarrollo de una democracia más participativa y de un Estado de bienestar que garantice derechos sociales efectivos. La evidencia más contundente del papel que ha jugado la CPR de 1980 en la supervivencia del *statu quo* heredado de la dictadura, está representada por la suerte que corrieron en el Tribunal Constitucional gran parte de los proyectos de ley más emblemáticos del programa del segundo gobierno de la presidenta Bachelet, el más progresista desde el retorno a la democracia.

Evidentemente, dado el contexto en que el *Acuerdo* fue celebrado, como asimismo por la complejidad del tema, era necesario definir con mayor precisión una serie de detalles que quedarían plasmados finalmente en una reforma al Capítulo XV de la CPR. Para estos efectos, los partidos políticos signatarios designaron una comisión técnica asesora, en conformidad a lo dispuesto por el punto décimo del documento. Esta instancia estuvo integrada por catorce especialistas y buscaba representar a todos los sectores que concurrieron con su firma. El 06 de diciembre de 2019 dicha comisión entregó al Congreso una propuesta de reforma constitucional para su aprobación. La propuesta se transformaría posteriormente en la Ley N° 21.200, de 24 de diciembre de 2019, que añadió al Capítulo XV de la Constitución un título adicional, lo que permitirá llevar a cabo el proceso constituyente dentro de la institucionalidad vigente.

Una síntesis de estas reglas debe considerar los siguientes aspectos: el plebiscito o referéndum que dará origen al proceso, la elección de la Convención Constitucional, su funcionamiento, y finalmente, la ratificación ciudadana de la propuesta de nueva Constitución.

2.1. *Plebiscito o referéndum para dar inicio al proceso*

En este acto electoral la ciudadanía debe pronunciarse si decide mantener la CPR de 1980 o si se debe elaborar una Constitución completamente nueva, al mismo tiempo que ante la eventualidad de resultar vencedora la segunda opción, se debe resolver también cuál será su mecanismo de elaboración. Estas cuestiones estarán expresadas en dos cédulas electorales distintas, redactadas en los siguientes términos:

a) ¿Quiere Ud. una nueva Constitución? *Apruebo* o *Rechazo*.

b) ¿Qué tipo de órgano debiera redactar la nueva Constitución? Convención Mixta Constitucional o Convención Constitucional.

Se establece que la Convención Constitucional Mixta (CCM), estará compuesta en partes iguales por miembros elegidos popularmente y parlamentarios en ejercicio. De un total de 172 miembros, la mitad de ellos serían parlamentarios elegidos por el Congreso Pleno, en conformidad a lo dispuesto por el art. 139 de la CPR. Los restantes 86 miembros corresponderían a ciudadanos electos especialmente para estos efectos por sufragio universal, de acuerdo con lo dispuesto por el art. 140 de la CPR. En el caso de la Convención Constitucional (CC) esta se compone de 155 miembros, elegidos en su totalidad por sufragio universal, según las normas del art. 141 de la CPR.

Este plebiscito se previó originalmente para el 26 de abril de 2020, pero como se explicará en la sección final de este capítulo, dicha fecha ha sido objeto de una modificación en virtud de un acuerdo de los partidos políticos.

2.2. Elección del órgano encargado de elaborar una propuesta de Constitución

De resultar vencedora la opción *Apruebo*, la elección de los miembros del órgano que elaborará la propuesta de nueva Constitución estaba establecida originalmente para el día 25 de octubre de 2020, aunque dicha fecha también ha sido modificada. En cuanto al fondo, en esta materia se han suscitado diversas interrogantes relacionadas con la elección de los convencionales constituyentes (que es el nombre que se le ha dado a los integrantes de estos órganos), ya que lo que estipula el acuerdo con carácter general es que, en cualquiera de los dos casos, se aplicarán las normas que regulan la elección de diputados[4]. El punto más controvertido ha sido cómo favorecer la participación de independientes, asegurar lo propio a las minorías históricamente discriminadas y conseguir que la configuración de dichos órganos sea paritaria en términos de género.

Al respecto, los movimientos sociales han planteado una dura crítica a este punto del acuerdo, pues las reglas de la Ley N° 18.700 están concebidas para favorecer a los partidos políticos, por lo que sin reformas que establezcan medidas correctivas, estos obtendrán la gran mayoría de los convencionales constituyentes. Desde su perspectiva este resultado sería tremendamente injusto, pues por un lado el proceso constituyente ha sido impulsado principalmente por los movimientos sociales, pero esto adicionalmente presenta el problema de que, los partidos políticos han sido una de las instituciones peor evaluadas en el marco de la crisis política. Es evidente que todo ello pone en riesgo la legitimidad del proceso. Con el propósito de salvar este problema, se han formulado diversas propuestas destinadas a

---

[4]   Además de la Ley N° 18.700, Orgánica Constitucional de Votaciones Populares y Escrutinios, rigen la materia: la Ley N° 18.556, Orgánica Constitucional sobre Sistema de Inscripciones Electorales y Servicio Electoral; Ley N° 18.603, Orgánica Constitucional de Partidos Políticos y la Ley N° 19.884, sobre Transparencia, Límite y Control del Gasto Electoral.

consagrar medidas de acción afirmativa, que aseguren la participación en el proceso constituyente de sectores tradicionalmente marginados.

La lista de grupos que han clamado por una participación efectiva en el proceso constituyente es larga e incluye: independientes, mujeres, pueblos originarios, personas en situación de discapacidad, población penitenciaria, migrantes, entre otros. El asunto no ha sido fácil, pues la mayoría de los partidos políticos han mostrado reticencias al respecto. En la sección de este capítulo final nos referiremos a las reformas aprobadas en esta materia.

2.3. Funcionamiento de la Convención

Al momento de su instalación la Convención deberá aprobar la normativa que permita su funcionamiento. Sin perjuicio de ello, la reforma constitucional incorporó algunas reglas en los artículos 134 al 137 de la CPR. Según el art. 133 de la CPR el Presidente. de la República convocará a la sesión de instalación, dentro de los tres días siguientes de la notificación de la respectiva sentencia del Tribunal Calificador de Elecciones. Más allá de las cuestiones meramente organizativas, es importante destacar que la Convención deberá aprobar las normas y el respectivo reglamento de votación por un quórum de dos tercios de sus miembros en ejercicio. Por otra parte, el artículo 134 CPR establece incompatibilidades y prohibiciones para los convencionales constituyentes.

El artículo 135 bajo el título de *disposiciones especiales* establece limitaciones materiales a las decisiones de la Convención. Entre estas destaca la del inciso final, que se refiere a que la Constitución que se apruebe: "deberá respetar el carácter de República del Estado de Chile, su régimen democrático, las sentencias judiciales firmes y ejecutoriadas y los tratados internacionales ratificados por Chile y que se encuentren vigentes". Ahora bien, el artículo 136 regula un procedimiento de reclamación ante infracción de las reglas procedimentales, resultando llamativo que justamente se excluya de este mecanismo la disposición del inciso final del art. 135.

En cuanto a los plazos de funcionamiento, la Convención deberá redactar y aprobar una propuesta de texto de nueva Constitución dentro del plazo de nueve meses a contar de su instalación, el que podrá prorrogarse, por una sola vez, por tres meses más. Añade el art.137 de la CPR que, una vez redactada y aprobada la propuesta de texto de la nueva Constitución por la Convención, o vencido el plazo o su prórroga, la Convención se disolverá de pleno Derecho.

2.4. Ratificación ciudadana de la propuesta de nueva Constitución

Las normas pertinentes establecen determinados plazos para que el respectivo órgano sesione y elabore una propuesta de nueva Constitución. Una vez cumplidos estos, incluyendo eventualmente las prórrogas establecidas, dicho órgano deberá presentar al país una propuesta que será sometida a un plebiscito o referéndum. Este deberá ser convocado por el Presidente de la República, dentro de los tres días siguientes desde que la Convención le remita la propuesta, para que se lleve a cabo 60 días después del decreto supremo de la convocatoria.

3. DESARROLLOS RECIENTES DEL PROCESO CONSTITUYENTE: NORMAS RELATIVAS A INDEPENDIENTES, PARIDAD DE GÉNERO Y POSTERGACIÓN DEL PROCESO POR EL BROTE MUNDIAL DE COVID-19

Luego de una ardua discusión en ambas cámaras, con fecha 05 de marzo de 2020, el Congreso aprobó la Ley N° 21.216, que reforma la Constitución en los términos que a continuación se explican. En primer lugar, se abordarán las normas relativas a candidaturas independientes y posteriormente las de paridad de género. Más allá de que estas reformas se orientan en la dirección correcta, es importante destacar que estas no abarcan todas las correcciones a las reglas electorales para la elección de convencionales constituyentes, sugeridas por una serie de académicos y parte importante de los movimientos sociales.

3.1. Candidaturas independientes

En cuanto a las candidaturas independientes, la reforma añade a la CPR una disposición transitoria, la vigésima novena, regulando la presentación de listas de candidatos independientes, con base en las siguientes reglas:

  a. Se establece que dos o más candidatos independientes podrán constituir una lista electoral, aunque dicha lista tendrá validez únicamente en el distrito electoral en que los candidatos independientes inscriban sus candidaturas.

  b. Cada lista de independientes podrá presentar un máximo de candidatos, equivalente al número de escaños que se elijan en ese distrito, más uno.

c. La declaración e inscripción de la lista deberá contener un lema común para todos los candidatos y un programa que indique las principales ideas o propuestas para el proceso constituyente. Adicionalmente, cada candidato debe contar con el patrocinio de un número de ciudadanos independientes igual o superior al 0,4% de los que hubieren sufragado en ese distrito en la anterior elección de diputados, con un tope de 1,5% de los electores que hubieren sufragado en dicha elección. La lista se conformará únicamente con aquellos candidatos que cumplan con estos requisitos.

d. En todo lo demás, a las listas de candidatos independientes les serán aplicables las reglas generales, como si se tratara de una lista compuesta por un solo partido, incluyendo las disposiciones de la Ley N° 19.884, sobre Transparencia, Límite y Control del Gasto Electoral.

3.2. Reglas sobre paridad de género

Las disposiciones transitorias trigésima y trigésimo primera se refieren, respectivamente, a la declaración e inscripción de candidaturas para la Convención en equilibrio de género y a una fórmula matemática para asegurar paridad en el resultado.

En cuanto al primer aspecto, en resumen, se establece que las listas deberán indicar al momento de la inscripción el orden de precedencia que tendrán los candidatos en la cédula para cada distrito, comenzando por una mujer y alternándose, sucesivamente, estas con hombres. En cada distrito las listas integradas por un número par de candidaturas deberán tener el mismo número de mujeres y de hombres. Para las listas en que el total de postulantes fuere impar, un sexo no podrá superar al otro en más de uno. La infracción a estas normas producirá el rechazo de la lista completa.

Con respecto a la fórmula para asegurar paridad en el resultado, las reglas se pueden sintetizar del siguiente modo:

a. En los distritos que repartan un número par de escaños deben resultar electos igual número de hombres y mujeres, mientras que en los distritos que repartan un número impar de escaños, la diferencia no podrá ser superior a uno.

b. Se aplica inicialmente la fórmula D'hondt, tal como establece con carácter general la Ley N°18.700. En caso de que la distribución paritaria de escaños se produzca espontáneamente, se proclamarán convencionales constituyentes electos a dichos candidatos. En caso contrario, se procederá de la siguiente forma:

1) Se determinará la cantidad de hombres y mujeres que deban, respectivamente, aumentar y disminuir en ese distrito para alcanzar la distribución paritaria establecida por la ley.

2) Se ordenarán de forma descendente las votaciones obtenidas por todos los candidatos del sexo sobrerrepresentado, que preliminarmente hayan obtenido un escaño. En el mismo orden estos serán eliminados de la nómina de convencionales electos, hasta cumplir con la distribución paritaria que exige la ley. Los candidatos de la nómina serán remplazados por candidatos del sexo subrepresentado.

3) Para estos efectos, se ordenarán de forma ascendente las votaciones de los candidatos del sexo subrepresentado. Cada candidato que perdiese el escaño por esta causal será reemplazado por la candidatura de mayor votación, que pertenezca al mismo partido político del candidato reemplazado.

4) En caso de que no existan más candidatos disponibles en ese partido, se proclamará convencional constituyente a la candidatura del sexo subrepresentado más votado de la lista o pacto. Este procedimiento se repetirá hasta alcanzar el equilibrio de género en cada distrito.

c. En el caso que la ciudadanía resuelva elegir la opción de Convención Mixta en el plebiscito nacional, estas reglas, en principio, se aplicaran únicamente para aquellos convencionales electos a través de sufragio universal y no a los que correspondería elegir al Congreso Pleno. En cualquier caso, parece obvio que de resultar vencedora esta opción en el plebiscito, se debería acordar algún mecanismo que asegure paridad de género.

3.3. La postergación del proceso constituyente por la pandemia de COVID-19

Durante el año 2020 el Mundo ha sido duramente golpeado por la pandemia causada por el virus SARS-COVID-19, conocido comúnmente como *coronavirus*. La manera como este se ha diseminado por los cinco continentes y los efectos que ha causado en la salud pública de muchos países, ha llevado a que miles de millones de personas en todo el mundo se hayan obligadas a modificar sus rutinas diarias, debido a que el aislamiento social ha sido la principal medida para frenar su propagación. La Organización Mundial de la Salud (OMS) declaró el 30 de enero de 2020, la existencia de un riesgo de salud pública de interés internacional. Posteriormente, el 11 de marzo de 2020, la misma OMS declaró que la enfermedad era considerada una pandemia, dada la alta cantidad de personas infectadas y su alta tasa de letalidad.

Esta pandemia también ha ocasionado desastrosos efectos en el plano económico y ha alterado los procesos políticos en todo el Orbe. En el caso del Estado de Chile, el 18 de marzo de 2020 el Presidente de la República decretó estado de excepción constitucional de catástrofe, el que incluye atribuciones para restringir las libertades de locomoción y reunión, disponer requisiciones de bienes y establecer limitaciones al ejercicio del derecho de propiedad y para adoptar todas las medidas administrativas que sean necesarias para el restablecimiento de la normalidad. Adicionalmente, se recurrió a la atribución del art. 32 N° 20 de la CPR, dictándose un decreto de emergencia económica que establece un ambicioso plan de ayuda, debido a que la pandemia de COVID-19 ha provocado el desplome de los mercados alrededor del mundo, en cuyo contexto Chile no ha sido la excepción.

Por todas estas razones, el día 19 de marzo se reunieron todos los partidos políticos con representación parlamentaria, los que alcanzaron un acuerdo para aplazar el proceso constituyente, para que este se pueda llevar a cabo en condiciones de seguridad desde el punto de vista sanitario. De este modo, las fechas acordadas fueron las siguientes:

- El día 25 de octubre de 2020, se celebraría el plebiscito nacional en el que la ciudadanía se debe pronunciar sobre la decisión de elaborar una nueva Constitución o mantener la actualmente vigente. De resultar vencedora la opción *Apruebo,* en dicha oportunidad también se elegiría el órgano para elaborar la propuesta.

- Del mismo modo, el día 04 de abril de 2021 se celebraría la elección de convencionales constituyentes, en conformidad a la decisión que la ciudadanía haya adoptado en el plebiscito nacional.

Este acuerdo se plasmó en la Ley N° 21.221, que establece el nuevo itinerario constitucional electoral para el proceso Constituyente. La señalada norma estableció modificaciones y disposiciones transitorias a la Constitución Política de la República con el propósito antes mencionado. Es evidente que esta modificación del calendario original, forzada por razones de salud abre varias interrogantes, las que deberán ser respondidas por las instituciones del Estado una vez resulta la emergencia sanitaria. Probablemente, el escenario no será exactamente el mismo después de la pandemia. El constitucionalismo como tantas otras instituciones deberá adaptarse ese nuevo escenario. Pero seguramente, será más necesario que nunca para pensar el futuro en un país como Chile, que ha permanecido por tanto tiempo anclado a los fantasmas del pasado.

Bibliografía

Ackerman, B. (1989). Constitutional Politics/Constitutional Law. *The Yale Law Journal* n. 99 v. 3, 453-547.

Ackerman, B. (2011). *La Constitución viviente*. Madrid: Marcial Pons.

Aldunate, E. (2003). El efecto de irradiación de los derechos fundamentales. In J. C. Ferrada, *La constitucionalización del Derecho chileno* (pp. 13-38). Santiago: Editorial Jurídica de Chile.

Aldunate, E. (2005). Problemas del control preventivo de constitucionalidad de las leyes. *Estudios Constitucionales, r. 3 v. 1*, 119-126.

Álvarez, L. (2005). La igualdad ante la ley y el principio de la nacionalidad. *Revista Telemática de Filosofía del Derecho, n. 9*, 129-152.

Andrade, C. (1991). *Reforma de la Constitución Política de 1980*. Santiago: Editorial Jurídica de Chile.

Aragón, M. (2007). Derecho de sufragio: principio y función. In D. e. Nohlen, *Tratado de derecho electoral comparado latinoamericano* (pp. 162-177). México: FCE.

Arendt, H. (2006). *Los orígenes del totalitarismo*. Madrid: Alianza.

Arendt, H. (2014). *Sobre la revolución*. Madrid: Alianza.

Arendt, H. (2015). *La promesa de la política*. Buenos Aires: Paidós.

Aristóteles. (2004). *La Política*. Madrid: Editorial Gredos.

Arízaga, B. (1993). El paisaje urbano en la Europa medieval. *II Semana de Estudios Medievales: Nájera 3 al 7 de agosto de 1992*, 11-26.

Atienza, M. Y. (1991). Sobre principios y reglas. *Doxa, n. 10*, 101-120.

Atria, F. (2013). *La constitución tramposa*. Santiago: LOM Ediciones.

Balkin, J. (2011). *Living Originalism*. Cambridge (Mas.): The Belknap Press of Harvard University Press.

Barriga, S. (1979). El análisis institucional y la institución del poder. *Quaderns de psicologia*, 19-29.

Barrington, L. (1997). Nation" and "Nationalism": The Misuse of Key Concepts in Political Science. *Political Science and Politics*, 712-716.

Bassa, J., & Viera, C. (2008). Contradicciones de los fundamentos teóricos de la Constitución chilena con el Estado constitucional: notas para su reinterpretación. *Revista de Derecho (Valdivia), n. 21, v. 2*, 131-150.

Bayón, J. C. (2000). Derechos, democracia y Constitución. *Discusiones, n. 1*, 65-94.

Bayón, J. C. (2010). Democracia y derechos: Problemas de fundamentación de. constitucionalismo. In M. y. Carbonell, *El canon neoconstitucional* (pp. 285-355.). Madrid: Trotta - UNAM.

Bickel, A. (1986). *The Least Dangerous Branch*. New Haven: Yale University Press.

Bobbio, N. (1986). *El futuro de la democracia*. México: FCE.

Böckenförde, E. (2000). *Estudios sobre el Estado de Derecho y la democracia*. Madrid: Trotta.

Bodin, J. (1997). *Seis libros de la república*. Tecnos: Madrid.

Bordalí, A., & Paredes, F. (2014). Juez Continental. In E. e. Ferrer, *Diccionario de Derecho procesal constitucional y convencional, t. 2* (pp. 776-778). México: Instituto de Investigaciones Jurídicas UNAM.

Borowsky, M. (2003). *La estructura de los derechos fundamentales*. Bogotá: Universidad Externado de Colombia.

Branda, C. (2008). Razón natural y racionalidad política en el Leviatán de Thomas Hobbes. *Res publica*, 67-94.

Bronfman, A. (2013). Igualdad del voto y configuración del territorio electoral de los diputados en Chile. *Revista de Derecho (Valparaíso), n. 40*, 353-392.

Bryce, J. (1901). Flexible an Rigids Constitutions. *Studies in History and Jurisprudence*, 124-213.

Carbonell, M. (2006). Marbury versus Madison: en los orígenes de la supremacía constitucional y el control de constitucionalidad. *Revista Iberoamericana de Derecho Procesal Constitucional, n. 5*, 289-300.

Carré de Malberg, R. (1998). *Teoría general del Estado*. México D.F.: FCE.

Carrera, L. (2011). Equilibrio y con-fusión en la compenetración Estado-Iglesia. Análisis de un estudio de casos: Pipino el Breve, Carlomagno y Guillermo de Aquitania. *Historias del Orbis Terrarum*, 64-85.

Carrillo, M. (2004). La aplicación judicial de la Constitución. *Revista Española de Derecho constitucional (71)*, 73-102.

Casper, G. (1989). An Essay in Separation of Powers: Some Early Versions and Practices. *Willian and Mary Law Review (30.2)*, 211-260.

Castro-Gómez, S. (2000). Althusser, los estudios culturales y el concepto de ideología. *Revista Iberoamericana, v. LXVI, n. 193*, 737-751.

Cerda, M. (1985). Origen de algunos principios básicos de la institucionalidad poítica establecida por la Constitución de 1980. *Revista de Derecho Público, n. 37-38*, 67-81.

Cofré, J. O. (2004). Los Términos" Dignidad" y" Persona". Su Uso Moral y Jurídico. Enfoque Filosófico. *Revista de Derecho (Valdivia), n. 17*, 9-40.

Cohen, J. (1997). Deliberation and Democratic Legitimacy. In J. &. Bohman, *Deliberative Democracy. Essays on Reasons and Politics* (pp. 67-92). Cambridge, Massachusetts: MIT Press.

Colón-Ríos, J. (2010). The legitimacy of the juridical: Constituent power, democracy, and the limits of constitutional reform. *Osgoode Hall Law Journal, n. 48*, 199-245.

Constant, B. (1978). La libertad de los antiguos comparada a la de los modernos. *Libertades. v. 36*, 1-13.

Constant, B. (2003). *Principles of Politics Applicable to All Governments*. Indianápolis: Liberty Fund, Inc.

Córdova, L. (2006). La contraposición entre derecho y poder desde la perspectiva del control de constitucionalidad en Kelsen y Schmitt. *Cuestiones Constitucionales 15*, 47-68.

Cordova, L. (2009). *Derecho y poder. Kelsen y Schmitt frente a frente*. México: FCE.

Correa Sutil, S. (2015). Los procesos constituyentes en la historia de Chile: Lecciones para el presente, n. 137. *Estudios Públicos*, 43-85.

Cortés, F. (2010). El contrato social en Hobbes:¿absolutista o liberal? *Estudios políticos*, 13-32.

Cortina, A. (2011). Democracia deliberativa. *Contrastes. Revista Internacional de Filosofía*, 143-161.

Cruz Villalón, P. (1989). Formación y evolución de los derechos fundamentales. *Revista española de derecho constitucional, n. 25*, 35-62.

Curzio, L. (2004). La forja de un concepto: la razón de Estado. *Estudios Políticos*, 27-71.

Da Silva, J. A. (1999). Mutaciones constitucionales. *Cuestiones constitucionales, n. 1*, 3-24.

De Benoist, A. (1999). Qu'est-ce que la souveraineté? *Éléments, n. 96*, 24-35.

De Cortázar, J. Á. (2001). de Cortázar, J. Á. G. (2002). Elementos de definición de los espacios de poder en la Edad Media. In AAVV, *DE CORTÁZAR, José Ángel García. Elementos de definición de los espacios de poder en la Edad Media. En Los espacios de poder en la España medieval: XII Semana de Estudios Medievales, Nájera, del 30 de julio al 3 de agosto de 2001*. (pp. 13-46). Instituto de Estudios Riojanos.

Díaz de Valdés, J. M. (2015). ¿Qué clase de igualdad reconoce el Tribunal Constitucional? *Ius et Praxis, vol. 21., n. 2*, 317-372.

Diez, S. (1999). *Personas y valores: su protección constitucional*. Santiago: Editorial Jurídica de Chile.

Downs, A. (1973). *Teoría económica de la democracia*. Madrid: Aguilar.

Dunning, W. A. (1896). Jean Bodin on Sovereignty. *Political Science Quarterly*, 82-104.

Duverger, M. (2012). *Los partidos políticos*. México: FCE.

Dworkin, R. (1990). Equality, Democracy and Constitution: We the People in Court. *Alberta Law Review, v. 27, n. 2*, 324-346.

Dworkin, R. (1998). The partnership conception of democracy. *Calif. L. Rev. 86*, 453-458.

Dworkin, R. (2008). *El imperio de la justicia*. Barcelona: Gedisa.

Dworkin, R. (2012). *Una cuestión de principios*. Buenos Aires: Siglo XXI Editores.

Elster, J. (1989). *Ulises y las sirenas: estudios sobre racional e irracionalidad*. Madrid: Gedisa.

Elster, J., & Slagstad, R. (2001). *Constitucionalismo y democracia*. México: FCE.

Ely, J. H. (1997). *Democracia y desconfianza. Una teoría del control constitucional*. Bogotá: Siglo del Hombre.

Estévez, J. (2006). Crisis de la soberanía estatal y constitución multinivel. *Anales de la Cátedra Francisco Suárez, vol. 46*, 43-57.

Fallon, R. (1999a). How to Choose a Constitutional Theory?, vol. 87, n. 3. *California Law Review*, pp. 549 y 550.

Fallon, R. (1999b). Legitimacy and Constitution. *Harvard Law Review v. 116, n. 6*, 1789-1853.

Favoreau, L. (2001). La constitucionalización del Derecho. *Revista de Derecho (Valdivia) 12.1*, 31-43.

Fernández Segado, F. (1973). *SEGADO, Francisco Fernández. El estado de excepcion en el derecho constitucional español. Tesis Doctoral, Universidad Autónoma de Madrid.* Madrid: Inédito.

Fernández, A. (2002). La cuestión de la soberanía nacional. *Cuadernos de historia contemporánea, n. 24*, 41-59.

Fernández, E. (1998). El iusnaturalismo racionalista. In F. Ansuátegui, *Historia d elos derechos fundamentales* (pp. 571-600). Madrid: Dykinson.

Fernández, M. (2010). La aplicación por los tribunales chilenos del derecho internacional de los derechos humanos. *Estudios Constitucionales, n. 8.1*, 425-442.

Ferrajoli, L. (2003). Pasado y futuro del Estado de derecho. In M. (. Carbonell, *Neoconstitucionalismo(s)* (pp. 13-29). Madrid: Trotta.

Ferrajoli, L. (2003b). Pasado y futuro del Estado de Derecho. In M. (. Carbonell, *Neoconstitucionalismo(s).* Madrid: Trotta.

Fioravanti, M. (1996). *Los derechos fundamentales. Apuntes de historia de las constituciones.* 1996: Trotta.

Fornent, E. (2010). Principios fundamentales de la filosofía política de Santo Tomás. In P. R. (coord.), *El pensamiento político en la Edad Media* (pp. 93-112). Madrid: Fundación Ramón Areces.

Fossas, E., & Pérez, J. (1994). *Lliçons de Dret constitucional.* Barcelona: Portic.

Foucault, M. (2015). *Un diálogo sobre el poder y otras conversaciones.* Madrid: Alianza Editorial.

Fuentes, C. (2013). *El fraude.* Santiago: Hueders.

Gallie, W. (1956). Essentially Contested Concepts. *Proceedings of the Aristotelian Society*, 167-198.

Gallo, E. (1986). Notas sobre el liberalismo clásico. *Estudios Públicos*, 243-257.

García de Enterría, E. (2004). *Curso de derecho Administrativo I, 12ª. edición.* Madrid: Thompson-Civitas.

García Pelayo, M. (1983). La división de poderes y su control jurisdiccional. *Revista de Derecho Político*, 7-16.

García, J. F. (2007). Tres aportes fundamentales de el Federalista a la teoría constitucional moderna. *Revista de Derecho (Valdivia) (20.1)*, 39-59.

Garriga, C. (2004). Orden jurídico y poder político en el Antiguo Régimen. *Istor. Revista de historia internacional*, 3-44.

Garzón, E. (1996). El enunciado de responsabilidad. *Doxa*, 259-286.

Godoy, O. (1996). ¿Pueden las Fuerzas Armadas ser garantes de la democracia? *Estudios públicos, n. 61*, 269-307.

González Alonso, B. (1987). Del Estado absoluto al Estado constitucional. *Manuscrits: revista d'història moderna*, 81-90.

González, E. (1989). Hacia una definición del término "humanismo". *Estudis: Revista de historia moderna*, 45-66.

Grimm, D. (2006). *Constitucionalismo y derechos fundamentales*. Madrid: Trotta.

Guastini, R. (2001). *Estudios de Teoría constitucional*. Ciudad de México: Fontamara - UNAM.

Guastini, R. (2008). *Teoría e ideología de la interpretación constitucional*. Madrid: Trotta.

Habermas, J. (1994). Derechos humanos y soberanía popular: las concepciones liberal y republicana. *Derechos y Libertades: Revista del Instituto Bartolomé de las Casas*, 215-230.

Habermas, J. (1994). Three normative models of democracy. *Constellations 1 (1)*, 1-10.

Habermas, J. (1999). The European Nation-State: On the Past and Future of Sovereignty and Citizenship. In C. Cronin, & P. De Greiff, *The Inclusion of the Other Studies in Political Theory* (pp. 105-127). Cambrige, Massachusetts: MIT Press.

Habermas, J. (2010). El concepto de dignidad humana y la utopía realista de los derechos humanos. *Diánoia v. 55, n. 64*, 3-25.

Habermas, J. (2017). Constitutional democracy: a paradoxical union of contradictory principles? *Theoretical and Empirical Studies of Rights. Routledge*, 29-44.

Hankins, J. (2007). Humanism, scholasticism, and. *The Cambridge companion to renaissance philosophy*, 30-48.

Hart, H. (1962). *El Concepto de Derecho (trad. Genaro Carrió)*. Buenos Aires: Eudeba.

Held, D. (2006). *Models of Democracy*. Stanford University Press.

Hesse, K. (2001). Significado de los derechos fundamentales. In AA.VV., *Manual de Derecho Constitucional, 2a. ed.* (pp. 29-40). Madrid: Marcial Pons.

Hesse, K. (2001a). Constitución y Derecho constitucional. In AAVV, *Manual de Derecho constitucional, 2a. edición* (pp. 1-15). Madrid: Marcial Pons.

Holmes, S. (1999). El precompromiso y la paradoja de la democracia. In J. Elster, & R. R. Slagstad, *Constitucionalismo y democracia*. México: FCE.

Hsü, D.-L. (1998). *Mutación de la Constitución*. Oñati: Instituto Vasco de Administración Pública.

Hunter, I. (2015). Declaración de intereses y patrimonio. *Revista de derecho (Valdivia), n. 28.2*, 269-273.

Hurtado, R. (2008). Tres visiones sobre la democracia: Spinoza, Rousseau y Tocqueville. *A Parte Rei: revista de filosofía, n. 56*, 1-22.

Iglesias, M. (2000). Los conceptos esencialmente controvertidos en la interpretación constitucional. *Doxa: Cuadernos de filosofía del derecho, n. 23*, 77-104.

Jellinek, G. (1991). *Reforma y mutación de la Constitución*. Madrid: Centro de Estudios Constitucionales.

Jiménez, J. (1993). El legislador de los derechos fundamentales. In U. Gómez, *Estudios de derecho público en homenaje a Ignacio de Otto* (pp. 473-510). Oviedo: Servicio de Publicaciones de la Universidad de Oviedo.

Jiménez, R. (2005). *El constitucionalismo. Proceso de formación y fundamentos del Derecho constitucional, 3a. edición.* Madrid: Marcial Pons.

Kalyvas, A. (2005). Soberanía popular, democracia y el poder constituyente. *Política y Gobierno, v. 12, n. 1,* 91-124.

Kateb, G. (1981). The moral distinctiveness of representative democracy. *Ethics 91 (3),* 357-374.

Kelsen, H. (1949). *General Theory of Law and State.* Cambridge, Ma.: Harvard University Press.

Kelsen, H. (2001). *La garantía jurisdiccional de la Constitución, (trad. Rolando Tamayo.* Ciudad de México: UNAM - Instituto de Investigaciones jurídicas.

Kelsen, H. (2009). *Teoría Pura del derecho.* Buenos Aires: Eudeba.

Kommers, D. (2012). *The Constitutional Jurisprudence of the Federal Republic of German, 3a. ed.* Durham: Duke University Press.

Lassalle, F. (2004). *¿Qué es una Constitución?* Barcelona: Ariel.

Limbach, J. (2003). The Concept of the Supremacy of the Constitution. *Modern Law Review,* 1-10.

Loewenstein, K. (1969). Constituciones y Derecho constitucional en oriente y occidente. *Revista de estudios políticos,* 7-56.

López Guerra, L. e. (2010). *Derecho constitucional. Vol. I. El ordenamiento constitucional. Derechos y deberes de los ciudadanos.* Valencia: Tirant lo Blanch.

Loughlin, M. (2013). The Concept of Constituent Power. *Critical Analysis of Law Workshop, University of Toronto,* 1-24.

MacCoormik, N. (2015). Constitución supranacional: la distinción entre la constitución formal y la constitución material. In J. y. Fabra, *Filosofía del Derecho constitucional. Cuestiones fundamentales* (pp. 105-113). México: UNAM.

MacCormick, N. (1999). Retórica y Estado de Derecho. *Isegoría n. 21,* 5-21.

Malem, J. (2014). La corrupción: algunas consideraciones conceptuales. *Illes i imperis, n. 16,* 169-180.

Mateucci, N. (1998). *Organización del poder y libertad. Historia del constitucionalismo moderno (trad. Francisco Ansuátegui y Manuel Martínez).* Madrid: Trotta.

Maturana, H., & Varela, F. (2013). *De máquinas y seres vivos.* Santiago: Editorial Universitaria.

Menéndez, A. (2004). Three conceptions of the European Constitution. In E. e. Eriksen, *Developing a Constitution for Europe* (pp. 127-147). Londres: Routledge.

Michelini, D. J. (2007). Bien común y ética pública: Alcances y límites del concepto tradicional de bien común. *Tópicos, n. 15,* 37-54.

Michelman, F. (1998). Brennan and Democracy. The 1996-97 Brennan Center Symposium Lecture. *Calif. L. Rev. 86,* 339-427.

Michels, R. (1982). *Sociología dos partidos políticos*. Brasilia: Editora Universidade de Brasilia.

Moderne, F. (1993). El control previo de constitucionalidad en la Europa contemporánea. *Revista Chilena de Derecho, n. 20*, 409-416.

Mönckeberg, M. O. (1983, junio). El pueblo protesta. *Revista Análisis, n. 58*, pp. 17-21.

Montesquieu. (1993). *El Espíritu de las leyes, (trad. Mercedes Blázquez y Pedro de Vega)*. Madrid: Tecnos.

Mortati, C. (2000). *La Constitución en sentido material*. Madrid: CEPC.

Motyl, A. (1992). The Modernity of Nationalism: Nations, States and Nation-States in the Contemporary World. *Journal of International Affairs*, 307-323.

Mouffe, C. (2007). Alteridades y subjetividades en las ciudadanías contemporáneas. *Revista Diálogos*, 1-7.

Navarro, F. (1990). El topos de la razón de Estado en su desarrollo ideológico. *Anales de Derecho. Universidad de Murcia*, 103-128.

Negri, A. (2015). *El poder constituyente*. Madrid: Traficantes de sueños.

Nino, C. (1989). *Ética y derechos humanos*. Buenos Aires: Astrea.

Nino, C. (2014). *Derecho, moral y política. Una revisión de la teoría general del Derecho*. Buenos Aires: Siglo Veintiuno.

Nogueira, H. (2006). Los límites del poder constituyente y el control de constitucionalidad de las reformas constitucionales en Chile. *Estudios Constitucionales, n. 4, v. 2*, 435-455.

Nohlen, D. (1998). Nohlen, Dieter "Presidencialismo, sistemas electorales y sistemas de partidos en América Latina", Caracas (1998): 171-197. In D. F. Nohlen, *El presidencialismo renovado* (pp. 171-197). Caracas: Nueva Sociedad.

Nurock, V. (2015). *Rawls. Por una democracia justa*. Buenos Aires: JUSBAIRES.

O'Donell, G. (1994). Delegative democracy. *Journal of democracy 5 (1)*, 55-69.

Ortega, E. (2002). Cultura centralista: obstáculo para una descentralización efectiva. *Revista Ambiente y Desarrollo, v. 18, n. 2, 3 y 4*, pp. 146-147.

Osiander, A. (2001). The Westphalian Myth. *International Organization*, 251-287.

Paredes, F. (2013). ¿Por qué es necesario plantear el federalismo como una alternativa a la desigualdad en Chile? In F. Muñoz, *Igualdad, inclusión y derecho. Lo político, lo social y lo jurídico en clave igualitaria*. Santiago: LOM.

Paredes, F. (2013). *La garantía jurisdiccional de los derechos fundamentales*. Santiago: Thomson Reuters.

Paredes, F. (2014). Democracia, instituciones y participación: el caso chileno. In G. e. Alberti, *Movimientos e instituciones y la calidad de la democracia. Análisis de casos en América latina y la Unión Europea* (pp. 119-140). Barcelona: Octaedro.

Peces-Barba, G. (2002). El paso del Estado Absoluto al Estado Liberal en la Ilustración. In V. (. Zapatero, *Horizontes de la filosofía del derecho. Homenaje a Luis García San Miguel* (pp. 621-652). Madrid: Servicio de Publicaciones Universidad de Alcalá.

Pegoraro, L. (2002). La circulación, la recepción y la hibridación de los modelos de justicia constitucional. *Anuario Iberoamericano de justicia constitucional, n. 6*, 393-416.

Pegoraro, L. (2013). Constituciones (y reformas constitucionales) "impuestas" o "condicionadas". *Pensamiento Constitucional, n. 18*, 331-356.

Peña, J. (1995). Rousseau y la idea de comunidad política. *Isegoría*, 126-143.

Peña, M. (2002). Funciones de las fuerzas armadas y del Consejo de Seguridad Nacional en Chile y propuestas de reforma constitucional. *Ius et Praxis, n. 8 v. 1*, 95-116.

Peralta, P. (2009). Ni por la razón ni por la fuerza. El fallido intento del estado nacional por incorporar a los pueblos Mapuche y Pehuenche (1810-1835). *Revista de Historia Social y de las Mentalidades, n. 13*, 55-85.

Pérez Luño, A. (1993). El concepto de los derechos humanos y su problemática actual. *Derechos y Libertades, n. 1*, 179-195.

Petit, P. (1999). *Republicanismo. Una teoría sobre la libertad y el gobierno*. Barcelona: Paidós.

Pfefferkorn, R. (2008). Adam Smith, un liberalismo bien temperado. *Revista Sociedad y Economía*, 227-238.

Picado, S. (2007). Derechos políticos como derechos humanos. In D. e. Nohlen, *Tratado de derecho electoral comparado de América Latina* (pp. 48-59). México: FCE.

Platón. (1985). *El Político*. México: Porrúa.

Polakiewicz, J. (1993). El proceso histórico de implantación de los derechos fundamentales en Alemania. *Revista de Estudios Políticos Nueva Época (81)*, 23-45.

Portalis, J. E. (1997). *Discurso preliminar al Código Civil francés*. Tecnos: Madrid.

Prieto Sanchís, L. (2003). *Justicia constitucional y derechos fundamentales*. Madrid: Trotta.

Prieto, L. (2004). El constitucionalismo de los derechos. *Revista Española de Derecho Constitucional, 2004, n 71*, 47-72.

Przeworski, A. (2009). Self-government in our times. *Annual Review of Political Science, n. 12*, 71-92.

Rancière, J. (2006). *El odio a la democracia*. Buenos Aires: Amorrortu.

Rawls, J. (1986). Justicia distributiva (1986). *Estudios públicos, n. 24*, 78-90.

Raz, J. (1990). The politics of the rule of law. *Ratio Juris n. 3, v. 3*, 331-339.

Raz, J. (2002). El Estado de Derecho y su virtud. In c. e. (ed.), *Estado de derecho: concepto, fundamentos y democratización en América Latina* (pp. 15-36). México: Siglo XXI.

Reisman, W. M. (1990). Sovereignty and HUman Rights in Contemporany International Law. *The American Journal of International Law*, 866-876.

Rivero, Á. (2000). Ciudadanos, Repúblicas, Estados y Cosmópolis: algunos temas de teoría política contemporánea. *Revista Española de Ciencia Política*, 151-158.

Rubio, J. (2007). El Discurso Sobre la Desigualdad de Rousseau como historia filosófica. *Thémata. Revista de Filosofía*, 245-254.

Rubio, J. (2016). Educar ciudadanos: el planteamiento republicano-liberal de Rousseau. *Contrastes. Revista Internacional de Filosofía*, 211-227.

Sager, L. (2007). *Juez y democracia. Una teoría de la práctica constitucional norteamericana*. Madrid: Marcial Pons.

Sagués, N. (2009). Notas sobre el poder constituyente irregular. *Anuario de Derecho Constitucional Latinoamericano, n. 151*, 151-163.

Salazar, G. (2009). *Del poder constituyente de asalariados e intelectuales. Chile, siglos XX y XXI*. Santiago: LOM ediciones.

Sánchez, A. V. (2000). Mutación constitucional y fuerza normativa de la Constitución. Una aproximación al origen del concepto. *Revista española de derecho constitucional, n. 58*, 105-135.

Sartori, G. (2009). *La democracia en 30 lecciones*. México: Taurus.

Schmitt, C. (1982). *Teoría de la Constitución*. Madrid: Alianza.

Schmitt, C. (2011). *Teoría de la Constitución*. Madrid: Alianza.

Schönsteiner, J., & Couso, J. (2015). La implementación de las decisiones de los órganos del Sistema Interamericano de Derechos Humanos en Chile: Ensayo para un balance. *Revista de Derecho (Coquimbo) n. 22.2*, 315-355.

Schoultz, L. (2014). *National Security and United States Policy towards Latin America*. Princeton: Princeton University Press.

Scruggs, W. L. (1903). Citizenship and Suffrage. *The North American Review v. 177*, 837-846.

Searle, J. (2006). ¿Qué es una institución? *Revista de Derecho Político*, 89-120.

Silva Bascuñan, A. (1963). *Tratado de Derecho constitucional, tomo I*. Santiago: Editorial Jurídica de Chile.

Silva-Herzog, J. (1999). El hechizo de Bodin. *Isonomía, n. 11*, 49-55.

Smith, A. (1991). *National Identity* Londres: Penguin Press.

Solari, E. (1993). Recepción en Chile del Estado social de derecho. *Revista chilena de Derecho, n. 20*, 333-344.

Solozábal, J. J. (1981). Sobre el principio de separación de poderes. *Revista de Estudios Políticos (24)*, 215-234.

Soto Kloss, E. (1994). La familia en la Constitución Política, v. 21, n. 2. *Revista chilena de Derecho*, 217-225.

Spinoza, B. (1984). *Tratado teológico Político*. Madrid: Alianza.

Stern, K. (1985). The genesis and evolution of European-American constitutionalism: some comments on the fundamental aspects. *Comparative and International Law Journal of Southern Africa 18.2*, 187-200.

Sunstein, C. (2007). Incompletely Theorized Agreements in Constitutional Law. *Social Research*, 1-24.

Taylor, C. (1992). *Multiculturalism and the Politics of Recognition*. Princeton: Princeton University Press.

Tokichen, V. (2007). Pueblo Mapuche: desde la asimilación forzada a la exclusión. In AAVV, *El pueblo Mapuche* (pp. 98-123). Barcelona: Institut de Drets Humans de Catalunya.

Torres del Moral, A. (1992). La teoría política de Hobbes un temprano intento de síntesis metódica. *Boletín de la Facultad de Derecho*, 237-266.

Tushnet, M. (2000). *Taking the Constitution Away from the Courts*. Princeton University Press: Princeton.

Uribe, E. y. (2012). Mutaciones constitucionales y la problemática de su control en el Estado constitucional. *Revista de Derecho Universidad del Norte, n. 38*, 196-224.

Várgany, T. (2000). El Pensamiento político de John Locke y el surgimiento del liberalismo. In A. Borón, *La filosofía política moderna. De Hobbes a Marx* (pp. 41-76). Buenos Aires: CLACSO.

Vatter, M. (2002). *Constitución y resistencia: ensayos de teoría democrática radical*. Santiago: Ediciones Universidad Diego Portales.

Villoro, L. (2013). *El pensamiento moderno: filosofía del Renacimiento*. Ciudad de México: Fondo de Cultura Económica.

Waldrom, J. (2005). *Derecho y desacuerdos*. Madrid: Marcial POns.

Waldrom, J. (2005a). *Derecho y desacuerdos*. Madrid: Marcial Pons.

Ware, A. (2006). *Political Parties and Party System*. Cambridge: Cambridge University Press.

Weber, M. (1958). Los tres tipos puros de dominación legítima. *Revista de Ciencias Sociales*, 301-316.

Weber, M. (1993). *Economía y Sociedad*. FCE: México.

Wittgenstein, L. (2017). *Investigaciones filosóficas*. Madrid: Trotta.

Zagrebelsky, G. (2008a). *El derecho dúctil 8a. edición*. Madrid: Trotta.

Zagrebelsky, G. (2008b). *La legge e la sua giustizia*. Bolonia: Il Mulino.

Zalaquett, J. (2011). Conflictos de intereses: normas y conceptos. *Anuario de Derechos Humanos, n. 7*, 179-189.

Zernatto, G. (1944). Nation: The History of a Word. *The Review of Politics*, 351-366.

Zúñiga, F. (2013). Nueva Constitución y operación constituyente: algunas notas de la reforma constitucional y de la asamblea constituyente. *Estudios constitucionales n. 11 v. 1*, 511-540.

Zúñiga, Y., & Turner, S. (2013). Sistematización comparativa de la regulación de la familia en las constituciones latinoamericanas. *Revista de derecho (Coquimbo), n. 20 v. 2*, 269-301.